LE LIVRE NOIR DE LA PUB

Quand la communication va trop loin

Florence Amalou

LE LIVRE NOIR DE LA PUB

Quand la communication va trop loin

Stock

À Lucas,
un homme à part

À nos enfants,
Milàn, Eléna et Mateo,
Juliette, Jean-Bapt, et Benj
Merci pour vos encouragements

AVANT-PROPOS

Le 11 septembre 2000, une lourde grue utilisée par les publicitaires américains de l'agence J. Walter Thompson s'est écroulée sur les vestiges du Machu Picchu, le plus important site inca des Andes péruviennes. Cinq cents kilos de matériel de tournage ont détruit une partie des vestiges archéologiques préservés depuis cinq cents ans. En quelques secondes, comme ça, juste pour les besoins d'un spot de pub censé doper les ventes de la bière Cervezur.

Aucun média ne s'est fait l'écho de ce « micro-événement ». Peut-être, en effet, n'a-t-il pas d'importance : comme souvent en pareil cas, les publicitaires obligés de faire amende honorable ont versé de l'argent à la société d'archéologie locale et l'affaire fut rapidement oubliée. Mais, précisément, devons-nous l'oublier ? Cette destruction partielle – soit dit en passant, d'un site classé patrimoine de l'humanité par l'Unesco – symbolise mieux que n'importe quel discours le pouvoir grandissant dont jouissent les « big companies ».

À notre corps défendant, peut-être, une société de marché s'installe chaque jour davantage. La logique d'offre et de demande et les manœuvres de séduction qui s'y attachent règnent dans tous les secteurs marchands. Pour certains, la publicité est garante de la liberté démocratique puisqu'il

9

s'agit, justement, de faire valoir la liberté de choix. Mais qu'en penser lorsqu'elle détaille notre comportement privé sur des fiches, à notre insu, se glisse insidieusement dans les services publics, la politique, lorsqu'elle vise sans rencontrer d'opposition nos enfants, lorsqu'elle nous impose par ses spots télévisés, ses affiches, ses annonces – et bien d'autres mécanismes – une vision du monde que nous n'avons pas choisie.

Notre société, patiemment reconstruite depuis 1944, entre dans un nouveau monde où tout est communication. Ce monde est à l'image de l'Amérique. Nous n'y trouvons pour l'instant rien à redire car nous ignorons encore que là-bas, lorsque des enfants refusent, par exemple, de regarder la télévision obligatoire dans leur école publique, ils peuvent être traités comme des délinquants. C'est l'Amérique avec ses excès à peine croyables, dira-t-on... Mais l'Amérique n'est jamais loin dès qu'il s'agit de publicité.

La majorité des agences sont américaines. Et le développement des autres – les deux groupes d'origine française Havas Advertising et Publicis – dépend du premier marché publicitaire du monde. Outre les extraordinaires débouchés commerciaux offerts par la zone nord-américaine qui concentre plus de 45 % des dépenses mondiales en communication, c'est là-bas que les techniques publicitaires sont mises au point et validées avant d'être diffusées dans le reste du monde.

En fait, la différence entre l'Europe et les États-Unis, c'est juste un temps de décalage. Mondialisation économique oblige. Si en France la pub n'est pas encore diffusée dans les salles de classe, elle a déjà pointé ses slogans accrocheurs dans les écoles. Elle est déjà parvenue à se faire une place dans des cours de récréation bien que l'Éducation nationale interdise officiellement toute forme de publicité. Car, « quand s'arrondit le ventre d'une future maman, ce n'est pas simplement un enfant qui se prépare à venir au monde, mais aussi un objet de convoitise pour les stratèges du marketing[1] ».

En France, la publicité n'a plus de limites. Après dix ans d'interdiction de publicité pour le tabac, où en sommes-nous aujourd'hui ? Les fabricants de cigarettes ont eu le temps de se retourner : Peter Stuyvesant se présente désormais comme un tour opérateur pour étudiants, Lucky Strike est devenu organisateur de soirées et Camel fabricant de chaussures. Il se vend bien sûr toujours autant de cigarettes qu'avant, via notamment des réseaux de contrebande. D'après des chiffres tout à fait officiels, les jeunes fument chaque année davantage.

À bien y regarder, les publicitaires de la J. Walter Thompson qui abîmèrent Machu Picchu ne sont ni pires ni meilleurs que les autres. Ils ne sont qu'un élément de cette réalité que nous ne maîtrisons plus mais qui nous maîtrise chaque jour davantage. Adossés aux conglomérats qui les possèdent – l'Anglo-Américain WPP pour J. Walter Thompson – et aux industriels qui les font vivre, les publicitaires sont devenus les apôtres modernes de toutes les causes qu'il faut « vendre ». On leur demande de rentabiliser des investissements, de conquérir des parts de marché. Pour y parvenir, la pub se nourrit de nos aspirations et de nos frustrations. Elle est à l'origine d'un nouveau système de rites et de croyances diffusé d'un bout à l'autre de la planète. En cinquante ans, elle est même devenue l'un des plus puissants producteurs de culture universelle, au même titre que quelques séries télévisées américaines comme *Alerte à Malibu*[2]. Cette fiction qui raconte la vie d'une poignée de maîtres nageurs body-

---

1. Michael Van Orsow, revue *Facts* (décembre 1995).
2. Affirmait le 18 novembre 1999, au siège de l'Onu à New York, Tom Brokaw, responsable de la rédaction de NBC News. Dans *Le Monde* (26 novembre 1999).

buildés californiens serait l'émission la plus regardée dans les villages reculés d'Indonésie.

Comment fonctionnent ces nouveaux mythes? Quelles valeurs véhiculent-ils? Que nous impose-t-on de voir? Que nous empêche-t-on de regarder? Ils entretiennent un sexisme dégradant pour les femmes. Ils imposent à des générations de petites filles, adolescentes, jeunes femmes et mères un modèle de beauté auquel la plupart ne pourront jamais ressembler. À moins de l'acheter. Ils bannissent la vieillesse, font croire à la jeunesse éternelle. Ils se nourrissent toujours de clichés coloniaux quand ils montrent des gens de couleur. Ou plus simplement décident de les exclure de la nouvelle grammaire de valeurs prétendument universelles.

Censure, autocensure, tabous, interdits, manipulations, pressions... On aurait tort de perdre de vue que la « distraction » proposée par les publicitaires est « d'un genre particulier », rappelle Jacques Attali : « Ce sont des contenus qui racontent des histoires tout en essayant de vendre quelque chose[1]. » Les publicitaires doivent créer de « fausses vérités » afin de doter leur utopie marchande d'une légitime existence. On nous affirme pourtant qu'il n'est pas question de duperie : « Il ne viendrait plus à l'idée de personne de l'accuser [la pub], comme dans les années 70, de manipuler », déclarait au magazine *Paris Match*, en avril 1993, le publicitaire Maurice Lévy : « Les gens possèdent une sorte de décodeur qui leur fait trier instantanément la part du vrai et celle des excès dans les slogans. C'est devenu un jeu, et même une sorte de micro-culture. »

Le postulat est simple : dans une démocratie, il n'y a plus d'opinion manipulée ni de volonté de manipulation. L'homme est libre parce qu'il est informé. « Nous avons du

---

1. Discours tenu à l'assemblée générale de l'Union des annonceurs (automne 2000).

12

mal [...] à imaginer par exemple que des idées démocratiques puissent être défendues par des méthodes qui ne le seraient pas », reproche le sociologue Philippe Breton. Pourtant, il existe, selon lui, « une possible continuité des méthodes entre les régimes totalitaires et les régimes démocratiques[1] ».

À chaque pas en avant, on mord un peu plus sur nos libertés. Le « Big Brother » de Georges Orwell (*1984*) n'a rien d'une mécanique futuriste, il est notre réalité.

Chaque individu était, en 1999, exposé en moyenne à mille messages commerciaux par semaine[2] : deux cent cinquante spots télévisés, trois cent cinquante affiches, cent cinquante messages radio, quatre cent cinquante stimuli placés dans les magasins et trois bandes publicitaires à ingurgiter au cinéma avant le film. Le nombre de spots télévisés a été multiplié par six entre 1977 et 1994 quand le nombre de jingles publicitaires radiophoniques, lui, doublait pendant la même période[3].

Nous n'existons déjà plus que par notre statut de « consommateur »... de beurre, de fromage, de vache folle mais aussi de programmes télévisés, de politique, de médicaments. Le citoyen s'efface devant le consommateur. Les États, eux, continuent de perdre de leur pouvoir. Fait récurrent, on nous parle d'ailleurs plus souvent de stratégies industrielles que de projet de société.

Il suffit, pour prendre la mesure de l'influence des entreprises, de voir la facilité avec laquelle les laboratoires pharmaceutiques deviennent de grands ordonnateurs (et les financiers) de campagnes dites de « santé publique ».

---

1. Philippe Breton, *La Parole manipulée*, La Découverte, 2000.
2. Selon l'agence Western International Media, cité par le cabinet britannique Henley Center.
3. 69 331 spots télévisés étaient diffusés par an en 1977, et 435 801 en 1994.

Les accointances de la classe politique avec les consultants en communication ne sont pas nouvelles. Mais à l'ère de la société dite de communication, les vieux « partenariats » ont subitement acquis une autre dimension. Le démarrage en force du marketing politique y a contribué. Depuis le succès de la campagne « La force tranquille » de Jacques Séguéla pour François Mitterrand en 1981, les hommes politiques sollicitent des publicitaires « bénévoles » à chaque échéance électorale. Quelle influence la pub a-t-elle vraiment sur la vie politique française ? Chacun a sa famille de prédilection (Thierry Saussez ou Bernard Brochand pour le RPR, Stéphane Fouks pour le Parti socialiste). On lui renvoie la politesse grâce à son épais carnet d'adresses. Les plus en vue occupent une position stratégique et officieuse dans le contrôle du pouvoir : ils conseillent les grands patrons ; sont les argentiers des médias ; ont un pied dans le milieu artistique ; et entretiennent leurs réseaux en apparaissant régulièrement dans des « clubs » qui les occupent le soir ou le week-end (France Pub, Le Cercle...).

La politique et le marketing avancent main dans la main, en France comme ailleurs, même si ce ne sont pas encore, dans les proportions que l'on connaît aux États-Unis. Lors de la dernière dispendieuse et rocambolesque course à la présidence américaine, la campagne a englouti plus de trois cents millions de dollars (la plus chère de l'histoire), principalement en publicité. Cette dernière a, en fait, été au cœur du duel Gore/Bush. Il s'agissait « d'une élection de consommateurs où l'on choisit finalement une marque [1] », selon Jean-Marc Lech, coprésident d'Ipsos. Quel avenir faut-il en déduire pour la politique ? À quand la transposition de ce marketing-là en Europe ?

---

1. *Stratégies* (10 novembre 2000).

Avant-propos

détournem⁺ des textes (handwritten)

Ainsi vont les choses. La publicité est régentée par des textes obsolètes qu'elle contourne sans grande peine. Nos vies se retrouvent découpées en cycles auxquels répondent de multiples et complexes actions publicitaires. Pour espérer mieux, croire en un contrôle possible de nos vies, il serait vain de vouloir dresser de nouvelles barrières réglementaires. Ce réflexe très français serait inefficace : l'évolution de la société marchande est trop rapide, le parcours législatif trop lent. Le légitime et véritable contre-pouvoir ne peut venir que du client, qui est aussi un citoyen. Il peut faire en sorte qu'on ne l'oublie pas.

N'omettons pas de distinguer la mondialisation « qui se lit à travers l'interdépendance croissante entre les hommes, les sociétés, les espaces », et la globalisation économique qui, elle, « n'est pas un fait mais une idéologie : la croyance dans les avantages, partout et toujours, du libre marché à l'échelle mondiale ». Ces croyances rappelle, Pierre Calame, directeur général de la fondation Charles-Leopold-Mayer, « se discutent, se contestent et se corrigent[1] ».

Que sommes-nous prêts à accepter? Et que voulons-nous éviter à tout prix? Puisque « c'en est fini du débat politique, [qu'] on discute de nuances, non de modèles de société[2] », eh bien! discutons, justement, des nuances.

Si l'heure du réveil avait sonné?

mondialisation = interdépendance (handwritten)
globalisation éco = idéologie (handwritten)

---

1. *Le Monde de l'économie* (5 septembre 2000).
2. Jean-Marie Guéhenno, *L'Avenir de la liberté*, Flammarion, 1999.

Première Partie

Les nouveaux mirages qui emprisonnent

1

Femmes dans la pub,
le sexe, le sexe, le sexe...

> « Il est difficile à l'homme de mesurer l'extrême importance de discriminations sociales qui semblent du dehors si insignifiantes et dont les répercussions morales, intellectuelles sont dans la femme si profondes, qu'elles peuvent paraître avoir leur source dans une nature originelle. »
>
> Simone de BEAUVOIR,
> *Le Deuxième Sexe.*

En ce moment (et voilà deux années que cela dure), il nous est donné à voir sur les murs de nos villes, dans les pages colorées de nos journaux, dans les spots à la télévision ou au cinéma, dans les clips musicaux, etc., des femmes, ou plutôt faudrait-il dire des filles, géantes, aguichantes, toujours la lèvre humide et le regard langoureux, plongées dans une extase qui semble n'appartenir qu'à elles, mais qu'on nous somme de partager.

« Il y a des filles. Plein de filles avec plein de seins partout. Des filles en soutien-gorge parlant à leurs seins. Débordantes d'affection pour leurs seins débordants du nid. » Pierre Georges, chroniqueur au *Monde*, manifestement abasourdi par tant de géniales et délicates trouvailles publicitaires, s'étonne : « Tout de même, des décennies de bataille pour une meilleure représentation et place de la femme dans la société pour la célébrer ainsi dans une scène du genre *La Guerre de la laine.* » Et le voilà qui conclut : « Les Chiennes de garde ont du beau mollet bien gras de beauf publicitaire à mordre. »

Que font-elles, toutes ces femmes nues, à demi nues, presque nues dans la rue ? Que font-elles, là, à attendre le bus à côté de nous ? À surveiller chaque feu rouge, à poser dévêtues devant les piétons ? On me dit : elles sont là pour vendre. Ou plus exactement nous faire acheter. Quoi ? Des parfums, des disques, des sacs, des chaussures, des petites culottes, des glaces, des biscuits secs, des pulls et même des voitures. Tout s'explique. Mais explique quoi, au fait ?

Que des dizaines d'annonceurs comme les couturiers Gucci, Versace, Ungaro, Prada, Sisley, Dior, Yves Saint Laurent, les marques de prêt-à-porter La City, les chaussures Éram et J. M. Weston, les glaces Gervais, les biscuits Mikado et les lingeries Aubade, Chantelle, Simone Pérèle, et même la saucisse Ficelle de Bourgogne, ont pris l'habitude d'exposer des corps de femmes sous tous les angles, dans toutes les positions, à grands coups d'affiche de quatre mètres sur trois, surtout pour qu'on n'y échappe pas. Ils se sont octroyé la liberté d'exhiber les femmes au regard des passants. Comme des biens publics dont le moindre détail de l'anatomie appartiendrait à tous.

On a entendu dire, plutôt par des hommes d'ailleurs, lors du débat sur la parité[1], qu'appeler à un traitement équitable

1. Qui donna naissance à une loi dont le seul intérêt, à mon sens, est de servir d'aiguillon politique.

des deux sexes est « dépassé ». « Les femmes auraient gagné parce que les valeurs féminines auraient envahi la société[1] », résume, sceptique, l'historienne Michelle Perrot en décembre 2000. Il suffit, pour se convaincre du contraire, d'ouvrir les yeux.

Les libertés que prennent les publicitaires dans la mise en scène de leurs rêves marchands sont fort différentes dès qu'il s'agit des hommes. La nudité sensualisée, par exemple. Mis à part quelques adolescents imberbes et vaguement androgynes qui entourent certaines sirènes urbaines dévêtues, les hommes ne sont pas mêlés à ces scènes déshabillées. Où se terrent-ils, ceux qu'on serait en droit de voir, à leur tour, nus dans la rue ?

C'est bizarre. Lorsque l'humoriste Jean-Marie Bigard a annoncé son spectacle parisien par une affiche qui montrait abruptement, sur un fond noir, deux testicules et un pénis étroitement moulés par un caleçon blanc, j'ai vu quelques hommes, gênés, détourner les yeux. Cette impudeur, inhabituelle pour eux, les mettait mal à l'aise. Ces mêmes hommes, pourtant ouverts d'esprit, trouvaient « fort sympathiques » les publicités Aubade, qui montraient la même semaine cette fille au corps sublime, mais sans tête, censé faire acheter aux femmes, il paraît, une petite culotte ou un soutien-gorge.

On me dit que tout ça, c'est parce que les femmes sont belles. Oui, mais on pourrait trouver de nombreuses femmes, si elles étaient interrogées intelligemment sur le sujet, pour affirmer que le corps d'un homme peut, autant que celui d'une femme, se révéler magnifique ! La raison de cette injustice est donc ailleurs. Il est urgent de s'en préoccuper, sans s'attacher aux dénégations, parfois gênées, de leurs auteurs qui refusent d'endosser une responsabilité sociale pour des travaux de nature commerciale.

---

1. « Être une femme est un combat », *Le Monde des débats* (décembre 2000).

Il y a un demi-siècle, déjà – et on connaît les avancées depuis (droit à la contraception, à l'avortement...) –, on disait que la question du traitement équitable des deux sexes ne « faisait plus débat ». Candeur déconcertante. Les Françaises venaient à peine d'obtenir le droit de voter et il se trouvait un certain nombre de personnes pour affirmer : « [...] la majorité des hommes [...] ne posent pas la femme comme une inférieure : ils sont aujourd'hui trop pénétrés de l'idéal démocratique pour ne pas reconnaître en tout être humain un égal », relate en 1949 la philosophe Simone de Beauvoir dans *Le Deuxième Sexe*. Nous sommes en 2001, un demi-siècle plus tard, et la partie n'est pas gagnée. Pire, la situation s'aggrave, le sexisme dans la pub s'est développé. Plus brutal qu'avant.

Évidemment, dans cette affaire de déshabillé, les publicitaires ne sont pour rien. Notre vocation « consiste à susciter, de la part des femmes et des hommes, un désir pour les marques et les produits. Le publicitaire va plutôt tenter de l'interpeller, de la faire sourire, de susciter son émotion, de l'informer, de lui révéler une vérité latente ou de lui poser des questions », explique Pascale Weil, directrice associée de Publicis Consultants. Un avis apparemment partagé par un autre publicitaire, Nicolas Bordas, président de BDDP & Fils, qui en rajoute même une couche : « De plus en plus souvent, la publicité fonctionne comme un bouc émissaire, c'est le miroir de la société que l'on voudrait briser parce qu'il nous renvoie une image qui ne nous plaît pas. Cela s'ajoute au fait que, depuis deux ans, la contestation de la publicité par des groupes les aide à faire passer leurs messages. »

constat inverse

Posons le postulat inverse : la société est plus évoluée que ne le laissent entendre ces images dégradantes pour la femme. La preuve ? Depuis deux ans, un certain nombre de réformes – comme la loi sur la parité, la loi sur l'égalité professionnelle ou la réflexion menée sur l'articulation du temps de vie afin de permettre aux deux parents de partager la responsabilité du foyer... – permettent de répondre progressivement aux attentes des Français qui estiment normal de rétablir des déséquilibres accrochés à notre histoire. L'archaïsme de ces images est d'autant plus déconcertant. ✕✕

La femme publicitaire placée comme un objet de désir ou simple faire-valoir ne date pas d'hier. Cette construction fut lancée il y a fort longtemps, quand la réclame est devenue publicité, en fait. Elle perdure aujourd'hui.

Dans les années 60, le paternalisme publicitaire inventé une trentaine d'années auparavant par les Américains bat son plein. Les annonceurs posent comme postulat de communication (toujours vaillant apparemment) que l'identité des femmes se révèle dans ce qu'elles paraissent ou, éventuellement, dans leur capacité à « bien tenir leur foyer ». Les premiers clichés publicitaires sont nés : l'homme a l'autorité et le savoir-faire, la femme a peu d'autorité en dehors du champ domestique.

La femme enfile les habits étriqués de la publicité. Ceux de l'épouse aimante, de la mère aimante, de l'objet de désir ou de machine à laver. Elle n'existe que pour satisfaire les besoins basiques de son entourage. S'occuper des enfants, entretenir son intérieur, et être belle pour honorer son époux. Au même moment, l'homme, lui, est dépeint comme un être libre qui aspire à une élévation spirituelle et intellectuelle.

Les publicitaires de l'époque utilisent des affichistes-dessinateurs comme Morvan, Savignac, ou Raymond Gid, pour « mettre en valeur » la femme dans ce qu'elle a de meilleur. C'est-à-dire : une taille fine – ça fait vendre les gaines – et des jambes fuselées. C'est l'époque de la combinaison Lisette

Parienté (1955)[1] vantée par des images directement importées d'Amérique avec le plan Marshall (seins obus et lèvres pulpeuses). Ou des bas Le Bourget « transparents comme l'air » et fabriqués « dans les usines les plus modernes d'Europe » (1953). Madame doit prendre soin d'elle pour paraître belle. Et faire vivre l'industrie de la cosmétique.

Mais être belle ne suffit pas. Ça ne sert pas tous les jours. Alors elle doit aussi être une bonne ménagère. Voici les débuts de la grande époque, celle de la « glorification de la femme d'intérieur, sans identité propre, un rôle qui la fera succomber à tout ce qu'ils vendront », écrit en 1963, Betty Friedan, dans *The Feminine Mystique*. La traduction publicitaire, au départ, est abrupte. Pour une préparation instantanée, par exemple. Un fichu sur la tête, voilà madame houspillée par son mari : « Alors, ce dîner, il arrive ? – Oui, il vient », répond la dame qui se réjouit : « Hier, je devais tout faire. Heureusement, aujourd'hui, j'ai Kalomix ! Grâce à Kalomix, la soupe est tout de suite prête. »

Jusque dans les années 70, la femme publicitaire est « sans emploi », « ignorante », « dans l'attente du bon conseil », « fragile ». Heureusement, elle achète, elle achète, elle achète pour devenir meilleure, plus belle, et surtout plus intelligente. Ce sont les débuts de la fameuse « ménagère de moins de cinquante ans ». Toujours fidèle au poste, même si les traductions publicitaires contemporaines tentent d'être plus délicates.

Dans une campagne récente, la marque d'électroménager Brandt met sur le même plan 1945 et le droit de vote des femmes, 1967 et la légalisation de la contraception, 2000 et la plaque à induction, « une nouvelle révolution pour les femmes » : « Brandt révolutionne la cuisson avec l'induc-

---

1. « Pub : de la mère Denis au porno chic », *Le Figaro* (3 avril 2001).

tion », « Le meilleur moyen pour les femmes de bien cuisiner
avec la vie qu'elles mènent aujourd'hui ».

Pour les autres produits, pas besoin de se casser la tête.
Dans les pubs de voitures, la femme n'est qu'un objet décora-
tif au pouvoir attractif confirmé. En général, sa prestation,
type pot de fleur qui n'ouvre pas la bouche, est glorieusement
complétée par une voix off masculine qui décrit le produit
vanté. Sans, d'ailleurs, qu'il y ait forcément de rapport entre
le produit et la dame.

Du reste, on s'en fiche, elle n'est là que pour capter le
regard du futur consommateur pendant que l'argument commercial lui entre dans l'oreille. Comme au milieu du siècle
dernier. Dernièrement on voyait la pub Alfa Romeo « où une
jolie pin-up jet-set se glissait au volant comme on enfile un
préservatif ». Ce n'est pas moi qui l'écris, c'est Gérard Lefort
dans *Libération*. Parfois, « la fille à automobile » ne fait, en
plus, que provoquer des catastrophes... Elle ne sait pas
conduire. Un concept pas du tout sexiste, il va sans dire.

Ces stéréotypes sont très avantageux d'un point de vue
publicitaire : ils autorisent tous les raccourcis pour que les
pubs, qui doivent se limiter à une phrase, une image, aient un
meilleur « impact ».

Au fil du temps qui passe et des répétitions, ces images
commerciales de la femme qui n'existe que pour satisfaire les
demandes de l'homme, à force d'être rabâchées sans être
repensées, ont créé un mythe mensonger et une image dévas-
tatrice. Or « nous sommes pensés par les mythes », disait
Lévi-Strauss. Et « la publicité, par son caractère ouvertement
mensonger, nous engage sur ce chemin bien plus efficace-
ment que toute autre forme d'image [1] », affirme le psychanalyste Serge Tisseron. Les images de la « gentille stupide » et
de la « jolie facile » sont devenues les images « fondatrices »

---

1. Serge Tisseron, *Psychanalyse de l'image*, Dunod, 1997.

de ce que nous sommes appelées à devenir collectivement. Ça, quand on est une femme, ça fait mal.

Jamais aucune femme n'a pu se satisfaire d'être ainsi considérée comme une idiote, cloîtrée chez elle ou préoccupée uniquement par ses sols et son linge sale. Même il y a cinquante ans.

caricature

Ces images des années 50-60 révélaient la pauvreté de leur statut économique. On enfermait tout un genre dans ces caricatures alors qu'en France, à partir des années 1950, « la proportion des bachelières dépasse régulièrement la proportion de bacheliers. Et à partir de 1955, les jeunes filles ont commencé à sortir plus fréquemment diplômées de l'enseignement supérieur », affirme Dominique Méda[1]. Mais la publicité ne parle pas des femmes, de leur pouvoir d'achat désormais décuplé et de leur intégration progressive dans toutes les catégories socio-professionnelles.

+ de bachelières

La femme dans la publicité n'a toujours pas gagné son droit au respect. Plus objet que jamais, la ségrégation continue.

Ds pub, pas respect. OBJET

En guise d'« évolution des mentalités », nous sommes devenues des bêtes publicitaires qu'on exhibe tous seins dehors, tous orifices ouverts ou, ce qui n'est pas plus glorieux à mon sens, des femmes autoritaires qui domineraient les hommes. Le rapport de force publicitaire entre les deux sexes est d'une violence inouïe, entre ce talon aiguille qui s'enfonce dans la chair d'une main d'homme (pour Vuitton), et la poupée gonflable qui récompensera l'ado s'il offre un téléphone

1 de force entre les 2 sexes

---

1. Dominique Méda, *Le temps des femmes, pour un nouveau partage des rôles*, Flammarion, 2001.

portable « et un voyage pour la Saint-Valentin à sa « fiancée ». Celle-ci va « en rester bouche bée » (l'orifice de la poupée en plastique grand ouvert, pour ceux qui n'auraient rien compris). Rien ne va plus. Nous violons, ou nous faisons violer, martyrisons ou nous faisons martyriser, soumettons les hommes à notre autorité ou sommes nous-mêmes soumises à la leur. Sans compter cette nouvelle mode apparue en 1998 en France, ces femmes offertes comme des objets, sexuels de préférence, à la collectivité. Des marques de lingerie tous seins dehors aux pétroleuses moites et enduites de cambouis de Dior.

La réalité féminine contemporaine est pourtant à des années-lumière de ces archaïsmes présentés comme de nouvelles vérités. Commençons par l'éducation et la vie professionnelle. Les chiffres récents montrent que les filles réussissent mieux au baccalauréat que les garçons (81,2 % contre 76,5 % en 1998). Qu'elles poursuivent leurs études plus longtemps tout en redoublant plus rarement. Qu'il y a aujourd'hui cent vingt filles pour cent garçons dans l'enseignement supérieur en France. « C'est une énorme révolution » totalement occultée par les mythes publicitaires qui continuent de broder leurs contre-vérités diffusées à marche forcée. Pourtant, « leur stock de capital humain, et donc de connaissances et de compétences est supérieur à celui des hommes[1] », affirme la philosophe.

Elles se sentent femmes pleinement, même et surtout si elles ne sont pas « Catherine M. ». Parce que, en même temps qu'elles se forment et prennent de plus en plus de responsabilités dans les anciens bastions de résistance que sont la vie politique et la vie des affaires, ces femmes contemporaines n'ont rien abandonné. En 1998, l'essentiel des tâches domestiques repose encore à 80 % sur elles. À Paris, 97 % des

---

1. Serge Tisseron, *Psychanalyse de l'image, op. cit*

femmes travaillent à l'extérieur de leur foyer mais elles continuent à avoir des enfants, à s'occuper de leur maisonnée, tout
en s'épanouissant, souvent, dans leur travail. Où est le danger? Les femmes travaillent ou veulent continuer à travailler
tout en ayant des enfants. Elles partagent de plus en plus
volontiers les tâches domestiques avec les hommes. Dans ce
contexte, la représentation publicitaire violente qui suggère la
domination est encore moins acceptable qu'avant. Qu'il
s'agisse de domination masculine ou féminine.

Pourquoi, alors, en dépit de ce statut économique mesu-
rable, ces mises en scène sexistes perdurent-elles? Parce qu'il
n'a jamais été question de nous représenter telles que nous
sommes, mais seulement de nous convaincre insidieusement
d'acheter des produits dont nous ne voulons plus, ou pas aussi
souvent.

Il a été affirmé, dans les années 70, que l'industrie de la
publicité manipulait consciemment les images féminines dans
le seul but de les maintenir dans un état de consommation
naïf permanent. Elles ne pouvaient pas se défendre contre les
stéréotypes imaginés de façon quasi scientifique, disait-on à
l'époque. Cette thèse fut défendue par la militante américaine
Betty Friedan. Les femmes, plus nombreuses que les hommes
dans les pays occidentaux, assuraient ainsi des débouchés
pour les millions de produits et services, alimentaires, médicaments, cosmétiques et habillement que ces industries produisent. Cette hypothèse n'est pas totalement à bannir encore
aujourd'hui. L'explication?

Raisonnablement, nous, citoyens occidentaux de tous
bords, n'avons plus de besoins primaires impérieux à satisfaire. Nous avons la chance de vivre dans un pays riche et
disposons, depuis longtemps, de presque tout ce dont nous
avons besoin. Il existe donc de nombreux produits comme les

besoins pas prioritaires

soins de beauté, l'habillement, la voiture ou les équipements ménagers pour lesquels des besoins « qui sans être parfaitement satisfaits n'apparaissent pas comme prioritaires[1] », explique Robert Rochefort qui se réfère à des études réalisées par le Credoc depuis 1978. *A priori,* même, « accroître leur consommation n'apparaît pas comme un facteur de bien-être et seuls 5 % des consommateurs en formulent l'envie », explique-t-il. Pourtant, tous ces produits fabriqués doivent toujours être écoulés dans les économies déjà saturées, de préférence, parce qu'elles sont seules constituées de personnes « solvables ». C'est en tout cas leur calcul. Pour ce faire, les entreprises sont contraintes de susciter artificiellement le désir de consommer ces produits dont nous n'avons plus, pour la plupart, besoin. *susciter artificiellement le besoin*

Il a fallu inventer certaines techniques capables de faire naître ces faux besoins, tâche qui incombe aux publicitaires depuis les années 60. De cette période où apparurent les premières notions de « marchés saturés », datent les techniques encore utilisées aujourd'hui. Des psychologues, des psychanalystes, des sociologues, des anthropologues sont pour la première fois employés par l'industrie publicitaire. Explorateurs de nos « facteurs inconscients et subconscients », ils cherchent pour le compte des publicitaires, à « découvrir des ressorts à déclencher l'action[2] » d'acheter, explique en 1958 Vance Packard. Ce qui les intéresse, ce sont nos fonctionnements profonds, nos désirs occultés, nos peurs, nos frustrations, nos perversités. Certains vont jusqu'à étudier le cycle menstruel de la femme.

C'est la fameuse recherche de mobiles ou recherche de

---

1. Robert Rochefort, *La Société des consommateurs*, Odile Jacob, 2001.
2. Vance Packard, *La Persuasion clandestine...*, Calmann-Lévy, collection « Liberté de l'esprit », 1989.

motivation (RM) qui va pousser à l'acte d'achat. Voilà la technique liminaire à toute persuasion publicitaire contemporaine. Car ce produit, dont nous n'avons pas envie, il faut qu'il se fraye un chemin dans nos vies, qu'il parle « au plus profond des replis de notre esprit », expliquait le Dr Ernest Dichter, fondateur de l'Institut de recherche des mobiles aux États-Unis. Les publicitaires ont donc créé des schémas construits *à partir* d'images extrêmement travaillées, de slogans construits sur des mots clés spécifiquement étudiés. La femme, sa mise en scène comme objet sexuel, pas forcément nue d'ailleurs, est l'un de ces schémas qui nous conditionnent, par un chemin qui n'est plus préservé, vers nos émotions. L'image des femmes dans des postures de dominée-dominante, de violence explicite ou allusive, ou de sexe, serait même l'un des plus efficaces leviers que les publicitaires aient trouvés, disent-ils.

C'est triste, reconnaissent-ils, mais l'envie de consommer va de pair avec notre animalité. Les publicitaires cherchent à donner une dimension immatérielle à des produits devenus sans valeur. C'est comme ça que la pub est venue « titiller » notre animalité par la mise en scène de notre sexualité. Ce faisant, elle joue avec notre violence, nos fantasmes et nos angoisses.

Ces « Géo trouve-tout » penchés sur nos cerveaux reptiliens s'appuient sur des analyses freudiennes pour expliquer que nous sommes frustrés sexuellement. Nous aimerions vivre plus ouvertement, plus intensément notre sexualité mais la société, disent-ils, nous en empêche. Alors ils nous proposent un substitut : acheter le fameux produit auréolé de sa « nouvelle valeur ajoutée imaginaire » ou pulsionnelle.

Femmes dans la pub, le sexe, le sexe, le sexe...

On achète plus 1 pdt ms 1 promesse

Nous voilà bien. Le parfum X ou Y n'est pas là pour sentir bon, mais pour envoyer une dose d'extase sublime. « Les femmes achètent une promesse. Les fabricants ne vendent pas de la lanoline mais de l'espoir », expliquait, dès la fin des années 60, Louis Cheskin, directeur d'une agence de Chicago spécialisée dans les études psychanalytiques à l'usage des commerçants.

C'est entendu, ces produits, dans leur nouvelle dimension, n'assouvissent plus nos besoins primaires, finalement peu nombreux et peu changeants. Non, ils satisfont notre « besoin d'appartenance », notre « besoin d'estime de soi » ou notre « besoin de nous accomplir »[1]. Voici le résultat en traduction publicitaire : des pubs horriblement machistes.

besoin d' éce/d'estime de soi

Pour les trouver, la lecture de quelques magazines féminins parus en juin 2001 et une petite balade dans le quartier ont suffi.

Commençons par cette annonce imaginée pour faire acheter les chaussures masculines J. M. Weston. Une sirène à lunettes de soleil, habillée de rose genre poupée Barbie, l'air hagard, fatiguée comme après une nuit difficile. De l'homme, on ne voit que sa chaussure en croco marron, qui lui écrase (visuellement) le corps. Autre annonce censée vanter un tarif promotionnel pour Eurotunnel : on voit un troupeau de moutons, leur large arrière-train présenté au lecteur. Slogan : « On n'a jamais vu d'autostoppeuses aussi appétissantes »... Ami(e)s subtil(e)s, bonjour !

ex pub machiste

Une affiche pour une annonce censée faire acheter un substitut de sucre Canderel montre une jeune Parisienne dessinée par Kiraz. Slogan dit par la fille dessinée : « J'ai peut-être pas inventé la poudre mais je sais m'en servir. » Pour la montre Rado, l'image montre une paire de jambes entrouvertes, montées sur des chaussures fines à lanières. Une barre en métal,

---

1. Décrits et analysés dès 1940 par A. Maslow.

31

une rampe peut-être, passe entre ses jambes. Légende : « Les matériaux les plus durs résistent au temps ». Hou ! là ! là ! Quelle finesse !

Pour le bijou Lucciole, de Pomatello, deux filles, la bouche entrouverte, les yeux fermés, s'enlacent, emmêlées, le corps humide de sueur. Depuis plus longtemps, on voit les filles enduites de cambouis par Christian Dior, toujours en chaleur, genre je me suis fait coincer sous la bagnole par le garagiste. Il paraît que c'est pour promouvoir un sac en forme de calandre... Des publicités comme celles-là, il y en a à la pelle en France depuis quelques mois. On les voit principalement dans les magazines et sur les affiches.

À la télé, deux ados qui s'apprêtent à aller en boîte se gavent de Yop parce qu'« on n'attrape pas les filles avec du miel » et que « c'est mieux si tu veux qu'elles te mettent la langue dedans », dit l'un des deux jeunes à son copain. Super ! Il y a aussi la secrétaire qui se fait photocopier la culotte sous le regard voyeur de son boss (pour promouvoir les biscuits secs Mikado). Un beau cliché antijaponais doublé d'un humour graveleux. Cette publicité a obtenu plein de prix dans les festivals professionnels qui récompensent la création publicitaire.

Mieux : la super-subtile annonce Samsonite qui regroupe en un photomontage tous les fantasmes de l'homme pour la femme dominatrice. Attention, version soft, BCBG. On s'adresse à des voyageurs, quand même ! Elle, habillée, genre hôtesse de l'air première classe, traîne une valise à roulettes, perchée sur une table. Eux, assis dans leurs fauteuils, la regardent passer, coincés en rang d'oignons, le doigt sur la couture du pantalon...

Et, quand on n'est pas dans la caricature, mais dans la « contre-caricature », ça donne, par exemple, un spot télévisé pour la lingerie Chantelle. Une femme se rhabille après avoir commis un viol dans un parc, la nuit. Le corps de l'homme victime gît sur le sol. Logique publicitaire : le film propose à la femme une revanche sur des siècles de domination sexuelle masculine. Glauque.

Ce qui ↗les ventes = répétit° ou images ?

Toutes ces pubs dans lesquelles la femme est offerte aux appétits sexuels de la collectivité masculine sont efficaces commercialement. Reste à savoir si c'est le simple fait d'organiser une campagne de pub qui fait augmenter les ventes (parce qu'on voit le nom de la marque répété tous les jours), ou si l'efficacité est liée au type d'images utilisées.

On se maintient dans les années poupées. Pourquoi ? Parce que les femmes qui s'approprient l'image de Barbie sont beaucoup plus faciles à convaincre que les autres de l'impérieuse nécessité qu'il y a à dépenser « beaucoup » d'argent en... vêtements dernier cri, en appareils pour entraîner le corps, en maquillages, en produits amincissants, en produits d'hygiène divers, etc.

Trois exemples : « les leçons de séduction » de la campagne Aubade, qui fonctionnent depuis dix ans, ont permis à la marque de lingerie de multiplier par trois son chiffre d'affaires pour « seulement » dix millions de francs par an investis en publicité[1]. Depuis que Dior fait du « porno chic », son chiffre a progressé de 35 % par an, grâce à cette « femme Dior [...] moderne, sexy et romantique[2] », dixit Bernard Danillon, le porte-parole de Dior Couture. Il semble avoir une définition particulière du romantisme. Quant à la campagne de Celio de l'été 2000 dans laquelle on voyait un « vieux » play-boy sur un yacht, le ventre gras et le cheveu maigre, mais riche, entouré de bimbos blondes au développement mammaire avantageux – une pub censée « reparler du

---

1. *Challenges* (juin 2001).
2. *Ibid.*

prix de manière fraîche et nouvelle[1] », selon Serge Uzzan, de l'agence Alice –, elle a été diffusée alors même que ses pré-tests enregistraient des scores négatifs auprès des femmes. Ce qui est très rare. En général les annonceurs refusent de diffuser une pub qui ne « passe » pas les pré-tests, de peur de déplaire à la cible qu'ils visent. C'est dire, aussi, si l'annonceur y croyait !

Pas fraîches, les femmes. Prenons les résultats d'un premier sondage publié dans le magazine *Culturepubmag* de mai-juin 2001[2].

À la question : « Vous arrive-t-il, très souvent, assez souvent, très rarement ou jamais d'être choqué par la manière dont on montre les femmes dans la publicité, que ce soit à la télévision, dans la presse ou en affichage ? », la réponse est « oui » (de très souvent à assez rarement) pour 80 % des personnes interrogées. Un chiffre qui atteint 87 % pour les femmes interrogées. La réponse « jamais » plafonne à 18 %. Ce même sondage[3] montre que, pour les Français, il y a « davantage d'évocations à caractère sexuel dans la publicité française qu'il y a deux ans » (58 % pour l'ensemble, 60 % pour les hommes et 57 % pour les femmes). Pourtant seulement 48 % des femmes pensent que la publicité a aujourd'hui un caractère machiste. Le concept est-il suffisamment précis dans les esprits ? Ces images illusoires sont déjà ressenties comme notre réalité. Triste.

Lors d'un autre sondage réalisé fin juin 2001, toujours par

---

1. *Stratégies* (12 mai 2000).
2. L'article est titré : « Les Français pas vraiment choqués par la manière dont la pub montre les femmes ».
3. Réalisé par Ipsos sur un échantillon de 1 015 personnes représentatives de la population française, âgées de quinze ans et plus.

Ipsos mais cette fois pour le compte du secrétariat d'État aux Droits des femmes et le Service d'information du gouvernement (SIG), les Français étaient 70 % à dire (hommes et femmes confondus) qu'ils étaient plus choqués qu'avant. Ce qui les choque : « une attitude sexuellement provocante », en deuxième lieu, « les caricatures de femmes aux fourneaux, femmes au volant... » et, ensuite seulement, « la nudité ». En tout cas, on apprend là que 69 % des Français – sans grande différence entre les réponses données par les hommes et celles des femmes (c'est important), « aimeraient protester ». Ils voudraient, par exemple, signer des pétitions ou adhérer à des associations de lutte contre la discrimination.

Les Françaises gardent encore trop souvent pour elles leur sentiment de ras-le-bol, par peur, sans doute, d'être traitées « de féministes hystériques ». Ailleurs, en Espagne par exemple, il s'exprime davantage. C'est une étude réalisée par l'Institut de la femme[1] qui a tiré la sonnette d'alarme en dénonçant « l'augmentation des publicités sexistes ».

D'une encyclopédie qui suggère « de déjeuner avec Einstein mais d'aller au lit avec Marilyn » au réveil en titane « dur, spécialement avec les femmes », 331 publicités sexistes ont été dénoncées en 1999 contre 262 l'année précédente. Dans ce pays où les cas de violence conjugale sont nombreux (vingt et une femmes en sont mortes en 1999), explique la correspondante du *Monde*, Marie-Claude Decamps : « En quoi une femme avec des hématomes plein le visage pour faire la promotion d'un guide commercial[2] est-elle censée arracher un sourire aux téléspectateurs ? » Selon le journal *La Vanguardia*, 89 % des plaintes émanent de femmes.

---

1. *Le Monde* (22 avril 2000).
2. Dans le spot, son chef lui envoie à la figure un annuaire, faute d'avoir obtenu celui qu'il voulait.

Le 2nd degré

On nous dit que c'est de l'humour... Voilà l'argument qui doit couper court à tout. Le « fameux second degré », ce concept-réponse préformaté brandi par les publicitaires, et plus généralement les hommes, pris en faute : on rigole, c'est tout, au fond, vous savez bien qu'on vous adore. « Ah ! le second degré ! S'il y a un truc qu'une gonzesse doit savoir maîtriser, c'est ce qu'il est convenu d'appeler le second degré[1] », explique Isabelle Alonso, qui préside le réseau anti-sexiste des Chiennes de garde.

En fait, ces pubs ont l'air machistes, elles y ressemblent, en ont même le goût, mais n'en sont pas... C'est de l'humour ! Terrible, pour une femme, le second degré. Une fois insultée, traînée dans la boue, deux solutions s'offrent à elle : « Ou vous riez jaune en faisant la fière, genre ça ne me touche pas [...] ou vous ne riez pas, signe que vous manquez complètement d'humour ou que vous n'avez rien compris », raconte Isabelle Alonso.

Les publicitaires, eux, assument leur inconscience. Ils ne pensent pas à mal. Ne voient pas le mal. Leurs « créations » ne sont qu'esprit subtil, métaphore, allégorie, œuvre d'art, voire poésie ! Heureusement certains publicitaires, moins inconscients peut-être, rappellent de temps à autre que « la publicité n'est pas une œuvre d'expression ». Ils sont trop peu nombreux.

Peut-être que les publicités sexuellement agressives pourraient être simplement « amusantes » si leur influence n'était pas aussi dangereuse. Elles jouent sur nos appétances animales et nous enferment dans nos rôles sexuels. Des générations de femmes ploient sous des clichés qui s'alourdissent de campagne en campagne.

---

1. Isabelle Alonso, *Pourquoi je suis Chienne de garde*, Robert Laffont, 2001.

Cela vaut toujours en 2001. Le danger existe pour la femme, son rapport à elle-même, son rapport à l'homme, l'image que l'homme a d'elle, l'image que ses enfants s'en font, l'image qu'ont les petits garçons de leurs compagnes de jeux à l'école, l'image que les petites filles ont d'elles-mêmes ou de ce qu'elles doivent devenir pour être reconnues comme « femmes ».

Depuis deux ans environ, la violence, la fréquence des harcèlements sexuels et l'agressivité subis par les adolescentes sont remarqués par les experts dans des proportions jamais atteintes ! Des jeunes filles sont devenues les victimes de leurs propres camarades de classe alors qu'ils n'ont pas quinze ans. Une triste enquête publiée par *Le Nouvel Observateur*[1] montre la réalité des dérives.

Les adolescentes sont toutes des objets sexuels virtuellement disponibles. La journaliste Sophie Deserts raconte une anecdote parmi d'autres : Tania marche du côté de la Nation, à Paris, il est 18 heures. « Hé ! poupée ! Tu sais, t'es charmante. » La brune, fluette dans sa veste en jean, sourit discrètement aux garçons pour les remercier du compliment et poursuit sa route. L'un d'eux revient à la charge : « Hé ! tassepé ! Tu joues à la princesse avec ta sale façade ? On n'est pas assez bien pour toi ? » Deux de ses complices courent après la belle, lui attrapent le bras et l'attirent dans un coin de la rue. Ricanements. « Je suis sûr que t'aimes ça, t'as l'air d'une chaude. » Tania se recroqueville pour échapper aux mains importunes et hurle. Le groupe bat en retraite : « Allez, on s'en va, c'est une bouffonne. »

---

1. « Les ados machos », *Le Nouvel Observateur*, n° 1890, à l'occasion des Assises nationales sur la violence envers les femmes.

Ce n'est pas un cas isolé. Grâce à la publicité (merci), les filles sont forcément des « chaudes », voire des « tassepés » ou pire encore. Et si elles se débattent dans les toilettes des collèges, refusant de tailler une « pipe » à leurs camarades sous la menace d'un couteau, elles passent au rang de nulles. De plus en plus de jeunes filles se plaignent, dans certains lycées de la région lyonnaise par exemple, de ne plus pouvoir porter de jupe sans se faire agresser. Elles demandent à aller aux toilettes réservées aux professeurs, se font braquer leurs téléphones portables si elles refusent de faire une « pipe » à certains garçons agressifs. Les cas se multiplient...

Ils sont encouragés par ces publicités certes très aguichantes et efficaces commercialement, mais balancées dans la société avec une inconscience déconcertante. Elles ne sont pas seules responsables : les clips musicaux, de rap notamment, contribuent fortement à banaliser ces comportements. À les faire passer pour « normaux » et donc « acceptables ». Elles touchent des adolescents, certains hommes d'âge mûr aussi, qui considèrent, puisqu'on le leur rabâche et qu'ils oublient de réfléchir, que la fille n'est plus là que pour leur plaisir. Alors, quand ils la voient, ils se servent. Une fille dans un train ? On la prend, on la viole. C'est simple. Personne ne dit rien. « Il a la voiture, il aura la femme », comme le promettait le slogan d'un ancien spot télévisé pour une voiture.

Vue de l'esprit ? Non. Les conséquences d'une logique qui flatte nos penchants les plus vils. « La société de consommation n'est pas seulement une société dont les membres sont appelés à consommer, c'est aussi une société ogresse, elle-même consommatrice de chair humaine[1] », affirme la romancière Alina Reyes. Et si l'adolescence n'a jamais été rose, « les rapports entre garçons et filles n'ont jamais été aussi violents qu'aujourd'hui[2] », explique Hugues Lagrange,

---

1. *Le Monde* (5 décembre 2000).
2. *Ibid.*

chercheur au CNRS, spécialiste des adolescents. « La société leur dit : consommez du sexe, tout est permis à condition de porter des préservatifs[1] », explique le sociologue Michel Fize.

Conséquence : ceux qui manquent de repères, les plus sensibles aux influences des puissants mythes contemporains produits notamment par la publicité, se servent. Jeudi 31 mai 2001, deux adolescents de quatorze et seize ans étaient écroués pour avoir violé une étudiante dans un train régional du nord de la France. Trois autres jeunes appartenant à la même bande étaient soupçonnés d'avoir participé à ce « viol en réunion ». La pub est-elle responsable ? La pub est-elle coupable ?

Femme ds la pub.

Mauvaise image machiste

Objet sexuel = efficace ccialmt

Ils mauvaise influence s/ pers sans repère.

↗ cas d'harcèlemt / d'agression.

Banalisation des comportemt

La pub a ± responsabilité sociale si elle représente la sté ds laquelle elle agit.

---

1. *Le Monde* (5 décembre 2000).

2

Pourquoi nous ne serons jamais belles comme dans les publicités

Tellement d'efforts et pour quel résultat?
Elle perd de l'oseille au lieu de perdre du poids
Dominique réplique, et très vite, m'explique qu'elle veut être
La réplique d'une créature de clip
Ainsi font font font les petites filles coquettes,
Elles suivent un modèle qui leur fait perdre la tête.

M. C. SOLAAR,
Victime de la mode.

À la télévision colombienne, elle a ravi le cœur des foules. Betty, l'héroïne d'une série télévisée suivie par 70 % des téléspectateurs tous les soirs entre 21 h 30 et 22 heures, a son portrait à la une de tous les hebdomadaires. Elle inspire des éditorialistes, intrigue les intellectuels, questionne les sociologues. Même le président de la République colombienne, Andres Pastrana, y est allé de sa petite remarque. La raison? Betty est laide. Pas un peu laide, ni gentiment laide, non. Betty, l'héroïne de la série « Betty la moche », est horriblement laide. Et c'est, figurez-vous, justement pour cette laideur qu'ils l'aiment.

Affublée d'une frange qui lui mange le front, de grossières

lunettes qui cachent ses yeux, d'un duvet voyant au-dessus de la lèvre et d'un sourire barré par un appareil dentaire en acier, elle est la nouvelle coqueluche de toute la Colombie populaire. À la télévision, Betty fait partie de la « bande des moches », c'est-à-dire des secrétaires, dans une maison de prêt-à-porter où les mannequins font la loi. Mais Betty crève l'écran malgré son oppressante condition, en dépit de son terrible physique. À cause de lui, d'ailleurs. « Un léger tic de la bouche, un geste maladroit pour remonter ses lunettes, un éclat de rire forcé qui secoue le corps » – cette Betty, « encombrée d'elle-même, mal dans sa peau et mal dans sa vie »[1], est attachante. D'autant plus attachante, disent certains, qu'elle incarne une revanche. La revanche de la laideur sur la beauté, dans une région du monde où l'on dit que les chirurgiens esthétiques sont aussi nombreux que les dentistes. La revanche des humbles sur les nantis, dans ce pays « où il n'y a plus de femmes laides, où il n'y a plus que des femmes pauvres », explique Fernando Gaitan, le scénariste.

Ce succès est aussi perçu comme une réponse au diktat de la beauté imposée par la publicité. La publicité a érigé en obligations la peau lisse, l'œil en amande, le petit nez. Elle a banni la cellulite, les taches, les poils. A fait de la minceur absolue une obsession. Ces injonctions commerciales utilisées par les fabricants de produits cosmétiques et d'hygiène, puis par les industriels de l'alimentaire, sont devenues des normes sociales. Elles ont fait de cette beauté marketing, la garantie du bonheur. Puis la condition même du bonheur.

Ce qui n'était qu'argumentation marketing et idéalisation consumériste est sorti du système qui l'avait fait naître, pour devenir une source d'oppression. Car c'est la beauté qui peut conditionner la réussite, c'est la beauté qui incarne la maîtrise

---

1. Marie Delcas, supplément *Le Monde-Radio-Télévision* (18-19 mars 2001).

de soi, c'est la beauté qui est synonyme de pouvoir. En même temps, elle marginalise, elle angoisse les adolescentes jusqu'à les rendre mentalement et physiquement malades. Parfois jusqu'à la mort.

Depuis le temps qu'on la voit, qu'on la sent, qu'on se compare à elle, on a fini par oublier que cette beauté publicitaire est un idéal inaccessible à la plupart. Pour elle, des millions de femmes s'échinent dans la quête sans fin d'une chimère fantomatique. Jusqu'à quand ? Pour aller où ?

Le phénomène tient d'abord à la puissance financière des annonceurs qui produisent ces images commerciales.

L'industrie de la beauté est née au xixe siècle, lancée par de jeunes Américaines comme Helena Rubinstein et Elizabeth Arden. Progressivement, elles transformèrent l'esthétique en un marché de masse qu'elles organisèrent, rationalisèrent, pour en faire un bien de consommation courante.

Aujourd'hui, les fabricants de produits de toilette (shampooings, gels de douche, rasoirs, dentifrices, brosses à dents...) et de beauté (crèmes, rouges à lèvres, laques, gélules amincissantes...) sont les seconds plus gros investisseurs publicitaires en France à la télévision. Juste derrière les produits d'alimentation... qui se positionnent d'ailleurs, de plus en plus, comme des « produits de beauté intérieure », notamment pour les yaourts.

En 2000, en France, les produits de toilette et de beauté ont injecté près de 3,5 milliards de francs – environ le prix d'un avion Airbus de deux cent vingt places – à la télévision pour la promotion de leurs produits[1]. Un an auparavant, ces annonceurs avaient déjà mis au total (à la télévision et dans la presse principalement) 6,69 milliards de francs[2] sur la table

---

1. Selon le Syndicat national de la publicité télévisée.
2. Selon l'institut Secodip cité par l'Union des annonceurs.

dans ce même but. Quand on sait que la France ne pèse que 3,5 % des investissements médias réalisés dans le monde...

L'Oréal, vantant les mérites de ses marques (Biotherm, Garnier, Vichy, Lancôme, Helena Rubinstein, Ralph Lauren Parfums), est le premier annonceur à la télévision en France, pays qui compte les plus gros consommateurs de cosmétiques au monde. La multinationale française a dépensé en 1999 2,2 milliards de francs en France pour sa communication dont 1,4 milliard de francs à la télévision pour y faire vivre son « monde de beauté ».

Outre-Atlantique, le rythme est encore plus soutenu. Un Américain voit en moyenne, aux États-Unis, entre quatre cents et six cents publicités par jour[1]. Une personne aura donc vu entre quarante et cinquante millions de publicités lorsqu'elle atteindra l'âge de soixante ans. Une publicité sur onze véhicule un message relatif à la beauté. La beauté féminine principalement.

Comment s'étonner, dans ce contexte, de l'influence extraordinaire exercée depuis cinquante ans par ces images commerciales que l'on croise dans la rue, que l'on découvre en tournant les pages de nos magazines, que l'on regarde à la télévision ? « Cela a [...] pour effet de rendre ces images accessibles et réelles », explique Liz Dittrich, docteur en psychologie clinique et directeur de recherche à l'association About Face, à San Francisco (Californie). Cette association a trouvé, dans le cadre de ses recherches, que les femmes qui travaillent et vivent en milieu urbain consacrent jusqu'à un tiers de leurs revenus à l'« entretien » de leur apparence physique.

La recherche de la beauté n'est pas une quête récente. La présence de scarifications, de remplissage et taille des dents,

---

1. Source : *www.about-face.org*

de peintures corporelles, d'utilisation de cosmétiques – du grec « ordre » ou « arrangement » – a été retrouvée dans toutes les cultures, même les plus anciennes. Les Égyptiens utilisaient des cosmétiques il y a six mille ans. L'homme de glace retrouvé en 1991 dans les Alpes italiennes aurait déjà porté, cinq mille ans avant notre ère, des tatouages sur le corps.

Mais, avec l'essor de la société de consommation, le principe selon lequel « tout peut s'acheter, même la beauté » est devenue philosophie. L'idée a été acquise, le corps est une enveloppe malléable et transformable grâce à des produits multiples. La quête a ainsi pris une autre dimension. La publicité, par sa sollicitation permanente et là proposition d'une offre sans cesse plus pléthorique, a transformé ce qui n'était qu'une aspiration naturelle modérée en obsession de consommation. Jusqu'au point ultime : « Une femme sans maquillage pense souvent qu'elle est laide et, du coup, elle utilise le maquillage non plus pour mettre en valeur son corps mais pour cacher[1] » ce qu'elle estime être des défauts.

Des défauts par rapport à quoi ? Par rapport à la « norme ». Une norme scientifiquement définie : « Le corps féminin le plus beau serait de type ectomorphe modéré », selon le terme scientifique issu de la typologie d'un certain Sheldon. C'est-à-dire un corps très mince, mais avec des formes. Celui-ci est supposé correspondre à un profil comportemental de « dynamisme, d'équilibre, d'intelligence, de chaleur humaine ». Les publicités diffusent abondamment ce modèle physique. Elles dictent les règles de l'esthétisme contemporain, ce que la sociologue Mary F. Rogers appelle la norme « Barbie », en référence à cette poupée-mannequin en plastique possédée par 90 % des petites filles âgées de trois à onze ans vivant en

---

1. « Cosmetics and body decoration », *beautyworlds.com*

Occident. Cette icône esthétique, vendue à plus de sept cent millions d'exemplaires, incarne le corps commercial parfait. Le conditionnement commence dès l'enfance. Les publicités pour la poupée Barbie constituent le premier budget de communication destiné spécifiquement aux petites filles. Entre 1990 et 1992, Mattel France, propriétaire de Barbie, a dépensé quarante millions de francs uniquement pour promouvoir sa poupée-mannequin. « Culturellement, Barbie est en symbiose avec les corps contemporains modelés par les marchés de consommation, les désirs fantastiques et les nouvelles technologies liées à la peau[1] », écrit Mary F. Rogers dans son livre *Barbie Culture*.

Ses proportions, si elles étaient rapportées à l'échelle humaine, seraient de 85-46-73 pour une taille de 1,77 mètre. Un corps qui n'est pas sans rappeler celui des mannequins présents dans les publicités. Il se trouve que « la poupée adulte est le premier corps de femme dont la petite fille prendra possession[2] », écrit Bénédicte Lavoisier en 1978. En trente ans, les choses n'ont pas changé. L'image que cette poupée véhicule dès le plus jeune âge s'impose presque comme un référent qui ne peut « pas être sans influence sur le sentiment que l'enfant se fait de son propre corps, présent et à venir ».

L'impression transmise par ce corps en plastique aux jambes anormalement longues, aux fesses rebondies, à la taille anormalement fine, à l'opulente poitrine, est la suivante : « Nous pouvons être ce que nous voulons, y compris ce corps parfait, à condition de lui consacrer suffisamment d'argent et d'attention. » Barbie nous parle de la jeunesse permanente, celle promise par le plastique qui la constitue, mais

---

1. Mary F. Rogers, *Barbie Culture*, Sage Publications, juin 2000.
2. Bénédicte Lavoisier, *Mon corps, ton corps, leur corps*, Seghers, 1978.

aussi de l'obligation de se maquiller (le rouge à lèvres et le mascara de Barbie ne s'enlèvent pas). Son corps, notre corps, est un jouet que l'on peut orner, habiller, sur lequel on peut effectuer des expérimentations esthétiques... C'est l'avènement du « techno-corps ».

Car « le type de corps que Barbie symbolise exige de consommer. Dans une large mesure, le corps en plastique est un corps consumériste ». C'est le changement fondamental au XXe siècle, « la transformation du corps par la consommation[1] », écrit un chercheur américain, Jackie Stacey. Malheureusement ce corps-là est une fiction. « Ce qui est remarquable, écrit Mary F. Rogers, est l'incroyable quantité de produits et de services qui sont mis sur le marché et proposés à celles qui veulent se fabriquer cette féminité-là »... Artificielle et illusoire. Car Barbie représente une femme à la fois anorexique et opulente, « l'amalgame de l'impossible ».

Ce corps découpé selon les formats réduits des pages de magazine ou des écrans de télévision fait perdre toute identité à la femme. Il devient objet. Puis détail, grossi par la loupe ou plus exactement par le zoom de l'appareil photographique ou de la caméra. Les annonces montrent une fesse, une jambe, un bras, un buste, un visage. Entier ou de trois quarts.

Ce découpage est conçu pour mettre l'accent sur un produit particulier supposé s'attaquer à un problème particulier : crème antirides pour le visage, crème amincissante pour les jambes, crème anticellulite pour les fesses, crème dépilatoire pour les jambes et/ou les aisselles, coloration, crèmes après-shampooing, shampooings pour les cheveux... Il opère aussi, à un second niveau, en augmentant l'exigence des femmes pour chaque détail de leur anatomie.

---

1. Jackie Stacey, *Star Gazing : Hollywood Cinema an Female Spectatorship,* Routledge, Londres et New York, 1994.

Cette palette est devenue le référent universel. Une belle femme sera celle qui s'en approchera le plus. Il est porté par-delà les frontières par la publicité diffusée à l'échelle de la planète. Il abolit les différences culturelles en proposant la même apparence physique « idéale » à toutes les femmes, quelle que soit leur histoire morphologique, leur apparence originelle.

Aux États-Unis certaines femmes noires changent de morphologie. Elles renoncent à ressembler à leurs mères pour se conformer au modèle physique synonyme de réussite sociale. Elles se lissent les cheveux, se les toignent, raccourcissent leurs ongles qu'auparavant elles peignaient en dessins d'une complexité époustouflante et perdent du poids. Avant elles, leurs mères et grands-mères ne vivaient pas l'épaisseur de leurs hanches et leur large poitrine comme un problème, mais plutôt comme une source de fierté.

Aujourd'hui, pour ces femmes comme pour d'autres, la minceur est devenue la règle absolue. La minceur a été associée, dans les publicités surtout, à des environnements domestiques et professionnels appartenant aux sphères les plus privilégiées. Le constat d'une étude réalisée en 1990 par l'Américain Root est malheureux. Il a montré que « l'ascension sociale et l'augmentation des chances professionnelles dépendaient de la capacité des femmes de couleur à se conformer au modèle physique de la culture blanche dominante[1] ».

Autre anecdote, en Asie cette fois. L'édition du 26 mai 2001 de l'*International Herald Tribune* titrait : « De plus en plus d'Asiatiques n'acceptent plus la couleur de leurs cheveux ». Depuis l'arrivée massive des teintures capillaires intensément promues par L'Oréal, « la population devient blonde, auburn, châtain », affirme l'article. Près de 60 % des

---

1. Liz Dittrich, « On sex, ethnicity and the thin ideal ».

femmes japonaises et sud-coréennes se teignent les cheveux, selon la direction du marketing de L'Oréal pour l'Asie. Ce chiffre atteint 40 % à Singapour et 20 % en Malaisie, Indonésie, Chine et Vietnam.

Ce serait, avec l'arrivée du téléphone mobile, le second plus grand bouleversement culturel au Japon. Car l'esthétisme consumériste à la sauce occidentale est là-bas un sujet « politique » : la teinture capillaire remet en question une tradition d'homogénéité, d'uniformité physique, dans les écoles notamment. Au point que des entreprises comme la Singapore Airlines interdisent à leurs hôtesses de se teindre les cheveux, car « la couleur des cheveux symbolise l'hospitalité asiatique ».

Nous le savons, la beauté publicitaire est une mise en scène.

Pour allonger les jambes interminables de la femme qui figure sur les annonces des pilules Œnobiol (un mannequin canadien de 1,70 mètre seulement), le photographe Vincent Peters a utilisé un grand angle et s'est enterré dans le sable. Ensuite, les couleurs et les ombres ont été retouchées à la palette graphique. En général l'image que fait le photographe est embellie grâce à de multiples astuces qui transforment la réalité.

Le photographe et le réalisateur de spots passent désormais davantage de temps à travailler les images dans un laboratoire qu'à effectuer les prises. Les publicités pour les produits L'Oréal, Lancôme et Revlon ont la réputation, dans le milieu publicitaire, d'être « très retouchées » : sur l'image, « ils sont obligés de tout expliquer, y compris de mettre le nom de la vedette qu'ils ont photographiée mais que l'on ne reconnaît plus, explique un publicitaire. Au bout du compte, ils détruisent tout ».

Pour la prise de vue ou le spot, les cheveux des mannequins sont en réalité figés, poisseux, ressemblant parfois à du carton, même si c'est pour donner l'impression, sur l'image, du mouvement. Les visages sont enduits de vaseline pour rendre très brillantes les lèvres ou accrocher la lumière sur le front ou les pommettes. Le maquillage est appliqué en couches extrêmement épaisses, jusqu'à parfois modifier complètement le visage de la personne photographiée. « On n'a qu'une envie, lorsqu'on sort de ces séances, c'est de se précipiter sous une douche, on ne pourrait pas se balader comme ça dans la rue », raconte Laurence Treil, ancien mannequin.

La minceur, ou plutôt l'ultraminceur, est la règle publicitaire qui fait le plus de ravages. Les exemples foisonnent.

Pour présenter ses maillots de bain, la marque Eres montre une jeune femme famélique dans le coin d'une douche. Pour vanter les mérites des salons de coiffure Jacques Dessange, une jeune femme blonde nous offre la vision de bras décharnés. Comment les filles « brindilles », comme Kate Moss, sont-elles arrivées dans les publicités comme celles de Calvin Klein ?

L'explication m'est donnée par un directeur de création, Hervé Chadenat[1]. D'abord il y a le photographe, souvent un photographe de mode aux habitudes visuelles particulières. Ce sont les photographes qui trouvent les mannequins et font les castings, me dit-il. Quand on veut faire une photo, on appelle une agence et cette agence va proposer une fille "qui marche", c'est-à-dire une fille qui aura été appréciée sur les podiums. Et voilà l'agence de publicité en face d'une jeune

---

1. Hervé Chadenat est coprésident et directeur de création de l'agence Les Ouvriers du paradis, Paris.

femme décharnée parce que « plus que jamais, les défilés sont devenus un théâtre qui a besoin de silhouettes. Uniquement de silhouettes », m'explique le coprésident de l'agence Les Ouvriers du paradis. Il s'agit de rendre tout leur volume aux drapés, leur fluidité aux matières..., bref, d'autoriser toutes les folies vestimentaires. Pour que visuellement elles soient toujours seyantes, il faut des filles « cintres », des mannequins sans formes.

« Le diktat de la minceur vient beaucoup de là », de ce monde d'où la moindre forme est bannie. Les photographes « peuvent se sentir rassurés de prendre un visage connu. Une fille qui a reçu le visa "mode", explique Laurence Treil.

Résultat, nous, passantes anonymes et bien éloignées de ces conjectures modistiques, retrouvons sous nos yeux des quantités de maigrelettes. Et on nous fait croire qu'il s'agit de madame « tout le monde ». Pas étonnant que nous finissions par éprouver des complexes...

Des études anglo-saxonnes ont découvert que nous étions, à l'Ouest, stabilisées en moyenne de 13 à 19 % au-dessous de notre poids naturel [1]. D'autres travaux de recherche sur le thème de l'amaigrissement ont été réalisés principalement aux États-Unis, où la population est confrontée à la fois à l'extension du phénomène anorexique dans toutes les couches de la population féminine et à une proportion d'obèses jamais atteinte.

Un sondage réalisé par le magazine *Glamour* en 1984 a montré que 75 % des femmes se trouvaient déjà « trop grosses ». Une quinzaine d'années plus tard, une autre étude, réalisée en 1997 sur un échantillon de 3 452 Américaines, a montré que 89 % d'entre elles voulaient perdre du poids, alors qu'une toute petite minorité seulement souffrait, effectivement, de surcharge pondérale. En 1986, d'autres travaux

---

1. Garner, Garfinkel, Schwartz & Thompson, 1980.

réalisés auprès d'enfants de dix ans a montré que 81 % des fillettes avaient déjà fait un régime au moins une fois. Une autre enquête nationale réalisée en 1996 sur un échantillon de 2 379 petites filles de neuf et dix ans (une moitié étant de type blanc, l'autre noir) a révélé que 40 % d'entre elles étaient en train de suivre un régime.

Le diktat de la minceur est terrible. D'autant plus terrible d'ailleurs que la plupart du temps les jeunes filles ou les femmes qui s'astreignent à des régimes d'ascète ne souffrent pas d'un poids excessif. La sociologue Liz Dittrich s'est aperçue en 1997 que 54 % des femmes qu'elle avait interrogées s'estimaient trop grosses et que 8 % seulement s'estimaient en dessous d'un poids normal. En fait, sur cet échantillon, 63 % avaient un poids moyen et 23 % étaient maigres, voire faméliques.

Comme on sait depuis 1984, sur des bases scientifiques, que la minceur idéale n'est pas accessible à la plupart des femmes, ces images de femmes extrêmement minces créent parfois un sentiment d'autodénigrement, de dépression et d'abandon. L'énorme majorité des femmes qui se soumettent à un régime regagnent le poids perdu[1] malgré d'énormes efforts psychologiques et financiers. Sans oublier les états de déprime, d'anxiété et de stress qui s'ensuivent.

Au milieu des années 70, le militantisme féministe bat son plein avec l'essor du Mouvement de libération des femmes (MLF). Les Françaises manifestent pour la première fois leur frustration par rapport à l'image publicitaire. Elle est violente. Certaines « souffrent dans la rue, dans la représentation, dans l'image que [leur] renvoient les vitrines », par peur du regard

------

1. 95 à 98 % d'entre elles, affirment deux études réalisées aux États-Unis en 1992, puis en 1996, par des équipes différentes.

comparatif de l'homme au côté duquel elles marchent : « C'est là que j'ai peur de le déprécier par mon aspect physique parce que je ne suis pas le type idéal de femme », expliquait en 1978 Carole, vingt-quatre ans, étudiante en arts déco, à Bénédicte Lavoisier[1].

La référence à la publicité est permanente. « On ne peut pas se désintéresser de ce modèle, si on vit dans cette société. Il est difficile de ne pas tenir compte de l'avis des gens, de certaines règles qui ont été imposées, et même si on les trouve complètement idiotes[2] », argumente Marielle, institutrice et mère de trois enfants, âgée de quarante ans. Pour certaines, être mince est une obsession plus ou moins douloureuse : « J'en bave tous les jours avec mon corps [...] je bouffe, je grossis. Je le déteste, je le transporte comme un poids, je fais des rêves, des cauchemars comme s'il pesait des tonnes. Je ne supporte pas l'image que les glaces me renvoient », confiait encore Carole.

D'autres ressentent les stéréotypes publicitaires comme des chapes de plomb. Une sorte de défi impossible à relever : « Le corps, c'est ce qui joue toujours des tours, qui prend des kilos, qui a des poils, qui pue, expliquait Judith, vingt-sept ans, conseillère en psychologie dans un collège, à Bénédicte Lavoisier. Il devient objet de dégoût finalement, puisque ce qu'on valorise, c'est tout ce qu'il n'est pas réellement. » Et l'industrie de l'amaigrissement se porte bien[3].

Qu'en est-il aujourd'hui ? Les réactions exprimées semblent moins violentes. La lutte est devenue intime, personnelle, cachée.

Aux États-Unis, il a été montré (sur un échantillon d'étu-

---

1. Bénédicte Lavoisier, *Mon corps, ton corps, leur corps, op. cit.*
2. *Ibid.*
3. Elle aurait représenté plus de 32 680 milliards de dollars de chiffre d'affaires en 2000.

diantes californiennes) que 68 % d'entre elles se sentaient moins bien par rapport à leur propre physique après avoir lu des magazines féminins. Les sociologues Kennedy et Martin ont, eux, montré que la tendance à se comparer avec le mannequin de la publicité augmente avec l'âge. Il existe un phénomène de projection directe, contrairement à ce que beaucoup de publicitaires affirment. D'autres recherches[1] ont même montré que la première pression en matière de poids provient des médias (et donc des pubs), bien avant celle exercée par les amis et la famille.

Apparemment digéré par les femmes contemporaines, le diktat de l'ultraminceur reste en fait problématique. « Bien que l'on dise que les hommes préfèrent les femmes rondes, je suis quand même complexée quand je tourne les pages de votre magazine et que s'enchaînent les publicités affichant des mannequins aux rondeurs inexistantes[2], explique une lectrice de *Marie-Claire* aux journalistes du magazine. Elle poursuit : « Malgré nombre d'articles dans les magazines et de débats à la télévision sur ce sujet, rien ne change sur le papier glacé et sur les podiums. [...] J'aimerais, et d'autres aussi je pense, voir des femmes qui, avec leurs rondeurs, nous permettraient de nous trouver nous aussi belles, très belles même. »

La rédaction du magazine répond : « Dans la mesure du possible, *Marie-Claire* s'oppose à présenter des mannequins trop minces dans ses pages rédactionnelles. Ce qui n'est pas toujours facile, étant donné que la majorité des modèles sont en dessous du poids normatif. Par ailleurs, nous ne choisissons pas les mannequins des publicités, les campagnes étant conçues par les agences. »

Interrogés par ce même magazine dans un dossier consacré aux femmes rondes, les hommes semblent ne pas comprendre

---

1. *Irving* en 1990, *Richins* en 1991 et *Stice* en 1994.
2. *Marie-Claire* n° 583 (mars 2001).

le phénomène. Guy confie : « Je préfère un corps de nature plutôt qu'un corps de décor. » Pascal, lui, affirme : « Pour nous, une ronde, c'est une silhouette normale alors que pour les femmes c'est une grosse [1]. »

Ces témoignages reflètent-ils la réalité ? Difficile d'en juger. En revanche, plus vérifiables sont les folles dérives auxquelles ces images conduisent.

Il y a des anecdotes qui révèlent le malaise tout en faisant sourire. Telle cette poignée d'Américains « très corpulents », selon le *Herald Tribune* du 17 février 1999, qui ont manifesté devant un club de gymnastique à San Francisco pour protester contre un slogan publicitaire original : « Quand les extra-terrestres seront confrontés aux humains, ils mangeront d'abord les gros [2]. » D'autres conséquences sont nettement moins savoureuses.

Certains gynécologues et endocrinologues ont récemment poussé un premier cri d'alarme. Ils constatent de plus en plus de cas d'infertilité d'origine nutritionnelle. Les femmes s'engagent dans la quête sans fin de l'ultraminceur et multiplient les régimes. Ces régimes qui finissent par les rendre stériles.

Le Pr Jacques Bringer, chef du service des maladies endocriniennes au CHU de Montpellier, explique : « Il suffit de quatre jours de restriction caloriques et lipidiques pour induire chez une mince des perturbations hormonales [3]. »

Les carences énergétiques provoqueraient une sorte d'hibernation du métabolisme qui finit par perturber la fabrication d'hormones sexuelles. C'est ce que les experts appellent la « stérilité minceur » : 15 à 20 % des femmes qui

---

1. « Mincir en rondeurs », *Marie-Claire* (mars 2001).
2. Cité par *Le Canard enchaîné* (24 février 1999).
3. *Marie-Claire* (mai 2001).

consultent pour stérilité souffriraient de troubles alimentaires (boulimie, anorexie, alternance récurrente...).

Sans compter les blocages psychologiques liés à la prise de poids lors de la grossesse. « Il est difficile d'être enceinte et d'accepter d'être "grosse" si on vit dans la peur panique de prendre du poids [1] », affirme un article paru en mai 2001.

« Un pli de chair ça fait vomir [2] », alors la technologie l'efface d'un coup de bistouri.

Nous voyons arriver, depuis cinq ans en Europe, une impressionnante vague de « chirurgie de mode », partie des États-Unis au début des années 90. Le nombre d'opérations en Europe a augmenté de 31 % entre 1995 et 2000 [3]. Les femmes jouent avec leur corps, opèrent une « transformation plastique [qui] rend compte précisément des pressions exercées sur certaines parties du corps des femmes », analyse la sociologue Mary F. Rogers [4]. Car contrairement aux régimes qui font diminuer les seins en même temps que la taille, la chirurgie esthétique permet de gérer l'amalgame publicitaire impossible de la finesse et des formes.

Être belle n'est plus alors qu'une question d'argent. Les Américains prescrivent ces opérations de chirurgie esthétique comme des sachets pour régime protéiné : une à quarante ans environ, la deuxième vers cinquante-cinq ans, une troisième vers les soixante-cinq, etc. Sur le vieux continent, on n'en est pas là, mais on y va.

La chirurgie esthétique explose en Europe depuis trois ou

---

1. « Régimes attention aux stérilités minceur », *Marie-Claire* (mai 2001).
2. Bénédicte Lavoisier, *Mon corps, ton corps, leur corps, op. cit.*
3. Chiffres Mintel cités par le *Time Europe* (28 mai 2001).
4. Mary F. Rogers, *Barbie Culture*, Sage Publications, juin 2000.

quatre ans. Le pays champion est l'Espagne : 240 000 opérations auraient été déjà effectuées dans ce pays dans des cliniques homologuées, et environ 200 000 autres dans des circuits parallèles[1]. Il ne s'agit pas tant de lutter contre les signes du vieillissement que rechercher la beauté telle qu'elle apparaît médiatiquement. Du reste, les deux tiers des opérés auraient moins de quarante ans et, parmi eux, la moitié aurait moins de trente ans.

Le boom est principalement constitué d'améliorations « expresses », les moins chères du marché[2] : des injections qui effacent temporairement les rides du visage, le gonflement des lèvres, le remplissage de derme (derma-fills) qui estompent les rides et les cicatrices, et reconstituent les lèvres et les joues, sans compter d'autres travaux au laser. Telles sont les méthodes les plus douces.

Pour obtenir une taille mince et des cuisses sans graisse, les liposuccions se multiplient Comme il faut aussi des seins, alors on en achète comme on va chez le coiffeur : 20 000 prothèses mammaires auraient été implantées en France en 1998. Aux États-Unis, l'augmentation de la poitrine est l'opération la plus courante, avant la liposuccion et le lifting du visage. Des retouches de tout genre sont pratiquées de plus en plus couramment, comme l'allongement de la paupière, le remodelage du nez ou le renforcement des pommettes.

Les variations de prix pour ces actes express étant importantes d'un pays à l'autre – cinquante mille francs environ pour un lifting en France contre l'équivalent de soixante-dix mille en Grande-Bretagne –, de nouvelles offres commerciales voient le jour. Il existe notamment des « voyages chirurgie plastique » vers des destinations tropicales. Un tour

---

1. Selon le magazine *El País Semanal* (8 juillet 2001).
2. Le marché de la chirurgie plastique en Europe est évalué de 158 à 216 millions de dollars.

opérateur britannique propose ainsi à une douzaine de clientes par mois deux semaines vers l'Afrique du Sud ou le Brésil, avec un lifting en plus de l'hôtel et du vol. Pour l'anecdote, Miss Brésil aurait subi vingt-trois opérations de chirurgie esthétique avant de se faire couronner en mars 2001[1]. Âgée de vingt-deux ans, Juliana Borges s'est notamment fait « raboter » le menton, refaire le nez et les oreilles, liposucer les jambes et augmenter la poitrine... Le corps n'est plus parfois qu'un objet que l'on façonne à sa convenance. Il est « disséqué, étiré, creusé et reconstruit en fonction de standards éminemment culturels et idéologiques d'apparence physique[2] ». Tout est là, il suffit de consommer. Certaines en tombent malades.

L'anorexie mentale est une maladie qui touche très majoritairement les femmes, surtout les adolescentes. Ce trouble grave de la conduite alimentaire prolifère dans les sociétés occidentales industrialisées. Certains médecins psychiatres évoquent un « authentique phénomène de société ».

Le comportement anorexique se matérialise par le refus impérieux de toute forme de nourriture. Il s'accompagne d'une distorsion de la perception de l'apparence physique de l'adolescente par rapport à sa réalité – l'anorexique se voit toujours « trop grosse » – et conduit à la quête de l'amaigrissement absolu, parfois jusqu'à la mort.

Le rapport avec la publicité ? Il se situe à deux niveaux. Le premier est la volonté de départ. C'est « presque tou-

---

1. Selon une enquête d'*El País Semanal* (8 juillet 2001).
2. « Forms of technological embodiement : reading the body in contemporary culture », Anne Balsamo (1995) dans l'ouvrage collectif *Cyberspace/Cyberbodies/Cyberpunk : Cultures of Technological Embodiement*, Sage Publications, Londres, 1995.

jours la même, [elle est] d'une grande banalité[1] », explique le psychiatre-psychanalyste Thierry Vincent : il faut d'un coup effacer les « rondeurs » stigmatisées par la remarque d'un parent ou d'un camarade, et avancer d'un grand pas vers la reconnaissance de soi.

Les adolescentes anorexiques, comme les boulimiques d'ailleurs, souffrent de dépression cachée, ont une mauvaise image d'elles-mêmes, n'aiment pas leur corps. La majorité des images qui les entourent montrent des femmes minces, des femmes pulpeuses, des femmes plastiques. Devant l'ampleur de la tâche, parfois, ces jeunes filles se découragent. L'adolescence est une période à risque pour les filles : elles sont beaucoup plus influencées que les garçons par les images du corps idéal offertes par la publicité et les magazines. Or « l'accent fantastique qui est mis sur la séduction physique au moment de la puberté » leur fait oublier que c'est à ce moment-là que « les changements physiologiques augmentent la part de graisse et modifient l'aspect général du corps », explique Natalia Zunino, de l'association américaine contre l'anorexie et la boulimie.

Le deuxième niveau est plus profond et plus dramatique. Ces adolescentes refusent le diktat ambiant qui leur impose d'être minces pour être « belles ». Il s'agit d'« [...] une lutte entre une intense appétence pour l'objet qui pousse la consommation jusqu'à la dévoration, et le refus d'un système dans lequel est prôné son libre accès, écrit Thierry Vincent qui dirige une clinique médico-universitaire accueillant des jeunes anorexiques. « L'anorexique milite pour une économie du désir », poussée par un paradoxe : la peur extrême d'être marginalisée, et la volonté de s'opposer jusqu'à la mort au diktat de l'esthétisme ambiant.

L'anorexique et la boulimique sont, à leur façon, désespé-

---

1. Thierry Vincent, *L'Anorexie*, Odile Jacob, 2000.

rément malades de la pléthore du monde. Elles font « du corps un lieu de protestation et de dénonciation ». Ces adolescentes, victimes d'un système, en sont les plus actives combattantes. Elles sont engagées dans une lutte avec la société occidentale de la profusion. « Elles sont, analyse Thierry Vincent, le fruit de la rencontre entre les discours tenant lieu de normes sociales couramment admises et nos exigences personnelles de vérité. »

Culte de la beauté =

non représentatif de la réalité
Pousse à la C° massive de pdt et serv.
changement comportem¹ (cf Japon)

Culte de la minceur =
ideal impossible à atteindre
les femmes se sentent coupables

pb chez les adolescentes (boulimie/anorexie)
véhiculée par l'image des médias...

3

La pub n'aime pas les « vieux »

« La vieillesse ne fait pas ce que font
les jeunes, mais elle fait beaucoup plus
et mieux. »

CICÉRON,
De senectute.

C'est une photo qui montre un visage. Un visage au teint
de porcelaine, encadré de cheveux bruns. Les yeux sont bleu
océan. Il s'agit d'une publicité pour le sérum « rénovateur
jeunesse » de Dior. Ce produit promet une « métamorphose
instantanée », il optimise « l'espérance de vie de vos cellules
pour une jeunesse de peau prolongée ». Il s'appelle « NoAge
essentiel ». Avec « NoAge, défense de vieillir ». C'est une
publicité pour une crème antirides, la jeune femme mannequin est âgée d'environ vingt ans. Considérée comme mensongère, cette publicité a été interdite en Angleterre. Pas en
France.
Dans la pub le temps s'est arrêté. On nous montre une jeunesse éternelle, tout est fait par des jeunes (publicitaires) pour
des jeunes (consommateurs). Pendant ce temps, nous, pauvres

60

mortels, vieillissons. Curieusement, on dirait que les annonceurs et les publicitaires ne nous voient pas.

Les personnes âgées de plus de cinquante ans – ce qui n'est pas bien vieux, convenons-en – ne font pas partie des images publicitaires qui nous entourent. Elles sont visuellement absentes, même pour vanter des produits qui leur sont destinés. Le discours publicitaire qui nous conditionne – on sait depuis Freud que l'homme se comporte conformément à l'image que les autres lui renvoient de lui-même – exclut la vieillesse. La raison ? Très schématiquement : les personnes âgées ne servent à rien (parce qu'elles ne consomment pas), elles sont forcément acariâtres (donc porteuses de valeurs négatives), malades (donc évoquent la mort qui nous fait peur) ou dépendantes (donc une charge).

Aujourd'hui seulement, on prend la mesure de l'influence sociale négative qu'induisent ces images commerciales omniprésentes. La publicité telle qu'elle est conçue alimente la ségrégation entre générations. Les « non-vieux » – terme barbare, mais je n'en trouve pas d'autre – ne manifestent aucun intérêt et rarement du respect pour leurs aînés.

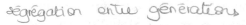

Il y a de plus en plus de personnes âgées. C'est une réalité objective. Premier point à côté duquel la publicité semble passer sans le remarquer. Le nombre de centenaires double en France tous les cinq ans. Il y en avait deux cents en 1950, dix mille en 2000. Il y en aura cent cinquante mille en 2050... Les personnes de plus de cinquante ans sont plus nombreuses que les jeunes de moins de dix-huit ans : en France, 20 % de la population a déjà plus de soixante ans. Voici la caractéristique principale de nos sociétés du Nord, alors que le nombre de jeunes ne cesse d'augmenter dans les sociétés du Sud.

En France, la durée de vie s'allonge. Et avec elle notre capacité à vivre mieux. Quelques chiffres. En 1830, les hommes pouvaient espérer vivre trente-huit ans en Europe, et les femmes, qui ont toujours vécu plus longtemps, quarante et un ans. En 1997, les bébés garçons pouvaient espérer vivre soixante quatorze ans, les filles, quatre-vingt-deux ans. On estime qu'en 2050, l'espérance de vie moyenne sera de quatre-vingts ans pour les hommes et de quatre-vingt-dix ans pour les femmes !

De plus, être vieux ne veut pas dire être malade. Selon les Drs Michel Allard et Armelle Thibert-Daguet, « l'espérance de vie s'allonge de six mois chaque fois que le produit national brut augmente de six mille francs par personne et par an[1] ». Cette évolution, qui est, on le notera, strictement dépendante du niveau de vie d'un pays, se fait dans des conditions nouvelles, celles de la « bonne vieillesse », sans incapacités majeures. La vieillesse, disent certains experts, c'est donc de la vie en plus. Pas question, pour autant, de verser dans le jeunisme à l'américaine. En France, les dix-sept millions de « seniors » assument le plus souvent ce qu'ils sont, étant entendu que leur situation individuelle est extrêmement variable selon leur lieu d'habitation, leur niveau d'éducation et la hauteur de leurs revenus.

Considérées dans leur globalité, les personnes âgées sont des consommateurs comme les autres. Prenons leur pouvoir d'achat. Quelque 970 000 personnes en France percevaient en 1998, parce qu'elles sont démunies, l'allocation de minimum vieillesse. Mais les revenus d'un Français de plus de cinquante ans dépassent en moyenne de 30 % celui d'une personne de moins de cinquante ans[2].

Le pouvoir économique, ce sont eux qui l'ont, même s'ils ne sont pas dépensiers. Dans quatre ans, les « seniors » auront

---

1. Michel Allard et Armelle Thibert-Daguet, *Longévité, mode d'emploi*, Le Cherche-Midi, 1998.
2. Selon une étude du Credoc de mars 1997.

Ceux q ont le PA

entre leurs mains la moitié des revenus nets des ménages français et 60 % du patrimoine. Aux États-Unis, ce sont les fonds de pension – placements boursiers effectués par les Américains pour leurs retraites – qui détiennent la majorité dans des entreprises cotées. Y compris les sociétés cotées sur les places boursières européennes.

Ils sont donc plus riches et disposent de davantage d'épargne, affirme le gourou français du « senior marketing », Jean-Paul Tréguer. Selon lui, la personne âgée, c'est en quelque sorte la Rolls du consommateur et l'avenir de la consommation. Sauf que, pour l'instant, en France, un tout petit nombre d'entreprises semblent s'y intéresser. Peu importe que les baby-boomers soient tous devenus quinquagénaires, pour les publicitaires, les personnes de plus de quarante ans n'existent pas : dans les spots télévisés et les annonces des magazines, elles brillent par leur absence.

La question est prise très au sérieux de l'autre côté de l'Atlantique à cause d'un activisme politique en faveur des « minorités », que nous ne connaissons pas en France à ce jour. Les travaux de recherche effectués par des universités ou les principaux groupes de publicité (américains) apportent des éléments de compréhension, même si les réponses politiques ne sortent pas d'une logique de ghetto : quotas imposés dans les universités, dans les médias, dans les publicités pour chaque minorité ; quotas pour les gens de couleur, pour les handicapés... pour les vieux, aussi ?

Depuis deux ou trois ans, la puissante association qui regroupe les trente-quatre millions de retraités américains (AARP) a voulu faire prendre conscience de l'absence des personnes âgées des images publicitaires pour militer contre leur exclusion, notamment dans les écrans publicitaires télévisés de *prime time,* théoriquement destinés à la plus large audience de téléspectateurs. Les faits n'ont rien de récent. En 1973, une étude constatait que sur cent spots télévisés, deux seulement mettaient en scène des personnes paraissant plus de cinquante ans. En 1987, le taux était monté à 6,9 %[1]. Un record. Les publicitaires mettent en scène des adolescents, des parents et de très vieux grands-parents. Entre, disons, quarante-neuf et quatre-vingt-neuf ans, c'est le vide. On peut donc en déduire qu'«à partir d'un âge devenu non télégénique, selon les critères habituels de jeunesse et de beauté télévisées, la représentation humaine tombe dans la caricature du vieillard», concluait une étude américaine.

Les femmes sont plus souvent bannies que les hommes dès que des rides ou d'autres signes du temps apparaissent. Isabella Rossellini, égérie de la marque de cosmétiques Lancôme pendant des années, fut renvoyée à ses foyers lorsque, la cinquantaine dynamique, elle commit l'erreur fatale d'exhiber quelques taches brunes devant un « créatif » publicitaire lors d'une séance photo[2]. En 1995, Lancôme se sépara de la comédienne, lui préférant la très jeune Marie Gillain. « Il y a aujourd'hui une sorte de mauvaise tendance à définir élégance et glamour en fonction de l'âge. [...] Pourtant je ne crois pas qu'associer la jeunesse et la beauté corresponde au rêve des femmes. Nous sommes beaucoup plus ambitieuses que cela. On peut rêver d'être riche, d'avoir beaucoup

---

1. En 1987, Swayne et Greco ont examiné trente-six heures de programmes télévisés diffusés par les trois principaux réseaux américains et ont décortiqué le contenu de huit cent quatorze spots publicitaires.
2. Régine Lemoine-Darthois et Élisabeth Weissman, *Elles croyaient qu'elles ne vieilliraient jamais,* Albin Michel, 2000.

d'enfants, de l'élégance et du style, mais vivre comme un drame l'apparition d'une ride, non. C'est un préjugé du monde de la publicité[1] », analysait l'actrice.

L'âge moyen des comédiens dans les publicités télévisées se situerait aux environs de vingt-cinq, trente ans, trente-cinq ans pour les plus âgés. Dans les pubs qui vantent des crèmes antirides à la télé, les femmes âgées de quarante à quarante-cinq ans sont inexistantes. Enfin, les quinquagénaires constitueraient moins de 5 % des troupes. Ils n'apparaissent souvent que dans des spots pour des produits alimentaires, et sont systématiquement filmés chez eux, comme s'ils n'avaient plus de vie extérieure ou sociale.

En France, les « seniors » ne figurent pas davantage dans les spots automobiles, alors que les plus de cinquante ans sont les premiers acheteurs de voitures neuves dans notre pays. On constate qu'en dehors des pubs sans cesse plus nombreuses qui utilisent de jeunes enfants ou des nourrissons – alors que le code de bonne conduite des publicitaires affirme que les enfants ne peuvent être montrés que dans les annonces les concernant –, la fameuse « ménagère de moins de cinquante ans » reste la cible prioritaire des publicitaires.

Le diktat de la ménagère de moins de cinquante ans, dont la pertinence publicitaire semble aujourd'hui en question, est ravageur. Bernard Pivot, le célèbre ex-animateur de l'émission « Bouillon de culture », la fustigeait en 1998 : « Reste à savoir si, à cinquante ans, vous êtes aussi ringarde et débranchée que le prétendent les annonceurs et les publicitaires. Non, évidemment, écrit le critique littéraire, et leur cécité laisse stupéfait. Des quinquas terriblement ménagères qui poussent des caddies qui grincent sous le poids des emplettes,

---

1. Régine Lemoine-Darthois et Élisabeth Weissman, *Elles croyaient qu'elles ne vieilliraient jamais, op. cit.*

seuls les experts de marketing n'en ont jamais croisé sur les parkings de supermarchés[1]. »

Dans les pubs, ce n'est pas « tendance » d'être âgé. D'ailleurs nous ne le sommes pas. Dans ce monde constitué d'images financées par les entreprises marchandes, nous sommes tous éternellement jeunes (et beaux).

En dehors du jeune branché, de la mère au foyer et du père en voyage d'affaires qui téléphone pour dire « je t'aime » à ses enfants qu'il ne voit jamais – c'est beau la chaleur d'un téléphone... –, point de salut. Sauf parfois pour le vieillard sénile.

En publicité, parler de vieillesse, c'est exagérer le trait. Donc, dans un spot publicitaire, une personne âgée doit forcément avoir l'air très très vieux, tendance vieillard. Si possible grabataire, édenté, dans un fauteuil roulant, « gâteux ». Quand elle n'incarne ni l'adolescente ni la mère d'enfants (dont l'âge publicitaire semble définitivement bloqué à huit-dix ans), la comédienne de publicité a donc les cheveux gris et des lunettes épaisses fort peu seyantes. Dans certains cas, elle utilise des aides ambulatoires (cannes, béquilles ou fauteuil roulant) ou des aides auditives visibles.

Pourquoi ? Pour éliminer tout risque de concurrence avec son fils également présent dans la pub, elle remplira, comme on le lui impose, son rôle de faire-valoir de la jeunesse. Le papy ou la mamie, puisque à cet âge il n'existe que cette représentation publicitaire, sera donc souvent ridicule parce qu'il est sourd ou/et aveugle. Le petit-fils, lui, sera forcément rapide, brillant et subtil. Vous avez une préférence ?

Observons quelques spots publicitaires diffusés dans le

---

1. Bernard Pivot, *Remontrance à la ménagère de moins de cinquante ans*, Plon, 1998.

courant de l'année 2000, en France et à l'étranger[1], en commençant par ceux qui mettent en scène la solitude et la nostalgie de personnes âgées pleurant leur jeunesse perdue. Les Britanniques font la promotion du whisky Johnnie Walker en montrant les exploits sportifs passés d'un homme : un plongeon du haut d'une falaise. L'exploit étant désormais impossible, autant noyer sa peine dans un petit whisky... Voilà le message. Comme si, à soixante ans, la vie était un long travelling triste. Mais, dans la vraie vie, à soixante ans, on a encore vingt ou trente ans à vivre...

Autre tendance marquée : quand la personne âgée apparaît furtivement au détour d'un spot, on en rigole. Plus ou moins gentiment, plus ou moins subtilement. Pour faire la promotion des jus de fruits Berri, en Australie, l'agence M&C Saatchi se moque presque méchamment de la crédulité d'une grand-mère qui pense que son petit-fils vient gentiment lui nouer ses lacets alors qu'elle est assise. L'enfant, tiré à quatre épingles, sage comme une image, lui attachera les deux chaussures ensemble d'un air franchement pas sympathique. À aucun moment, la grand-mère ne se rend compte de la situation. Croyant à l'affection de son petit-fils, elle déborde de tendresse, le serre dans ses bras, émue jusqu'aux larmes. Rires gras garantis... L'Australie, c'est loin, alors un coup d'œil sur ce qui se passe chez nous.

La scène de prédilection en France, c'est le sacro-saint déjeuner de famille que les publicitaires n'ont pas l'air de porter dans leur cœur. Dans ces scènes, les personnes âgées, « sont des personnages publicitaires qui n'ont pas toutes leurs facultés, qui ne sont pas les égaux des autres simplement

---

1. Retransmis pour les « meilleurs d'entre eux », lors du 48ᵉ Festival international de la publicité, à Cannes, du 19 au 23 juin 2001.

parce qu'ils servent à mettre en valeur la jeunesse », reconnaît l'un des rares publicitaires à avoir plus de cinquante ans, Vincent Leclabart.

Les exemples foisonnent. Pour la publicité des crèmes glacées Carte d'Or, en Grande-Bretagne, les publicitaires jouent sur la sénilité d'une grand-mère un peu folle – cheveux blancs hirsutes, œil écarquillé – qui lâche des vérités pas bonnes à dire parce qu'elle ne se contrôle plus. Les images sont dures : sa fille lui fait quitter la table en l'emmenant par la main... pour l'isoler. Sa mère lui fait honte. En fait, ce n'est pas sa faute, c'est parce qu'elle a mangé une glace libérative.

En France aussi les grands-mères ont la vie rude. Elles ne sont pas aimées dans les publicités. Il faut rappeler que la Mamie Nova, dans une ancienne campagne télévisée et d'affichage, était stigmatisée comme acariâtre, mégère : un calvaire. Ses petits-enfants publicitaires la haïssaient : « La mamie que je préfère, elle est dans le Frigidaire », rétorquait, persifleur, un garnement. Ce n'est pas nouveau. Depuis une bonne dizaine d'années, la grand-mère des images de pub est infernale, pingre, voleuse, désagréable, égoïste. Genre Tatie Danielle. Dans des annonces réalisées pour les fenêtres K par K, une vieille mégère annonçait au lecteur, l'air pincé : « Si vous croyez que j'ai changé mes fenêtres juste pour faire joli... » Non, c'était pour le prix très économique. Sympa.

Bref, on l'aura compris, les personnes âgées ne sont, en publicité, qu'une charge inutile, voire un poids pour la famille. Parfois, c'est ouvertement assumé et donne lieu à des traductions en images assez littérales. Deux exemples.

Le premier est américain. C'est une publicité télévisée pour un déodorant de Procter & Gamble. Une mamie est coincée dans les escaliers de son immeuble avec son chariot plein de provisions. Un jeune homme la croise. « Aidez-moi, s'il vous plaît », dit-elle d'une voix aiguë. Il lui donne une petite pièce, comme si elle faisait la manche. Elle répète de sa voix stridente : « Aidez-moi, s'il vous plaît »... jusqu'à ce que ce dernier, n'en pouvant plus de ces hurlements ininterrompus, la prenne sur ses épaules pour l'amener à bon port. La vieille dame voulait simplement profiter des effluves du parfum du jeune homme. Un parfum aux fragrances anciennes. Le titre du spot ? « Le bon samaritain ».

Dans la même veine, on peut citer le spot dit « des scouts », qui vante le service de télévision par câble Noos. Une bande de jeunes garçons dévale un escalier, sans doute à Montmartre, et croise une vieille dame qui peine à tirer son Caddie sur les marches – très original. Les scouts, dirigés par un homme d'une quarantaine d'années (trop vieux pour être un honnête scout), se proposent de l'aider. En fait, ils la balanceront méchamment et elle tombera violemment par terre.

Et puis il y a les personnes âgées présentées comme si elles se trouvaient dans l'antichambre de la mort. On les voit endormies sur leurs fauteuils ou devant leurs postes de télévision, ronflant la bouche ouverte, sans dents, cela pour vanter une chaîne de télévision qui ne les laissera pas s'endormir, tant ses programmes sont « percutants »... De quoi faire peur, en tout cas.

Quand tout d'un coup, pris d'une charité inattendue, les publicitaires décident de sortir du placard une personne de soixante-dix ans dynamique et aimable, c'est la chute dans l'excès inverse. Le « vieux » devient surhomme, superbranché. Les papys se trémoussent, le cheveu rouge, sur des musiques techno, embrassent leur belle à pleine bouche et mettent des tenues de cosmonautes argentées... Consternant, ridicule. « Les seniors ne sont pas dupes, explique Jean-Paul Tréguer. Ils savent parfaitement ce dont ils sont capables physiquement. » Contrairement à un présupposé utilisé par la majorité des publicitaires français qui tentent de « faire bien », ces images ne sont pas plus flatteuses pour nos aînés. On les prend pour des idiots. On les enferme dans les caricatures plastiques « à l'américaine » comme si toutes étaient des personnes dopées à la DHEA, la fameuse hormone miracle censée garantir la jeunesse éternelle.

La faute au marketing. Le publicitaire américain Robert Snyder, directeur associé de l'agence J. Walter Thompson Specialized Communications, estime que c'est au niveau des annonceurs que le bât blesse. Les logiques de ces entreprises les conduisent à envisager leur clientèle sous la forme d'un saucisson, la population étant découpée par tranches d'âge. « La plupart des annonceurs se trompent. » En procédant de cette manière, « le marketing a activement, mais la plupart du temps inefficacement, ciblé les personnes âgées depuis des années », indique-t-il.

Les publicitaires et leurs clients annonceurs ont très vite déduit qu'un groupe, celui des plus âgés, ne nécessite pas toute leur attention : moins attirés par les sirènes de la consommation, ils achèteraient moins. Une personne âgée, très fidèle aux marques qu'elle suit depuis longtemps, serait naturellement moins sensible aux stimuli publicitaires. Sans compter que, si les clients plus jeunes venaient à apprendre qu'une entreprise s'intéresse aux seniors plus qu'à eux, la marque risquerait de prendre un « coup de vieux ». Nous sommes réduits à un antagonisme « jeunes contre vieux », « vieux contre jeunes ». Drôle de logique !

C'est vrai, 70 % des personnes âgées sont des « sous-consommateurs ». Ce qui explique le peu de cas que publicitaires et annonceurs font d'eux. « Les modestes » consomment moins, et se limitent à certains produits (beauté, hygiène et produits pour leurs petits-enfants). Ils représentent environ un tiers des seniors. Certains même sont dans une position de « repli » vis-à-vis de la société de consommation. Il s'agit souvent de femmes seules – RMistes pour 10 % d'entre elles –, ou de couples de retraités très isolés, au mode de vie très rudimentaire.

Restent les deux autres tiers. Récemment seulement, certains spécialistes du marketing senior ont décidé de mieux connaître ce groupe de gens très hétéroclites. Ils se sont aperçus que le terme « senior » recouvrait des comportements de consommation très différents. La majorité des produits alimentaires, par exemple, sont consommés de la même façon indépendamment de l'âge. Mais il existe des exceptions : le pain, la farine, les choux-fleurs, la laitue, le poireau, le poisson, les huiles alimentaires, le café en grains sont très liés à la génération, souligne Serge Guérin, professeur à l'université de Lyon, se référant à une étude du Credoc réalisée en septembre 1997. Peu de personnes âgées consomment du maïs en grains, car ce produit fut longtemps réservé aux animaux de ferme. Dans leur esprit, il reste attaché à l'alimentation animale.

La deuxième raison, c'est l'âge des publicitaires. Les « créatifs » publicitaires ont en moyenne entre vingt-cinq et vingt-huit ans. Certains refusent tout simplement de prendre en compte les conséquences sociales de leur travail : « Je n'ai jamais fait ce métier en cherchant à être le reflet honnête et réaliste de la population », affirme Olivier Altmann, le directeur de création de BBDP & Fils. En général, surtout, il leur est plus facile d'imaginer des spots qui parlent à leur génération plutôt qu'à celle de leurs parents ou grands-parents. D'autant que leurs clients annonceurs redoutent d'être taxés d'archaïsme. Comme les autres, regarder la vieillesse en face, même s'il s'agit de la transposer dans une stratégie marketing, ne les réjouit guère.

« Personne n'a envie de se voir vieillir, reconnaît Jean-Paul Tréguer, et, consciemment ou pas, cela influe considérablement sur son attitude face aux choix stratégiques de son entreprise. Au fond, le rêve de beaucoup de dirigeants est un peu d'être comme Richard Branson, le patron emblématique de Virgin, homme d'affaires expérimenté, quinquagénaire, mais éternel provocateur et innovateur qui en "remontre" en matière de jeunesse à de bien plus jeunes que lui[1]. » C'est le mythe du patron à la mode, de la marque à la mode, bref, de l'entreprise moderne et dynamique. Dans ce contexte, pas question de se préoccuper d'une population qui n'est pas socialement porteuse, et qui risquerait de nous faire passer pour des ringards...

logique incitative

« Voilà ce que vous pouvez faire ou être, voilà ce que vous devriez faire ou être, voilà qui n'est nullement obligatoire mais qui serait bien, voilà ce que vous devriez essayer. » Cette logique incitative véhiculée par les publicités s'applique désormais à tous les domaines de la vie individuelle. Il a remplacé la traditionnelle prescription, de type clérical. D'affiche en affiche et de magazine en magazine, on vous explique que vous ne pouvez pas vieillir parce que vieillir c'est mal. C'est ce que François Taillandier, romancier et essayiste, appelle la « préconisation médiatico-publicitaire[2] » (PMP) du moment. Reste une question essentielle : les personnes de plus de cinquante ans veulent-elles être ce que les publicitaires leur demandent d'être ? Non.

« Aujourd'hui, 64 % des plus de cinquante ans estiment que la publicité n'est pas faite pour eux, mais pour les jeunes. » Pas de surprise dans les conclusions d'une étude du

---

1. Jean-Paul Tréguer, *Le Senior marketing*, Dunod, 1998.
2. « L'honnête homme est un clandestin », *Le Monde* (27 juin 2001).

marginalisat°
des pers. agées

La pub n'aime pas les « vieux »

Credoc consacrée au pouvoir économique des plus de cinquante ans. Plus gravement, la publicité telle qu'elle est conçue actuellement accentue la marginalisation des personnes âgées. Dans nos sociétés occidentales gouvernées par un individualisme forcené, la dissolution de la famille a laissé les vieux seuls, abandonnés, et parfois même dépendants des plus jeunes qui, dans les cas les plus tristes, les exploitent.

Selon des gérontologues, la société laisse peu de choix aux personnes âgées. En matière de consommation, elles peuvent avoir le sentiment d'être exclues. Les caricatures dénigrantes véhiculées par le monde marchand finit par transformer peu à peu le regard que la société leur porte. La publicité, par ses « stéréotypes négatifs, limite le potentiel des personnes âgées en plaçant l'accent sur l'inutilité, les échecs et devient du même coup une sorte de loi officieuse qui empêche les personnes d'un certain âge de vivre aussi librement, si elles en ont la possibilité, que leurs cadets. Les stéréotypes négatifs et les images associées à la vieillesse créent aussi des appréhensions et la peur de vieillir chez les jeunes[1] ».

Cette logique poussée à l'extrême aboutit, d'ailleurs, à la création de ghettos pour personnes âgées. À Sun City, aux États-Unis, une ville-prison dorée est ainsi « réservée aux personnes âgées de plus de cinquante-cinq ans, de race blanche et riches ». Elle est ceinturée de hauts murs, surveillée par un système de sécurité sophistiqué. Elle est interdite aux non-invités. « C'est la logique séparatiste poussée jusqu'au bout[2] », explique Serge Guérin, docteur en communication.

En plus de la ségrégation générationnelle, les personnes

---

1. Vasil et Wass, *Portrayal of the elderly in the media. A Literature Review and Implications for Educational Gerontologists*, Educational Gerontology, 1993.
2. Serge Guérin, *Le Boom des seniors*, Economica, 2000.

âgées ploient sous la ségrégation financière : les annonceurs, lorsqu'ils s'adressent aux plus de cinquante ans visent les 30 % des seniors les plus aisés. Pour les publicitaires, on est forcément « plus jeunes » riches.

Ras-le-bol. Tout cela est un non-sens aux conséquences sociales qu'on aurait tort de sous-estimer. Les personnes âgées « luttent contre leur faiblesse physique, leur vieillesse leur paraît pénible pour le seul motif qu'elle les met à l'écart », écrivait Sénèque, dans son traité *De la brièveté de la vie*. Où sont nos « sages » ? Une société sans « sages » peut-elle être heureuse ? On oublie, à force de regarder la jeunesse, que « la vieillesse n'est pas privée mais plutôt délivrée des passions ardentes qui aveuglent l'esprit », expliquait Cicéron dans certains de ses traités. D'ailleurs, la majorité des personnes âgées veut participer.

Les clubs « Bel Âge » de la ville de Cannes (Alpes-Maritimes) regroupent douze mille personnes, « des jeunes et des vieux retraités », expliquait Bernard Brochand, le député-maire (RPR) de Cannes, ancien publicitaire. « Tout au long de l'année, ils marchent, font des balades à vélo, étudient des langues, l'informatique, prennent en charge des quartiers difficiles, apprennent à lire à ceux qui ne savent pas », bref, ils sont très utiles. Et très dynamiques. À propos de sa voisine de quatre-vingt-cinq ans, il raconte : « [Elle] se baigne tous les matins dans la mer, elle est en pleine forme. Elle m'engueule si sa rue est sale, et me félicite quand quelque chose que j'ai fait lui fait plaisir. » Convaincu que « les publicitaires ne connaissent pas ces gens », il admet : « Si je m'y intéressais comme publicitaire, je ne regarderais que son âge pour lui parler comme à une femme de quarante ans. Et ce ne serait pas elle. »

Las ! Entre irrespect affiché et fausse condescendance, la

pub martèle son message dépréciatif : l'âge est synonyme de laideur, de ridicule, pour rester jeune il faut consommer. Ne surtout pas vieillir. C'est vrai dans les images de pub, il paraît que c'est aussi le cas dans les séries produites en France pour les chaînes de télévision. La comédienne Macha Méril a créé une association, Les Cinquantièmes jubilantes. « C'est un peu un appel au secours, explique-t-elle. Toutes les actrices de ma génération souffrent de cela, on ne nous écrit pas de rôles qui nous conviennent[1]. » Concernant les contraintes des personnages, le cahier des charges de ces programmes seraient très similaire au cahier des charges publicitaire. Tout est fait pour réaliser de l'audience en vertu de savants calculs marketing.

Lissou Nodier, consultante indépendante et fondatrice en 1999 de l'association Image de femmes, en a fait son combat. Cette mère de trois enfants, grand-mère à cinquante-deux ans est en colère. « Alors que toutes les entreprises apprécient le poids du porte-monnaie des femmes de cinquante ans et plus, les annonceurs et les médias dédaignent toujours leur image, explique-t-elle, en cherchant à faire la promotion de l'image des femmes de plus de cinquante ans auprès des annonceurs français. Quand elles ne sont pas totalement absentes des campagnes de communication, elles sont représentées de façon caricaturale[2]. »

Lissou Nodier désespère de voir reflétée dans la pub la réalité de ces femmes « dynamiques, expérimentées, qui continuent de travailler, s'impliquent souvent dans le monde associatif et s'occupent de leurs petits-enfants ». Sur son site Internet, elle propose quelques images publicitaires qui témoignent, selon elle, des erreurs d'évaluation des annonceurs. Pour le produit de Vichy « Reti-C », la jeune femme doit avoir à peine trente ans. Elle a le contour du visage bandé

---

1. *www.opinion-ind.presse.fr*
2. *Femme actuelle* (février 1999).

comme si elle venait de subir un lifting. C'est assez impressionnant : les rides, peut-être à cause du bandage, deviennent les symptômes d'une maladie. Une autre publicité qu'elle conteste est conçue pour un produit « tenseur-réducteur de rides » (Biotherm). Elle montre une toute jeune fille qui remonte la peau de son visage avec son doigt : « Vous reconnaissez-vous dans ces images ? » demande Lissou Nodier aux internautes de plus de cinquante ans qui viennent sur son site.

Il n'est plus question ici de comprendre la stratégie des annonceurs. Simplement de plaider pour une maîtrise de l'impact social des images qu'ils diffusent massivement à des fins commerciales. Un bon nombre de femmes de plus de cinquante ans crient « halte au jeunisme » parce qu'elles se sentent bien dans leur peau. « Les griffes du temps, nous y tenons », disent-elles. Elles appellent de plus en plus fréquemment les publicitaires et leurs clients à les autoriser à « voir se refléter leur image dans les magazines, dans la publicité, [où] elles doivent aussi être à leur place ». Pourquoi une telle préoccupation ? La raison est simple : « L'image apporte l'équilibre, la joie, le plaisir, le bonheur et la reconnaissance », lit-on sur le site Imagedefemmes.fr.

« Si vous avez cinquante ans ou plus... même si vous êtes en pleine forme, prêt à vivre cinquante autres années, sachez que, pour les publicitaires, vous ne comptez pas ; pour eux, vous êtes déjà mort et, si vous êtes mort pour les publicitaires et les annonceurs, vous ne représentez plus grand-chose pour les chaînes de télévision », explique Bernard Pivot. C'est encore cette quête d'un « jeunisme consumériste », désespérant, qui a poussé l'an dernier certains médias à supprimer les programmes destinés à la « France mûre ».

Quand l'émission de Pascal Sevran, cinquante-trois ans,

La pub n'aime pas les « vieux »

« La chance aux chansons » – rendez-vous quotidien de l'après-midi sur France 2 –, a été supprimée, il s'agissait, d'après lui, de répondre aux exigences des annonceurs et de leurs conseils qui ne trouvaient pas d'intérêt publicitaire à séduire « les personnes du troisième âge ».

« C'est l'idée de publicitaires tarés pour qui seuls les jeunes sont en âge de consommer[1] », ironisait alors Pascal Sevran pour expliquer la décision de Michèle Cotta, la directrice de France 2, d'arrêter le programme de divertissement. « Et pourtant, les vieillards, quinquagénaires, tels Alain Delon, Catherine Deneuve, continuent à se laver les dents, à voyager, à aller chez le coiffeur. Bientôt, si on continue comme cela, le boulanger du coin vous dira : "Oh! là! là! Vous avez cinquante et un ans, c'est effrayant, vous n'aurez plus de pain chez moi : sortez!" Le restaurateur : "Vous avez quarante-neuf ans, dépêchez-vous. Bon, cette fois ça passe mais c'est juste, après ne comptez plus sur moi pour vous passer les plats." »

Les téléspectateurs représentent pourtant plus de la moitié de l'audience des trois chaînes nationales, pas un mot ne leur est consacré lors des présentations des grilles de rentrée[2].

RTL l'a appris à ses dépens. La direction des programmes a lamentablement cafouillé en décidant de retirer, fin 2000, son émission phare, « Les grosses têtes », à Philippe Bouvard, soixante-dix ans, après vingt-quatre ans de « bons et loyaux services ». La raison ? Toujours la même : le sacro-saint rajeunissement des programmes. La France vieillit, les médias, eux, sont adeptes de la cure de jouvence ! Le directeur des programmes, Stéphane Duhamel, s'en est mordu les doigts. En un an, la station a perdu deux millions d'auditeurs et cette émission historique, qui réussissait à capter le quart

---

1. Dans un entretien accordé à *Paris Match*.
2. Jean-Paul Tréguer, *Le Senior Marketing, op. cit.*

de l'audience sur cette tranche horaire, a perdu six cent mille auditeurs. Après avoir récupéré Philippe Bouvard en catastrophe, la tendance serait désormais au « rétro » sur RTL[1]. On devient prudent !

En tout cas, tout le monde a peur de vieillir, les directeurs de programmes comme les autres. Jusqu'à quand ? Il faudra bien que tous finissent par accepter le statut d'adulte « mature » avec sérénité.

La route est longue. Il y a peu de temps, France Telecom « a refusé l'image d'un sexagénaire pour sa campagne d'affichage[2] ». L'une des publicités européennes les plus audacieuses, diffusée il y a un an, évoquait les relations sexuelles d'un couple de personnes âgées. C'était pour une compagnie d'assurances, en Suisse. En France, le spot télévisé n'a pas réussi à passer le cap du Bureau de vérification de la publicité (BVP) dont l'avis favorable est un préalable obligatoire pour qu'il soit diffusé par les chaînes.

En France, les quelques tentatives publicitaires qui concernent des produits de consommation courante – en dehors, donc, des produits spécifiques (pompes funèbres, fauteuils spéciaux, etc.) – achoppent encore sur un tabou. Susan Shoënborn, la superbe quinquagénaire de Nivea utilisée en 1994 pour promouvoir la ligne Nivea Vital, une crème antirides, a dû ensuite être rajeunie. Un mannequin plus jeune fut choisi.

Le spot télévisé Évian montrant un ballet aquatique, version seniors, avait été conçu pour expliquer que l'eau est « source de jeunesse ». Il aurait été retouché à la palette graphique avant sa diffusion : les rides voyantes étaient trop

---

1. *Télégramme de Brest* (22 janvier 2001).
2. « Vieillesse, le tabou s'effrite doucement », *Stratégies* (22 septembre 2000).

grosses, les plis de chair faisaient sans doute désordre. Pour une fois, pourtant, de vraies personnes âgées – en l'occurrence il s'agissait principalement d'anciens sportifs britanniques de haut niveau – étaient enrôlées dans une publicité télévisée diffusée en France à une heure de grande écoute. La publicité a fait l'objet de complexes négociations entre l'annonceur (Danone), qui marchait sur des œufs, et les publicitaires qui souhaitaient montrer une image réaliste de personnes âgées. Elle a été reportée plusieurs fois, sous des prétextes assez futiles, comme la musique qui devait être changée pour un air plus consensuel. En fait, franchir le pas était un risque que le groupe alimentaire a, jusqu'au dernier moment, eu peur de prendre.

Certains professionnels de la communication commencent à se rendre compte que le mauvais traitement publicitaire qu'ils infligent à une large partie de la population n'est plus viable. « Le culte de la jeunesse devient caricatural, analyse Pierre Lecosse, patron d'Euro RSCG pour l'Europe. Chercher à rester beau, c'est légitime ; mais ce qui est grave c'est de ne plus assumer ce qu'on est. On ne peut pas être et avoir été, avoir soixante ans et se comporter comme si on en avait quarante. » Ce publicitaire, fait rare, doit bien avoir dépassé la cinquantaine.

Peur de vieillir

4

Des Blancs, du blanc, rien que du blanc...

> « La couleur de peau (...) ne corres-
> pond qu'à une part infime de notre patri-
> moine génétique (...), elle ne peut donc
> en aucune manière servir à un classe-
> ment significatif des populations. »
>
> Albert JACQUARD,
> *Éloge de la différence.*

La victoire de l'équipe de France de football en coupe du monde, le 12 juillet 1998, a symbolisé la prise de conscience collective de ce qu'est la France aujourd'hui : un pays aux origines multiples, où les cultures sont brassées et mélangées. Trois ans après, les sociologues parlent encore d'« effet coupe du monde ». Certains ont érigé en modèle d'intégration cette « France de Zidane », bigarrée, heureuse, enthousiaste. On aurait pu croire que les fantômes colonialistes, racistes, xénophobes, étaient enfin jetés aux oubliettes... Et pourtant...

Octobre 1999. Une affiche publicitaire, à Paris, montre la photo d'une petite fille noire dans un médaillon orange. Elle doit être âgée de deux ou trois ans. Deux mains d'adulte plongent dans le médaillon et lui tirent les deux oreilles. Aïe,

aïe... À côté, la même affiche avec, à la place de la petite fille noire, un sachet de riz blanc en plastique attrapé par deux extrémités. Des sortes d'oreilles, si vous voulez.

Chez certaines personnes, cette affiche a provoqué un haut-le-cœur. L'image publicitaire répandait de nouveau les effluves d'un imaginaire colonial que l'on croyait oublié. Les publicitaires de l'agence D'Arcy – les mêmes qui ont conçu l'affiche pour la crème Babette : « Je la lie, je la fouette » –, eux, n'y ont vu que du feu. Ils étaient satisfaits : la campagne a plu à la ménagère de moins de cinquante ans, celle qu'ils voulaient convaincre. Selon la société Uncle Ben's, 72 % des femmes interrogées déclaraient avoir aimé l'affiche[1]. Et rebelote, fiers de leur « score », ils nous ont resservi la même campagne d'affichage, avec les mêmes images, au printemps 2000...

La France publicitaire a du mal à montrer des gens de couleur. Et quand elle les montre, c'est pour nous bombarder de clichés encore fortement empreints de culture coloniale. Entre ces caricatures négatives persistantes et le racisme « économique » de certains annonceurs, la couleur de peau est, en France, un tabou publicitaire résistant.

J'aborde la question, la première fois, avec Franck Tapiro, publicitaire d'une trentaine d'années. Je rentre d'un reportage à New York sur la représentation ethnique dans la publicité – la mégapole vient de voir « ses minorités devenir majoritaires » – et je m'interroge : pourquoi en France les personnages de la publicité sont-ils encore tous blancs-blancs, blonds-blonds ? À cette question, le publicitaire sort de ses gonds. « Justement, y en a marre ! me dit-il. Je n'en peux plus des remarques de certains clients sur le visage trop typé de

---

1. *Stratégies* (12 novembre 1999).

celui-ci, la peau trop sombre de celle-là... » Manifestement, le sujet le touche.

Il me confie que très souvent l'annonceur bloque les propositions en ce sens que peuvent lui faire les publicitaires. L'entreprise aurait la fâcheuse habitude de lisser les castings au moment du choix des comédiens qui vont figurer dans le spot ou l'annonce. *Grosso modo*, le message est simple : tirer le plus possible vers le blanc laiteux. Le publicitaire me raconte deux ou trois expériences vécues. Assez effrayantes en vérité.

La plus marquante concerne le Service d'information du gouvernement (SIG), l'instance la plus élevée en matière de communication gouvernementale : le SIG dépend directement du Premier ministre. En 1995, sous le gouvernement Balladur, l'État souhaite organiser une grande enquête auprès des jeunes Français. Il faut, donc, faire la publicité de cette opération pour qu'un maximum de jeunes prennent la peine de remplir le questionnaire et le renvoient. C'est l'agence où travaille Franck Tapiro qui est choisie pour ce travail.

« On a fait un casting très large avec des Blancs, des Blacks, des Beurs, des Asiatiques, et on l'a présenté à l'annonceur. Là, ç'a été le choc. Un décisionnaire du SIG m'a dit : "Mais qui m'a mis tous ces blacks et tous ces bougnoules ? !" se souvient-il. C'était manifestement un cri du cœur. » Le publicitaire, un peu plus tard, reçoit une lettre. On lui demande de « travailler le casting » pour qu'il y ait « moins de gens colorés ». Il se battra autant que possible pour imposer des types différents de visages. La couleuvre lui devient de plus en plus difficile à avaler. Apparemment, il n'en était pas à sa première expérience de ce type. Avant, un annonceur lui avait, par exemple, déjà demandé « Naomi Campbell, mais en plus clair », me raconte-il.

Abasourdie par ces confidences, j'enquête auprès d'autres publicitaires. Tapiro est-il un cas unique ? Quelques langues se délient. Le plus souvent anonymement. D'autres publicitaires, comme Violaine Sanson-Tricard, P-DG de l'agence Bates, l'une des rares femmes à diriger une agence de pub en France, me confirme ouvertement : « Il y a de toute évidence un problème. Le plus souvent, nous nous retrouvons devant un chef de produit compassé qui, après avoir expliqué que lui, à titre personnel, ça ne le gênait pas, indique : mais est-ce que vous êtes sûre que cela ne va pas... » Ce que certains appellent pudiquement la « frilosité » des annonceurs serait en fait de mauvaises habitudes dont les entreprises françaises ne semblent pas s'être encore débarrassées...

Aujourd'hui les annonceurs n'utilisent pas de gens de couleur sauf, éventuellement, si c'est pour les laisser enfermés dans d'archaïques clichés coloniaux. Ainsi, ils ne prennent pas de risques et surfent sur la discrimination latente. Le constat est effarant : l'utilisation des Noirs dans la pub en 2001 renvoie à l'utilisation des Noirs par les publicitaires au début du xxᵉ siècle.

Il faut repartir du début du siècle pour mesurer la permanence de certains ancrages idéologiques. À cette époque, la publicité sert la « mission civilisatrice de la France ». Ce discours, au lieu de s'effacer avec la décolonisation, est resté figé.

Au départ, il fallait promouvoir la domination des Blancs. Parmi les illustrateurs publicitaires, Auzolle, en 1898, montre sur une affiche le commandant Marchand, star de l'aventure coloniale française (puisqu'il prend de vitesse les Britanniques à Fachoda en 1898 avec des moyens dérisoires), pour vanter l'eau minérale naturelle « extragazeuse et limpide » de Saint-Yorre. Le militaire, seul au milieu d'un désert, pose devant le drapeau français. Les tirailleurs noirs sont regroupés au fond, derrière lui, recroquevillés, alors que le chef militaire blanc est campé fièrement debout. Pour illustrer la dualité qui oppose le « monde moderne » au « monde archaïque », les couleurs noire et blanche sont utilisées.

Le blanc et le noir s'opposent dans la publicité depuis un demi-siècle au moins. Les affiches touristiques des années 1950 traduisent la modernité technologique du monde occidental. On le voit dans une publicité de la compagnie Aéromaritime, en 1950, où la blancheur d'un avion contraste avec un archer africain noir, en pagne et plumes sur la tête, censé représenter l'Afrique traditionnelle.

Ailleurs, les piroguiers sénégalais servent de faire-valoir aux bateaux blancs de la Société navale de l'Ouest (1955). L'affiche est construite de telle sorte qu'elle fait apparaître la pirogue et ses nombreux pêcheurs comme un tache sombre qui vient troubler la page entièrement baignée de lumière. La grille de création, à cette époque, cantonne les Noirs à la représentation du folklore et de la tradition.

Les idées hautes en intelligence et en couleur fleurissent dans cette atmosphère coloniale propice au racisme ouvertement assumé. On trouve au Noir des rôles qui correspondent à son grade : qu'est-ce que la couleur de peau noire pourrait bien promouvoir ? Le café et le chocolat, pardi ! Ni une ni deux, voilà le Noir propulsé dans des illustrations publicitaires de premier choix pour vanter des produits alimentaires de couleur noire.

Pour le chocolat Félix Potin, un Noir très laid, la bouche démesurée, en costume de scène, agite un fouet culinaire pour battre le chocolat dans un bol. Le slogan est encore plus terrible que l'image : « Chocolat Félix Potin, battu et content », dit l'affiche signée du publicitaire parisien Joë Bridge. On voit aussi, au début du siècle, apparaître le fameux tirailleur

Banania, « Y'a bon... »[1]. C'est un journaliste, Pierre Lardet, qui, lors d'un voyage en 1912 au Nicaragua, découvre ce breuvage composé de farine de banane, de céréales pilées, de cacao et de sucre. Il se lance dans la fabrication du produit et dépose le dessin dit « de l'Antillais » qui décorera les boîtes.

Le tirailleur sénégalais apparaît dans la publicité au début de la guerre. Pierre Lardet veut exploiter la popularité des troupes coloniales pour lancer massivement son produit Banania. Le fond jaune rappelle la banane, le rouge et le bleu l'uniforme des tirailleurs auxquels le produit sera même distribué au front : « Pour nos soldats, la nourriture abondante qui se conserve sous le moindre volume possible. » Le « Y'a bon » s'inspirerait « du langage de ces soldats »[2].

Le pauvre tirailleur subira tous les affronts : on lui mettra même une banane à la place de la bouche et une anse de tasse en guise d'oreille. L'image de l'oreille que l'on tire pour réprimander le Noir, comme on réprimanderait un enfant, est très ancré dans l'imaginaire occidental.

Après quelques évolutions graphiques, en 1977, le slogan disparaît de l'affiche. Le dessin du tirailleur devient stylisé et plus petit. En 1960, cette affiche reçoit l'oscar de la publicité, en 1965, le Grand Prix de la publicité. En 1984, du tirailleur ne restent que la chéchia et le pompon stylisé, avant de disparaître complètement pour laisser place en 1988 à un bol stylisé. Le tirailleur aura eu le temps de marquer l'imaginaire collectif en promenant pendant soixante-dix ans les attributs des troupes coloniales dans les pubs Banania.

Les femmes de couleur, à cette époque, ne sont pas épargnées. Une femme en boubou, un enfant accroché dans le

1. Dont la première affiche fut enregistrée au dépôt légal de la Bibliothèque nationale en 1915.
2. Apprend-on lors d'une rétrospective organisée sur la publicité par l'Union des arts décoratifs de Paris.

dos, servira de plateau aux bonbons de caramel et chocolat Micho-ko (vers 1960). On voit aussi des Africains vêtus de leurs vêtements traditionnels ou dessinés nus, en train d'être lavés de force par des Blancs habillés. Ces images sont à l'époque extrêmement prisées par les publicitaires qui doivent vanter lessives et savons. Les slogans terrifiants s'accumulent. En général, ils promettent au malheureux Noir de devenir un Blanc privilégié. Entre la lessive qui « blanchirait un nègre » (Lessive de la ménagère), le savon qui « mousse le plus et blanchit le mieux » (savon de l'Épée) ou celui qui est « économique et blanchit tout » (savon La Perdrix, savon La Coquille, savon Dirtoff)..., Les exemples ne manquent pas.

Une nouvelle organisation publicitaire se met en place. Elle trouve aux Noirs différents rôles, selon leur peau plus ou moins sombre. Surtout, les publicitaires et leurs clients annonceurs se servent de la couleur de peau pour jouer le décalage et vanter la blancheur. La dentition que fait ressortir une peau noire est fort utile, par exemple, pour promouvoir le dentifrice Glycodont.

Au fil des décennies, le Noir antillais est toujours très apprécié pour vanter auprès du Blanc les produits exotiques comme le sucre de canne, le rhum ou la banane. On le voit partout (encore aujourd'hui) sur les étiquettes et certaines affiches. Les gens de couleur sont systématiquement placés dans une position d'infériorité. Le Noir brille dans les rôles de serviteur, de mécanicien. Sa femme joue la blanchisseuse, la femme de ménage. Sans doute, diront certains, telles sont les réalités de l'époque. Il n'empêche. La publicité flatte les *a priori* les plus mesquins. Méfiez-vous, employeurs blancs, cette nouvelle poudre à récurer est si efficace que votre employée de maison (noire) va en profiter pour se reposer, nous disent certaines publicités des années 60. Surveillez-la !

N'oublions pas de mentionner, l'outrance physique trans-

Des Blancs, du blanc, rien que du blanc...

formée en nature publicitaire inquiétante. Les archivistes qui ont travaillé à l'exposition organisée en 1987 à la bibliothèque Forney sur la représentation des Noirs dans la publicité, mesurèrent, à partir de cinq cents affiches, l'incroyable prégnance de références anthropométriques, « blason de la supériorité coloniale », dans la représentation physique des Noirs. « Certaines distorsions de la face noire au début du siècle ne sont pas sans évoquer les caricatures antisémites de la presse politique qui simulèrent à dessein, et de façon négative, les signes de reconnaissance d'une particularité[1] », indiquent-ils.

Le visage noir est ridiculisé, il devient démon, terrifiant. La mise en scène publicitaire (loterie coloniale, tabac, dentifrice, chocolat Van Houten...) privilégie « abusivement » les profils issus de la photographie judiciaire[2] utilisés au départ pour identifier les criminels puis pour les recherches anthropométriques sur la physionomie[3]. Le physique de la personne noire est objet de caricature outrancière : ses lèvres deviennent énormes, rouges, les yeux sont sans expression humaine, généralement réduits à des croissants de lune ou, au contraire, ils apparaissent ronds et exorbités.

La publicité contemporaine continue de décliner ces mêmes mises en scène. Les publicitaires et les annonceurs, peut-être ne s'en rendent-ils plus compte d'ailleurs, utilisent toujours la personne noire pour les fantasmes qu'elle provoquait à l'époque coloniale. Les images sont simplement

---

1. Dans *Négripub, l'image des Noirs dans la publicité*, Éditions Somogy, 1994.
2. Mise au point par Alphonse Bertillon en 1888.
3. Les travaux de Lavater et Camper mesuraient le crâne pour en déduire, de façon absurde, les facultés intellectuelles.

revues à la mode contemporaine. La personne de couleur est dans la publicité, « une sorte d'ingrédient utile pour pimenter le message publicitaire, installer un zeste d'exotisme, créer des associations d'idées d'un goût souvent inégal ou déclencher un sourire aux origines douteuses [1] ». L'imaginaire occidental mis en images par les publicités fleure toujours son passé colonial.

Regardons les images publicitaires pour le riz Uncle Ben's ou la farine de blé Francine (1985). L'apparence physique outrancière reste la même, même s'il ne s'agit plus de dessins mais de photographies. Les yeux sont ronds comme des billes, et la bouche énorme est vorace. En juillet 2001, le tour opérateur Club Med faisait la promotion de son site tunisien Oyyo, destiné aux jeunes de dix-huit à trente ans par les traits d'une jeune femme à la peau beige, les yeux toujours exorbités et la bouche grande ouverte.

Soixante ans après le premier « Y'a bon » du tirailleur Banania, l'agence BDDP signe une affiche qui utilise les mêmes caricatures (y compris l'expression « y'a pas mieux »). Léopold Sédar Senghor a beau clamer en 1940 « [...] et j'irai déchirer les rires Banania sur tous les murs de France [2] », le sourire façon tirailleur sénégalais est toujours présent presque un demi-siècle plus tard, sur des affiches pour les fast-food Free Time (1986) ou celles pour le gruyère Entremont (1985).

Dans la publicité française, le Noir a aussi longtemps représenté l'enfant, le péché ou le candide heureux. Ses produits de prédilection? Toujours les mêmes aujourd'hui : le café, le chocolat (Côte d'Or, par exemple)... Il peut aussi être cuisinier pour Vahiné (« C'est gonflé »). Il exprime souvent l'« animalité ». Le Noir n'est aujourd'hui qu'un Éros musclé dont la beauté fascine (Dim en 1988, en 2000).

---

1. Dans *Negripub, op. cit.*
2. Préface au poème « Hosties noires ».

Présenté soit comme un enfant, soit comme un animal, tout se passe comme si le Noir était plus proche du désir charnel. L'homme noir peut donc servir de faire-valoir physique à la femme blanche. Ce sont les rôles publicitaires de dominé-dominant (lingerie 8, maillots de bain VdeV, montres Timex, parfum Eau libre d'Yves Saint Laurent...).

Le noir est associé au péché, à la tache, et le blanc à la pureté, à la divinité. « Cette ancrage des Noirs dans une certaine animalité, dans un état primitif immuable vient confirmer la légitimité de l'esclavagisme, puis de la colonisation : puisque le Noir n'est pas un homme, c'est donc le Blanc qui l'élève à l'humanité ou à l'état d'adulte », écrit Kofi Yamgnane, l'ancien secrétaire d'État à l'Intégration au gouvernement d'Édith Cresson, aujourd'hui député (PS) du Finistère[1].

Ce sentiment est partagé par l'humoriste et comédien noir Dieudonné, membre actif du collectif égalité. Les publicitaires lui ont un jour proposé de figurer dans un spot Bénénuts. Il devait y manger des cacahuètes : « [...] Non, là c'était vraiment trop ! » a-t-il dit devant la caméra de l'émission « Culture Pub » sur M6.

Les femmes noires, elles, sont des sculptures d'ébène. Au début des années 80, Jean-Paul Goude a le premier mis en valeur le corps de bronze de Grace Jones dans une publicité pour les voitures Citroën. La femme noire incarne plutôt la « tentatrice », la sensualité animale (Rocher Suchard vers 1997). Elles sont parfois enrôlées dans des exhibitions sensualo-sexuelles violentes. Ou présentées comme très agressives, un peu folles même (Lou, 1983). Parfois ce sont simplement des « mamas » folkloriques.

On a vu en 2000 des femmes africaines en boubou bigarré dans une pub télé pour la lessive Skip. « Les créatifs ont pensé naturellement aux femmes africaines qui portent tradi-

---

1. Préface de *Négripub, op. cit.*

tionnellement des vêtements colorés et très gais [1] », a expliqué la publicitaire Raphaëlle Lacroix de l'agence Lowe Lintas. Les images de l'Afrique folklorique doivent permettre de s'adresser à la population en général. C'est une touche d'exotisme.

Mais les mannequins de couleur font encore rarement les couvertures de magazines féminins. Naomi Campbell, qui fut la première mégastar « black » des podiums, a fait l'an dernier la couverture du magazine *Elle*. C'était pour se plaindre du racisme. La situation n'a pas évolué depuis une quinzaine d'années, explique-t-elle : « Il faudra bien que les choses changent et que les mentalités évoluent. C'est très bien de parler du nouveau millénaire, mais je n'ai pas vu de gens de couleur sur les couvertures de magazine ces derniers temps [2]. »

Toutes les couleurs de peau n'ont pas le même statut publicitaire. Pour les Beurs et Beurettes, par exemple, c'est un petit peu plus facile. Pour les Noirs, la route est encore longue.

Depuis 1998, on voit les stars du football multiplier les participations publicitaires. Leur ethnicité est dépassée par leur célébrité, affirment les publicitaires qui les utilisent. C'est le cas de Zidane, très employé par Vittel, Dior et Ford, par exemple. Depuis 1998, un petit changement tout de même. La personne noire est parfois (c'est très rare) autorisée à figurer sur des pubs pour des produits de mode (vêtements, téléphones mobiles, grands magasins). Début juillet 2001, on a même vu sur une affiche un bébé à la peau café au lait vanter les déjeuners préparés par Nestlé. À noter d'une pierre... « blanche ».

---

1. *Culturepub Mag* (novembre-décembre 2000).
2. Entretien dans *Elle* français (27 mars 2000).

Des Blancs, du blanc, rien que du blanc...

Qui freine? Apparemment, ce ne sont pas tant les publicitaires que les annonceurs qui bloquent les castings des comédiens au physique « typé ». « N'étant pas faits au moule, ni forcément issus de milieux conservateurs, ayant un métier touche-à-tout et se devant d'être ouverts au monde, les publicitaires ont plutôt "l'esprit large", m'écrit un lecteur qui travailla dans la publicité pendant trente-deux ans. La vraie opposition à la prise en compte des minorités ethniques vient des clients. Surtout des grands groupes, spécialement les lessiviers et sociétés de cosmétiques. »

Ce serait une question de « formatage » professionnel : « Ils recrutent [...] un certain profil d'individus, leur insufflent un dogme-maison, leur imposent des systèmes de comportements [...]. » Le résultat? « J'ai travaillé pour un produit bébé d'un grand groupe. Le casting que nous devions effectuer était impérativement réglé : des enfants blonds aux yeux bleus, modèle aryen, témoigne-t-il. Or nous y avons inclus un bébé nettement châtain qui nous paraissait mignon et drôle. Il a été rejeté et qualifié de "petit Libanais". Par la suite, à chaque casting que nous fîmes, on ne manqua pas de nous avertir : "Épargnez-nous les petits Libanais." » Et l'ancien publicitaire de regretter : « Certes, nous aurions dû réagir. Mais les grands groupes ont le fric et les agences filent doux. » Tout est dit.

Les témoignages anonymes affluent. Les publicitaires commencent discrètement à reconnaître les comportements tendancieux de certains de leurs clients. « On sent des réticences, mais la discrimination n'est jamais exprimée clairement », reconnaît le patron pour l'Europe du réseau publicitaire Euro RSCG, Pierre Lecosse.

Ce constat ne fait qu'aggraver des remarques rapportées dès 1996 par la Commission des droits de l'homme qui a enquêté sur la xénophobie en France. « L'emploi d'immigrés dévaloriserait l'image de marque de l'entreprise », rapporte la

Commission. Elle invoque la prétendue « impossibilité de mettre en contact le public ou la clientèle avec des personnes de couleur[1] ». Alors les mettre dans une pub, cet étendard pensé comme l'acte de séduction commercial le plus abouti... vous pensez !

Les annonceurs ne peuvent pas mettre des gens de couleur dans les pubs, cela ferait fuir la ménagère de moins de cinquante ans, affirment-ils ! Dans cette affaire, « la ménagère a un dos plus large de Mike Tyson », lâche Frank Tapiro qui n'y voit qu'une façon de se dédouaner sans grand risque... Où est la ménagère ? Pourquoi ne réagit-elle pas ?

En fait, certains annonceurs français estiment que les gens de couleur ne sont pas des clients. Ils n'existent qu'en tant que sous-consommateurs au pouvoir d'achat faible, disent-ils. Aucune raison à ce jour de les prendre en compte. On attend qu'ils s'enrichissent.

Comment cette logique commerciale est-elle construite ? Sur quels chiffres se basent-ils ? Il n'existe officiellement pas de données statistiques sur les consommateurs selon leur couleur de peau. En France, on ne connaît pas le nombre de Français non blancs. Il suffit, pour se faire une idée, de se promener dans la rue, d'attendre à la caisse d'un supermarché, d'aller dans les boutiques, à la sortie des écoles... Mais cela ne suffit sans doute pas à des entreprises qui se disent très sérieuses, et dont les références sont en général américaines puisque c'est là-bas que la plupart des multinationales situent souvent leurs sièges sociaux.

Aux États-Unis, les citoyens sont interrogés sur la question des « races » pour défendre les « minorités » depuis le pre-

---

1. Selon le document titré « Xénophobie en France », enregistré sous le numéro E/CN4/1996/72/Add3.

Des Blancs, du blanc, rien que du blanc...

mier dénombrement, en 1790. L'activisme militant est arrivé plus tard, au début des années 60. En France, au nom de la non-discrimination, la question ne peut pas être spécifiquement posée. Les annonceurs français prendraient, si l'on en croit l'argument financier, les « étrangers » comme base de leurs calculs commerciaux. En effet, en France ces chiffres sont disponibles puisque l'Insee interroge les individus sur leur nationalité et leur pays de naissance.

Certes, en 1990, après impôts et prestations sociales, le revenu moyen disponible était de « 129 000 francs pour un ménage étranger » contre « 147 000 francs pour un ménage français ». Mais quel intérêt ont ces chiffres ? Ils ne concernent pas les très nombreux Français dont les origines étrangères remontent à une, deux, trois, voire quatre générations. Ce ne sont plus des « étrangers ». Et leur histoire se verra peut-être sur leur visage, mais pas dans les enquêtes Insee. Curieusement, la France est bigarrée, mais les annonceurs semblent les seuls à ne pas s'en rendre compte...

Le problème de la représentation multiethnique dans les médias et la publicité fut soulevé de façon institutionnelle pour la première fois en France, en juin 2000. Le Conseil supérieur de l'audiovisuel (CSA) a tenté une démarche à l'américaine pour vérifier la validité de l'accusation faite par le collectif Égalité qui vilipendait un « apartheid médiatique ». Les rôles donnés dans les fictions à la télévision française aux comédiens de couleur ne sortent pas de la troïka « maquereau-dealer-pute », disent les militants, quand ils ne sont pas « mécanos ou techniciens de surface ». Le collectif voudrait des quotas imposés par la loi, un pourcentage obligatoire de gens non blancs. Olivier Laouchez, le patron du label de rap Secteur A, rêve, lui, de créer en France la première télé « black ».

Problème de taille : sans chiffres qui recensent les « minorités », difficile de négocier des quotas de représentation de

93

Noirs, Beurs, Asiatiques dans les médias ou dans la pub, notamment.

Le CSA a donc procédé à un décompte acrobatique du nombre de personnes dont le visage témoignait « d'une minorité ethnique visible » pendant la semaine du 11 au 17 octobre 1999 sur cinq chaînes hertziennes (TF1, France 2, France 3, Canal Plus et M6) : 803 émissions représentant 252 heures de programmes ont été décortiquées.

Les « minorités ethniques d'origines non européennes et dont l'aspect physique, différent de celui de la majorité blanche, les rend visibles » ont été classées en trois groupes : les « Asiatiques », les « Noirs, qui incluaient les métis », et les « Maghrébins-Arabes ». L'exercice qui se voulait quasi scientifique est tiré par les cheveux.

Au final, on apprend, quand même, que 6 % des présentateurs appartiennent à des minorités visibles à la télévision. Les fictions, largement importées des États-Unis, montrent un nombre important de gens de couleur (dans 81 % des séries télé). Les Noirs sont très présents, à cause des quotas américains. Ce constat est vrai dans les publicités : le CSA qui a regardé 4 365 spots télévisés en a repéré 798 montrant des gens de couleur, soit 18,3 %. Là aussi très peu de Maghrébins et d'Asiatiques.

Pourquoi ? La publicité est faite en partie par des agences américaines pour leurs clients américains (IBM) ; à ce titre les quotas américains qui imposent par la loi un certain nombre de représentants de chaque race dans la production de ces programmes doivent être respectés, même si ces pubs – ou ces séries télévisées – sont ensuite destinées à l'Europe. Par ailleurs, les pubs françaises véhiculent encore, quoi qu'en disent les professionnels de la communication, des représentations toujours empreintes de clichés coloniaux, vieux de presque deux siècles.

À voir le décompte compliqué tenté par le CSA, les critiques ont fusé : « Allions-nous céder à la dangereuse tentation communautariste[1] ? » La terminologie employée montrait toute la gêne : la méthode américaine crée des ghettos au lieu d'« intégrer ». En France, le principe des quotas ne semble pas pertinent. Il n'empêche : la situation actuelle n'est pas brillante.

Par son effet amplificateur, la publicité entretient un sentiment d'inégalité entre des races différentes qui ne peuvent être « classées » dans cette sorte de hiérarchie qu'on nous impose. Le généticien Albert Jacquard l'explique : « Contrairement à une opinion répandue, les diverses couleurs de peau résultent pour l'essentiel de la densité d'un unique pigment : la mélanine, présent aussi bien chez les Blancs que chez les Jaunes ou chez les Noirs, mais avec des doses très variables[2]. » Les affiches, les spots télévisés sont des éléments structurants du racisme ambiant.

Dans une certaine mesure, la discrimination raciale[3] est alimentée par les images publicitaires diffusées dans notre pays, qui laissent supposer une mainmise de la communauté blanche sur les communautés de couleur. On peut estimer que ce refus, latent ou exprimé, de prendre en compte, par les représentations visuelles commerciales, la population telle qu'elle est dans la rue pourrait même s'apparenter à un « refus de fournir un bien ou un service » ou à une « entrave [à] l'exercice normal d'une activité économique ».

―――――
1. *L'Express* titrait son article : « Minorités : la bavure du CSA » (22 juin 2000).
2. Albert Jacquard, *Éloge de la différence*, Le Seuil, 1981.
3. Sanctionnée par le nouveau Code pénal jusqu'à deux ans de prison et deux cent mille francs d'amende (article 225-1 et 225-2). La discrimination est définie comme « toute distinction opérée entre les personnes physiques ou morales en raison de leur origine [...], de leur appartenance

La réflexion éthique sur cette question est absente. Aucun débat, aucune interrogation véritable n'a permis de questionner, pour les décortiquer, puis les bannir, les vieilles images pétries de représentations coloniales. À l'instar du constat fait par l'historien Gilles Manceron, on peut considérer que le renversement a été superficiel, « laissant en réserve, prêt à resservir, l'imaginaire et le vocabulaire anciens ». La mise en veille de l'imaginaire colonial aurait duré une vingtaine d'années après la fin de la guerre d'Algérie. Sa « réactivation » a coïncidé, selon lui, « avec le regain de racisme qui s'est manifesté en France à partir de 1983[1] ».

Selon la Commission nationale consultative des droits de l'homme (CNCDH), 69 % des Français se déclarent plus ou moins racistes. Ce qui ne veut pas dire qu'il y ait davantage de racistes en France qu'avant. Mais ils sont plus nombreux à le reconnaître. La publicité ne devrait pas leur servir de caution.

Mauvaise représentation des minorités.
En position d'infériorité.
Culte de l'homme blanc // à l'homme noir
Préféré par les clients rech. profil type.
Minorité = Ceux non pris en compte
Tentative de décompte par le CSA ms guettos = polémiques...
↗ racisme : les gens le reconnaissent → facilem⁺.

---

ou de leur non-appartenance, vraie ou supposée, à une ethnie, une nation, une race, ou une religion déterminée ».

1. « État de veille de l'imaginaire colonial », revue *Hommes et Migrations* (mai-juin 1997).

DEUXIÈME PARTIE

Conquérir à n'importe quel prix

1

La pub est entrée dans les écoles

> « Lorsqu'on aura fait la part des
> erreurs de l'éducation, des maladresses
> familiales, de l'iniquité sociale, la nature
> apparaîtra plus généreuse qu'on ne
> l'avait cru. »
>
> Jean ROSTAND,
> *Inquiétudes d'un biologiste.*

Le bruit courait depuis plusieurs mois : une chaîne de télévision commerciale était diffusée tous les jours pendant le temps de classe dans les écoles publiques américaines. Personne ne savait véritablement comment cela se passait ni si Channel One était une invention pure et simple, tant les critiques qui y étaient associées évoquaient des faits peu probables : des enfants se seraient fait punir par leur prof parce qu'ils lisaient pendant que les pubs étaient diffusées. On leur aurait même interdit d'aller aux toilettes en raison du contrat extrêmement contraignant liant leur école à la chaîne de télévision. Il fallait trouver une « école Channel One » et aller voir.

Channel One créée pr ê diffusee
ds les écoles. Chaîne dite " d'information "

Le livre noir de la pub

Un contact est noué via Internet avec Jim Metrock, militant américain installé dans l'Alabama. Il affirme se battre aux côtés de collectifs pour forcer les gouvernements locaux à rallier les positions adoptées par les États de New York et de la Californie : ce sont les seuls en dix ans à avoir bouté Channel One hors les murs. Des informations me parviennent : cette chaîne de télévision a été spécifiquement créée pour être diffusée en milieu scolaire, en 1990, par un homme d'affaires du Tennessee, Christopher Whittle, qui, me dit-on, préfère en général parler de « chaîne d'information » plutôt que de télé commerciale. Profitant de l'extrême décentralisation du système scolaire fédéral, il a mis au point son troc à lui : sa société fournit « gratuitement » au collège ou au lycée une antenne parabolique et un poste de télévision par classe ainsi qu'un magnétoscope. Ce matériel est censé profiter aux différents projets pédagogiques des enseignants et des élèves. En échange, le responsable de l'établissement s'engage, sous contrat de trois ans minimum renouvelable par tacite reconduction, à « montrer Channel One News à tous les enfants dont l'âge est compris entre onze et dix-sept ans au moins 90 % des jours scolaires ; à faire en sorte que le programme soit regardé dans une salle de classe, ni avant ni après les heures de cours, ni au moment du repas », selon les termes qu'il accepte en les paraphant. Un tel contrat peut-il être honoré dans un établissement d'enseignement public ?

Arrivée le 23 novembre 1999 à Kansas City (Kansas) dans la JC Harmon High School, qui accueille chaque jour un millier d'adolescents âgés de quatorze à dix-neuf ans, dans un quartier modeste et verdoyant de la ville. C'est le patron d'une entreprise spécialisée dans le marketing à l'école – Education Market Resources (EMR) –, qui m'y fait entrer : il connaît bien le principal avec qui il est « en affaires » depuis plusieurs années.

Environ huit heures, ce matin de novembre : les élèves viennent de franchir un peu avant nous le portail électronique qui contrôle l'accès à l'établissement. « Les armes à feu sont interdites », indique un écriteau. Une dizaine d'adolescents, assis autour d'une table en Formica dans la salle des professeurs, semblent nous attendre. La séance démarre, menée tambour battant par un certain Gary, animateur volubile employé par la société d'études marketing, qui se présente comme « chercheur ». Ana, Josh, et les autres jeunes présents adoptent un air relax. Aucun ne sait vraiment ce qu'il est venu faire là, si ce n'est échapper pendant une heure aux cours habituels. Rapidement, ils déchantent.

Ici, il est question de gros sous. La pression sera donc maximale car EMR dispose d'une petite heure pour tirer de ces adolescents, « précurseurs de tendances » selon les publicitaires, le nom des stars les plus appréciées des jeunes et que leurs clients new-yorkais vont devoir utiliser dans leurs pubs l'an prochain[1]. « Qu'y a-t-il dans votre frigo ? Quelles sont vos marques de biscuits, de boissons, de vêtements préférées ? Quel est votre chanteur favori ? » Si les réponses tardent, Gary devient pressant. Tout doit être consigné par écrit dans les petits carnets que EMR leur a distribué. Les résultats seront ensuite analysés, décortiqués et les pubs imaginées en fonction des résultats.

Ce test d'une heure (appelé *focus group* par les publicitaires) aurait rapporté environ deux mille francs au Movimiento Estudiantil Chicano de Aztlan, une association que dirige Gene Chavez, le principal du collège JC Harmon. Il

---

1. Après Michael Jackson, Pepsi s'est (ainsi) trouvé une nouvelle figure emblématique en signant un contrat de plusieurs millions de dollars avec Britney Spears. La chanteuse pop de dix-neuf ans apparaît dans une campagne de pub mondiale lancée lors de la cérémonie des oscars le 25 mars 2001. Le groupe parraine également ses tournées.

études mkg
ds les écoles!

n'existe aucun rapport entre le collège et cette association, si ce n'est l'implication personnelle du proviseur qui veut ainsi aider la communauté des « latinos ». Les publicitaires recherchent cette mixité ethnique glanée en milieu urbain au creux de l'Amérique profonde. Pour eux et leurs clients, c'est de l'or en barres : la nouvelle Amérique en termes de musique, de danse, de mode et d'habitudes alimentaires. Le collège JC Harmon n'est pas une exception.

J'apprends que des études de ce type – qui peuvent parfois durer six heures, par exemple lorsqu'il faut faire goûter des aliments – sont menées d'un bout à l'autre des États-Unis dans les écoles privées et publiques, primaires et secondaires installées en milieu rural ou urbain. Les enseignants se font discrets sur la question et l'encadrement administratif ne s'en vante pas. Ces études permettraient, selon mon informateur, de compléter des budgets de fonctionnement qui se réduisent chaque année comme peau de chagrin. Et les parents ? Entre des enfants qui rechignent à raconter leur journée et des responsables d'école qui n'ont souvent « pas le temps », confie M. Chavez, de les prévenir, ils ignorent le plus souvent l'existence même de telles pratiques. De toute façon, « il n'y a rien de mal [...] [ces exercices] aident les enfants à s'inscrire dans leur environnement », estime M. Chavez.

la pub
x budget
des
écoles

parents
non
prévenus

Il y a donc EMR qui fait des études marketing avec des élèves, prises sur le temps de classe et sans que les parents soient même informés. Et puis la chaîne de télévision Channel One, elle aussi diffusée dans les salles de cours.

Channel One se fond sans peine dans le paysage de l'école. Une sonnerie retentit pour prévenir de la diffusion imminente du programme télévisé. Le groupe d'adolescents sort du test EMR pour rejoindre les classes et les enseignants. Et Channel One commence. Tout est émis, dans l'école, depuis la bibliothèque de la JC Harmon High School. La bibliothécaire, Mary Sternshein, comme tous les matins, appuie sur le bouton « play » du magnétoscope. Elle lance ainsi tous les jours vingt minutes de communication directe entre les publicitaires de Madison Avenue et le millier d'adolescents scolarisés dans ce collège américain.

Le programme du jour a été téléchargé pendant la nuit grâce à la parabole, directement sur la cassette qui ne sort jamais du magnétoscope. Les profs vont découvrir les images du jour en même temps que leurs élèves. Déjà, chacun s'interrompt et règle son téléviseur. Comme dans douze mille autres écoles des États-Unis.

Au menu ce matin, quelques gros titres sur l'actualité présentée par deux animateurs au look d'adolescents, façon MTV, et les spots publicitaires se succèdent pour Pepsi, la lotion cosmétique Clearasil et la solution dentaire Winterfresh Mouth. D'autres pubs seront diffusées les jours prochains pour le compte de Procter and Gamble, Mars Inc, Nintendo, Quaker Oaks, Kellogg, Polaroïd, Philips Electronics, Sony, Pizza Hut, etc. La durée du programme est en moyenne de douze minutes, dont deux minutes de publicité placées au milieu. Ces deux minutes ont beau paraître insignifiantes, elles représentent un filon pour les publicitaires qui éprouvent des difficultés à toucher la « cible adolescente versatile et volatile ».

Sur la plaquette de Channel One, les dirigeants en font d'ailleurs un argument commercial : « Channel One [est] vue par plus d'adolescents que n'importe quel autre programme télévisé. » Il s'agit de « la manière la plus astucieuse pour toucher les 9-14 ans ». Le prix à payer pour atteindre cette audience captive de huit millions d'adolescents ? Environ deux cent mille dollars par tranche de trente secondes. Sans surprise, Channel One est fort rentable. Même si Primedia, sa maison mère depuis 1994, refuse de rendre publics les chiffres la concernant. La chaîne est solidement implantée aux États-Unis grâce à ses contrats léonins souvent oubliés au fond d'un tiroir par les responsables d'éducation. Ses *alter ego* commencent à voir le jour – comme au Canada –, ou sont en gestation dans d'autres pays. En Europe notamment, c'est encore confidentiel.

Il est pourtant prouvé que la « véritable fonction » de Channel One n'est pas journalistique ni pédagogique, mais exclusivement commerciale. Une commission sénatoriale américaine saisie par des associations (Commercial Alert...) s'est penchée sur la question au début de l'année 1999. Davantage pour critiquer le contenu des programmes – des bandes-annonces de films interdits aux moins de dix-sept ans ou le clip de Marilyn Manson, par exemple –, que pour mettre en cause l'existence d'une telle chaîne en milieu scolaire. Sans résultat.

Les divergences entre démocrates et républicains n'ont pas permis d'aboutir à une révision du système. Pas plus que l'un des récents coups de théâtre propres à l'Amérique. Une scandaleuse dérive : deux adolescents âgés de treize et quatorze ans qui refusaient de regarder Channel One dans leur collège ont été envoyés une journée en prison par le proviseur[1]...

Le 6 octobre 2000, D.J., treize ans, et sa sœur Carlotta, quatorze ans, deux élèves de la Perrysburg Junior High School (Ohio) ont passé la journée dans un centre de détention juvénile[2]. Qu'avaient-ils donc fait ? Leur obédience religieuse – la Church of God dont l'une des branches est classée comme secte dans le rapport sur les sectes de l'Assemblée

_____

1. Voir notamment le site Internet *tvorjail.com*
2. Magazine *Transfert*, édition électronique du 25 octobre 2000.

nationale française – ne les autorisait pas à écouter les dix minutes de « reportages » quotidiens. Leur refus s'est apparenté à une « absence injustifiée », a estimé le principal. Les deux enfants ont donc été passés au détecteur de métal, fouillés jusque dans la bouche, avant de faire leurs devoirs aux côtés d'une adolescente accusée de tentative de meurtre. Puis sont rentrés le soir, à l'heure où leurs camarades revenaient de l'école.

La machine est bien rodée et profite sans doute à trop de monde. Intégrée par le corps enseignant, sacralisée par sa présence à l'intérieur des murs, Channel One est devenue une sorte d'institution que le leader vert, Ralph Nader, qualifiait encore lors de la dernière campagne présidentielle de « stratagème commercial le plus éhonté de toute l'histoire des États-Unis ». Outre-Atlantique, il n'existe plus de barrière en matière de publicité visant les plus jeunes. La situation a empiré depuis le début des années 80. À cette époque, l'administration Reagan a souhaité « laisser les forces du marché » décider pour le compte des enfants du taux supportable de publicité[1]. La tendance n'était déjà pas à la baisse mais, entre 1970 et 1980, la durée de la publicité sur les chaînes américaines de télévision avait déjà doublé. Aujourd'hui ce sont les personnages des programmes pour enfants qui sont eux-mêmes devenus hommes-sandwiches... et l'on voit les tortues Ninja manger des pizzas Dominos, des sandwiches Burger King et boire du Pepsi. Aux États-Unis où la moitié des 4-12 ans disposent d'un téléviseur dans leur chambre à coucher, un enfant voit déjà plus de quarante mille spots en moyenne chaque année. Sans compter ceux qu'il subit à l'école.

---

1. *Le Monde diplomatique* (septembre 1995).

Channel One est l'outil publicitaire en milieu scolaire le plus visible, donc le plus facilement critiqué. Ce n'est pas le seul. Il y eut d'abord la présence de logos sur les tableaux d'affichage lors de rencontres sportives. Puis ces signes conçus pour être facilement mémorisables préparèrent l'introduction de la vente de boissons gazeuses à l'intérieur des établissements grâce à des concessions exclusives qui permirent l'installation de distributeurs automatiques à l'effigie des marques les plus connues : depuis, l'école et les annonceurs publicitaires « se partagent les bénéfices réalisés », explique le journaliste américain Mark Walsh[1]. Et nous ? En France aussi, on trouve dans les collèges et lycées de plus en plus de distributeurs automatiques aux couleurs des plus grandes marques de boissons gazeuses.

Pourtant ici, officiellement, il n'existe pas de publicité à l'école. Elle y est interdite par les circulaires de 1967 et de 1976, qui rappellent en outre que « les enseignants et les élèves ne sauraient servir, directement ou indirectement, à quelque publicité commerciale que ce soit ». Un texte – présenté officieusement comme une sorte de code de bonne conduite entre l'État et les annonceurs publicitaires – a été signé le 25 avril 2001 par le ministre de l'Éducation nationale, Jack Lang[2]. Il rappelle la neutralité de l'école et officialise la possibilité de nouer des partenariats avec les entreprises tout en interdisant le « démarchage commercial ». Un nouveau paradoxe. À son corps défendant, l'État français est depuis longtemps dépassé. En premier lieu par

---

1. *Education Week* (avril 2000).
2. « Il est par ailleurs envisagé de rappeler dans un texte unique, actuellement en cours d'élaboration, les conditions d'intervention des entreprises privées en milieu scolaire et les règles qui doivent présider à leur participation, dans le strict respect des principes fondamentaux de l'école publique. » Réponse du gouvernement à la question posée par le député (RCV) du Pas-de-Calais, Guy Lengagne, le 20 mars 2000.

l'introduction de « matériel pédagogique » aux couleurs des entreprises.

Aux États-Unis, plus de vingt millions d'élèves américains utilisent du matériel pédagogique fabriqué par des entreprises, annonce le syndicat de consommateurs Consumer Union. Deux millions d'enfants reçoivent régulièrement avec la collaboration des enseignants, des échantillons et des coupons de réduction.

En France, aucune statistique n'est disponible sur l'introduction de ce matériel car le compter serait reconnaître son existence. Ce qui n'empêche pas certains parlementaires comme Guy Lengagne, député RCV du Pas-de-Calais, ou Lionnel Luca, député RPF des Alpes-Maritimes d'attirer l'attention du gouvernement sur l'« intrusion des intérêts privés » dans le fonctionnement de l'« école laïque, citoyenne et républicaine »[1]. « Faut-il rappeler que la publicité est interdite à l'école ? Le but est cependant transparent : tirer parti de la caution de l'école pour mieux marquer les esprits et modeler les consommateurs de demain », s'insurge M. Lengagne.

Il existerait entre cent et quatre cents kits pédagogiques créés par des agences de communication pour le compte d'annonceurs publicitaires, selon la responsable de la pédagothèque à l'Institut national de la consommation (INC), Bénédicte Lavoisier, qui tente de faire le tri entre le matériel ouvertement publicitaire et celui qui l'est moins. À l'INC, un établissement public « à caractère industriel et commercial » (financé en partie par une subvention votée par le Parlement), on refuse de chiffrer l'ampleur du phénomène : ce serait une « mauvaise façon d'aborder le problème », m'explique-t-on.

---

1. Questions au ministre de l'Éducation nationale, de la Recherche et de la Technologie (21 février et 20 mars 2000).

Et Mme Lavoisier d'indiquer que, « de toute façon, il est bien tard pour se poser la question maintenant que les professionnels sont implantés à l'école ». Elle le constate tous les jours depuis 1986 : « Les professionnels entrent dans l'Éducation nationale comme dans un moulin », affirme-t-elle.

Contrairement à des croyances fort répandues, il n'existe aucune barrière, aucun label – sauf pour les supports numériques – susceptible de barrer la route aux publicitaires. Et le tas de circulaires diffusées aux recteurs d'académie par le ministère reste en général lettre morte.

La raison ? Bon nombre de chefs d'établissement ne sont pas au courant. Simplement parce que les publicitaires entrent à l'école en toute discrétion.... par la cour de récréation. Les représentants commerciaux des annonceurs qui cherchent à présenter leur produit ou à faire connaître leur marque aux élèves nouent le contact avec les enseignants lors des interclasses. Ils vont même parfois jusqu'à la salle des profs. Personne ne s'interroge puisqu'il s'agit de la voie traditionnellement empruntée par les représentants des éditeurs scolaires. D'ailleurs, d'autres choisissent de démarcher les enseignants chez eux en achetant les registres qui contiennent leurs noms et leurs coordonnées personnelles auprès de ces mêmes éditeurs.

Voilà comment, par exemple, Coca-Cola a réussi à toucher quatre mille profs de technologie en leur fournissant un classeur qu'ils pouvaient utiliser avec leurs élèves de la sixième à la troisième. Présenté comme un « dossier technologique économique » on y trouvait, en fait, des fiches qui présentaient l'entreprise Coca-Cola, des encarts illustrés sur l'« origine de la distribution automatique », des exemples de pub illustrées, comme celles de Fanta, ainsi que de nombreux exercices à vocation strictement promotionnelle.

Mais les temps changent et les annonceurs affinent leur stratégie afin d'éviter le rejet provoqué par de la pub trop évidente. Pour asseoir leur crédibilité pédagogique, certains n'hésitent pas à faire payer leur matériel (une centaine de francs) quand d'autres s'associent à des organismes d'État. Le fabricant de soupes Knorr et le Centre français d'éducation pour la santé (CFES) sont ainsi coauteurs d'un coffret baptisé « Les chemins de la santé ». Cet ouvrage « collectif » est censé faire découvrir aux enfants toute la richesse de l'alimentation, et notamment les bienfaits de la soupe.

Les promoteurs de ces « méthodes de fidélisation précoces », selon M. Lengagne, prennent naturellement la précaution de dissimuler leurs objectifs véritables. D'ailleurs tous se présentent comme des kits ou coffrets « pédagogiques », un « mot volé à l'Éducation nationale », affirme Mme Lavoisier qui préférerait « document éducatif en provenance des entreprises et des organisations ».

Les annonceurs, qui distribuent parfois des échantillons de produits ou organisent de cette façon la collecte des coordonnées personnelles des élèves, se défendent de vouloir vendre des produits par ce biais. Ils admettent juste mener auprès des enfants une stratégie d'image à long terme. Dans le seul but de les familiariser avec leur nom et de nouer une relation « de confiance ». Il s'agit de « travailler les enfants là où ils se trouvent huit heures par jour, de conquérir des consommateurs avec du potentiel, du temps devant eux », explique une professionnelle américaine[1]. Kellogg, par exemple, n'organise ses opérations scolaires qu'auprès des tranches d'âge qui commencent juste à consommer ses produits. Et à être en mesure d'imposer leur choix aux parents. À savoir les CE2-CM1 notamment.

---

1. *Le Monde* (13-14 septembre 1998).

[annotation manuscrite : profs intéressés car publicitaires + de moyens - kits...]

Pourquoi les publicitaires trouvent-ils souvent une oreille attentive auprès des profs qu'ils démarchent? Parce que l'Éducation nationale n'a pas les moyens financiers de proposer ces jolies boîtes qui contiennent trente livrets en couleurs, des jeux (un par élève) accompagnés d'une cassette vidéo.

« Ces documents que l'on reçoit de plus en plus souvent sont tentants », confiait déjà en 1998 Patrick Rabineau, directeur d'école à Villeneuve-la-Garenne (Hauts-de-Seine), à Pascale Kremer, journaliste au *Monde*. Au Centre national de documentation pédagogique (CNDP), pour une quinzaine de mallettes il faudrait débourser 500 francs. Or ma commune donne 204 francs par élève et par an pour tout budget d'équipement pédagogique. Une fois payés les livres, cahiers, stylos et feuilles pour les photocopies, il ne reste pas grand-chose. » Sans compter que « de toute façon c'est plus sympa que de voir la tête du prof pendant une heure », rapporte-t-on à l'INC. Ces outils promo-pédagogiques sont parfois des planches de salut pour les enseignants qui y voient le moyen de combler un retard ou de pallier les manquements de programmes incomplets.

Prenons le cas du passage à l'euro. Un événement qui ne nous est pas « tombé dessus du jour au lendemain ». Eh bien, « l'Éducation nationale n'avait rien prévu, selon Mme Lavoisier. Ils ont laissé toutes les banques et les enseignes de distribution [comme Leclerc, par exemple] entrer en force ». Les documents produits (et siglés) par le Crédit mutuel, la Société générale, la Casden, les caisses d'épargne, le Crédit agricole et le groupe Leclerc ont ainsi connu un succès impressionant auprès des profs. Ce sont ces marques qui ont fait découvrir l'euro à nos enfants. Ces documents – « si on met à part le contenu promotionnel », précise-t-on tout de même à l'INC – ont un contenu technique « toujours de bonne qualité ».

[annotation manuscrite : Pr l'€, c'est les banques et les Distr. qui ont fait le boulot]

Finauds, les publicitaires y associent des profs lors de la phase de conception, puis celle de validation. Ne serait-ce que parce que les instituteurs qui voient arriver des documents cautionnés par d'autres enseignants sont naturellement moins suspicieux.

En vingt-cinq ans de recherche, il a été établi que la perception de la publicité et du message commercial inconscient auquel elle renvoie varie en fonction de l'âge des enfants. Les enfants qui n'ont pas encore atteint huit ans constituent la population la plus à risque[1] car 90 % d'entre eux sont incapables d'expliquer la différence entre une pub et un programme à la télévision. Les adolescents, pourtant caractérisés par leur scepticisme, ne se laissent pas moins influencer que leurs cadets. Au contraire. Ils seraient même plus facilement persuadés par les arguments des publicitaires.

Une petite agence de publicité indépendante installée dans le nord de la région parisienne – dont nous tairons le nom à la demande de son directeur – l'a fort bien compris. La preuve ? Après onze années de laborieuses démarches auprès de cent vingt responsables de collèges et de lycées de Paris et de sa proche banlieue, elle est parvenue à installer le premier réseau d'affichage publicitaire à l'intérieur des écoles. À l'insu de l'Éducation nationale et sans tenir compte des circulaires censées s'opposer à toutes les pratiques commerciales à l'intérieur des établissements publiques d'enseignement. Son réseau aujourd'hui constitué de cinq cents panneaux est principalement vendu aux annonceurs de cinéma à raison de quarante mille francs la semaine pour une campagne publicitaire comprenant deux cents panneaux.

1. *Advertising to Children, Concepts and Controversies*, American Academy of Advertising, Sage Publications, 1999.

Affichage en milieu scolaire !

Le système mis au point par cette agence de publicité spécialisée dans l'affichage en milieu scolaire (au départ cantonnée aux affiches utilisées pour la restauration collective) a su conquérir les adolescents : à la fin de chaque campagne publicitaire, les affiches exposées sont distribuées gratuitement aux élèves par le responsable de l'établissement.

Les adolescents du collège Raymond-Queneau, dans le 5e arrondissement à Paris, se ruent chaque lundi – jour de changement des affiches –, sur les images des films à la mode. Et « les distributeurs [de cinéma], eux, sont ravis parce quelque part, c'est de la pub ! » lâche ce publicitaire d'un type inédit. Pour l'instant en situation de monopole à Paris, le régisseur a établi des règles du jeu qui lui sont propres. Selon le contrat d'un an minimum reconduit par accord tacite qu'il fait signer au responsable d'établissement, l'école devient bailleur.

Le proviseur (ou principal) perçoit une redevance annuelle en fonction du nombre de panneaux qu'il accepte de disposer dans ses locaux (en général dans les halls, les escaliers et les cours de récréation). Un chèque de quelques milliers de francs par an est ensuite libellé au nom d'un foyer socio-éducatif ou d'un bureau des élèves, jamais au nom de l'établissement. Au ministère de l'Éducation nationale, on m'affirme ignorer tout de ces pratiques – doutant même qu'elles puissent exister.

Le réseau d'écoles géré par cette société est fragile, et elle le sait. Il faut compter environ neuf mois d'âpres négociations avec les responsables et les parents d'élèves entre la première entrevue et la signature du contrat, m'explique le patron qui tient à légitimer son activité : « Nous ne sommes qu'un afficheur comme les autres sauf qu'au lieu d'afficher sur la voie publique on a choisi l'affichage scolaire dans les établissements publics et privés », explique-t-il.

Comment un tel accès à la publicité a-t-il pu être aménagé en dépit des consignes émanant des directions académiques ? Le contrat de bailleur publicitaire « que doit valider le conseil de l'établissement » représenterait une manne financière inespérée. « J'entends souvent dire que c'est pas méchant, c'est du cinéma et des musées, explique le publicitaire, et puis ça rapporte ! » Au cours de discussions toujours délicates, l'argument ultime, c'est l'argent : « C'est toujours la partie financière qui l'emporte, la question revient systématiquement : combien ? »

Le publicitaire sait qu'il navigue en eaux troubles. Chantre du double discours, il affirme ne pas faire de pub, mais ne rechigne pas à proposer son « réseau collèges-lycées » au distributeur du film *Drôles de dames*, qui souhaitait « travailler la cible des 15-16 ans ». De toute façon, les critiques ne pleuvent pas : le temps de réaction est long et la rotation des affiches courte. Il existerait une tolérance des chefs d'établissement scolaire à faire « entrer l'art » dans l'école. Une tolérance qui s'arrêterait aux produits de consommation courante. Car après, aux yeux de tous cette fois, « ça devient de la vraie pub ».

Le directeur de l'agence raconte son unique tentative en la matière, qui remonte à quelques années. Il s'agissait de poursuivre la campagne d'affichage destinée à lancer en France le Cherry Coke, une boisson de Coca-Cola, jusque dans les écoles. « Ç'a été un tollé, se souvient-il. Les enseignants, les administratifs, tous ont rejeté en bloc. » Mais le temps qu'ils réagissent, « nous avons pu tenir la semaine avant de décrocher les affiches. Nous n'aurions pas pu assurer quinze jours de campagne ». À l'entendre, lui qui veut éviter de dilapider son fonds, toute évolution vers plus de commerce est figée : « Le moindre dérapage et c'est la fin », me confie-t-il. Peut-être.

Les jeunes : ceux très intéressants...

En attendant, son entreprise se porte bien et les annonceurs n'ont jamais autant que ces cinq dernières années dépensé d'argent pour tenter de toucher les jeunes. Consommateurs et prescripteurs, ils seraient même la catégorie de consommateurs la plus porteuse. Les kids américains disposaient d'un pouvoir d'achat direct de 14,3 milliards de dollars en 1991 et influençaient pour plus de 128 milliards de dollars les dépenses familiales.

En France, les enfants dépensent environ 25 milliards de francs par an en argent de poche et influencent la moitié des achats familiaux, à commencer par les achats de céréales et les yaourts[1]. On comprend mieux l'intérêt inavoué des actions en milieu scolaire commanditées par le Centre d'information et de documentation de l'industrie laitière (Cidil). « Les enfants [passant] 40 % de leur temps dans une salle de classe où la publicité traditionnelle ne peut les atteindre », lit-on sur la brochure de Life Learning Systems, une société américaine spécialisée dans la réalisation de kits pédagogiques promotionnels. Il faut trouver de nouvelles façons d'y accéder.

Ici nous n'avons pas encore de Channel One, mais nous avons déjà le « matériel pédagogique fourni par les entreprises » et les affiches publicitaires placardées dans les cours de récréation.

Elida Fabergé fournit des trousses de « santé » aux élèves de CP à Paris... et fait de la promotion pour son dentifrice « Signal Plus, croissance Kids » dans une jolie trousse estampillée « Département de Paris ». Sans oublier les très nombreuses concessions octroyées aux grandes sociétés

1. *La Croix* (10 mai 2000).

d'affichage qui affectionnent les grands panneaux sur les murs extérieurs des écoles, qu'aucun texte spécifique n'interdit. Un début.

Cela en attendant, peut-être, la déclinaison en Europe des dernières trouvailles anglo-saxonnes : des ordinateurs connectés à un portail éducatif financé par la pub ou l'intégration de marques et de logos dans les manuels scolaires.

L'éditeur scolaire McGraw-Hill, l'un des principaux aux États-Unis, a bien utilisé dans un livre de mathématiques des marques illustrées par des logos et des slogans pour « rendre plus attrayant » l'énoncé de ses problèmes. L'éditeur français Hachette Éducation continue à financer son manuel de lecture *C'est à lire*, destiné aux CP-CE1, par des pubs pour les Chocos de Kellogg, pour des magazines du groupe Hachette. On apprend à l'élève à reconnaître un message délivré par un ours qui se lèche les babines devant un bol de céréales dont le nom est celui de la marque vantée. L'enfant devra écrire ce que l'ours aime : « ces délicieuses céréales au chocolat, bien sûr ! »[1] Le manuel a déjà inclus une page du catalogue de La Redoute consacrée aux articles de sport. Il compte en général six pages de publicité.

Pas de contrôle des pouvoirs publics sur ce qui entre à l'école, pas de sanctions qui fassent peur aux contrevenants, des moyens financiers insuffisants qui concourent à rendre attractives les propositions des entreprises. Même si le contenu est promotionnel, tout le monde semble content. L'autruche a la tête bien enfoncée dans le sable..., quand va-t-elle l'en sortir ? Quand Channel One fera-t-elle irruption dans les salles de classe en France ? Les deux plus imposants groupes publicitaires en Europe, Publicis et Havas Adverti-

---

1. Revue *Casseurs de Pub,* n° 8.

sing, ont déjà été approchés par des Américains spécialisés dans les actions de marketing scolaire. Les publicitaires me disaient, il y a un an, n'être pas opposés sur le principe à de telles pratiques.

2

Big Brother is watching you

> « Toute découverte de la science pure
> est subversive en puissance ; toute
> science doit parfois être traitée comme
> un ennemi possible. »
>
> Aldous HUXLEY,
> *Le Meilleur des mondes.*

Gérard a la cinquantaine inquiète. Depuis maintenant trois jours il sillonne avec son chariot bourré de prospectus une avenue du sud de Paris surchargée de voitures. Trois jours qu'il s'engouffre dans l'entrée des immeubles après avoir jeté un rapide coup d'œil circulaire pour vérifier qu'aucun habitant ne s'apprête à franchir la porte cochère en même temps que lui. Trois jours, c'est un maximum. Après, il faudra changer de quartier car on pourrait maintenant le voir venir et l'empêcher de travailler. Gérard est artisan distributeur d'« imprimés sans adresse » comme on dit. Petit homme vif, il s'est mis à son compte il y a un an après avoir fait le distributeur pour un autre pendant dix-huit mois. Il glisse à une vitesse hallucinante ses prospectus dans les boîtes aux lettres, de 9 heures à 16 heures tous les jours même le week-end.

Quand je l'aborde, il sursaute. C'est qu'il voit souvent les habitants vider d'un geste rageur les boîtes bourrées de papiers colorés. Ils l'insultent, parfois même les plus véhéments l'alpaguent. Quelques-uns sont de vrais publiphobes, mais la plupart sont juste excédés par les dizaines de feuilles commerciales qui étouffent chaque jour les petits casiers. D'autres s'énervent de voir un intrus chez eux, dans leur immeuble protégé par un code d'accès. Lors de ces désagréables et furtives rencontres, Gérard prend toujours la tangente en fermant d'un geste discret sa main gauche, celle où se trouve une clé passe-partout accrochée à un élastique passé autour du poignet. La concurrence est rude depuis que ce métier a pris de l'ampleur il y a dix ans. Pour être un vrai professionnel et distribuer dans le plus grand nombre de boîtes les pubs des commerçants voisins, Gérard a besoin d'un passe-partout, un sésame copié sur la clé utilisée par les facteurs. C'est grâce à elle qu'il entre sans forcer dans pratiquement tous les immeubles de la capitale. Malgré les codes.

Gérard me montre comment lui faire faire rapidement un tour sous la plaque alphanumérique, comme les préposés de La Poste. Lui, l'indépendant, n'en a qu'un exemplaire mais il me confie que l'on peut trouver cette clé « assez facilement » aux puces de Montreuil, au nord-est de Paris. À condition d'être discret. Il n'a pas voulu me dire combien elles coûtaient.

Tout cela est-il légal? Quelques citoyens mécontents ont décidé d'en découdre devant le tribunal de grande instance de Nanterre (Hauts-de-Seine). Ils ont le sentiment d'être de plus en plus abusés et veulent savoir si, oui ou non, il existe un moyen de s'opposer à l'entrée d'un distributeur au motif, par exemple, qu'il utilise une clé qu'il ne devrait pas posséder.

Cette initiative est une première en France. Il semble qu'aucun procès n'avait été organisé sur ce thème. Aucun texte ne s'opposait non plus, *a priori*, à la distribution de prospectus publicitaires. La partie civile décidait donc de plaider la « violation de domicile » caractérisée par l'entrée d'une personne au domicile privé « sans motif légitime » au moyen d'une fausse clé.

C'est le 29 septembre 1997 que l'affaire Gradis a commencé. Ce jour-là, Yvan Gradis, un ancien prof de français devenu militant antipublicitaire[1], surprend un distributeur de tracts commerciaux en train de passer la porte de son immeuble au moyen d'un passe-partout. Furieux, il le retient et appelle la police pour constater les faits. Les policiers confisquent la clé. Et, le 3 novembre, M. Gradis dépose une plainte avec constitution de partie civile auprès du tribunal de grande instance de Nanterre.

L'instruction durera plus de deux ans pour un résultat ridicule : seul le pauvre employé de cette société de distribution des Hauts-de-Seine se retrouve – la procédure suit toujours son cours – devant le tribunal correctionnel, accusé d'une infraction requalifiée de « délit de recel de chose [c'est le terme juridique] provenant d'un délit, effraction et violation de domicile ». Son erreur ? Contrairement à son patron, il a reconnu les faits, ajoutant même que les passe-partout étaient monnaie courante dans le métier : « Cela se fait partout et depuis toujours », aurait-il rétorqué à Yvan Gradis lors de l'altercation. Ses supérieurs hiérarchiques bénéficient, eux, d'un non-lieu. Le tribunal ne semblait pas considérer cette affaire comme une priorité.

La Poste, dont le distributeur a utilisé la clé, a vent de ce trafic. Le porte-parole de l'établissement public m'explique,

---

1. Ils sont peu nombreux en France, tout au plus quelques centaines regroupés principalement en deux associations cousines, Résistance à l'agression publicitaire (RAP) et, ce n'est pas le moindre des paradoxes, Comité des créatifs [de pub] contre la publicité (CCCP).

renseignements pris auprès de son service juridique : « On a effectivement eu connaissance [d'un marché noir] mais ces passes sont à la disposition de nombreux services publics, et pas seulement de La Poste. » Autrement dit, la falsification, si tant est qu'elle soit prouvée, ne relèverait pas de l'unique responsabilité de La Poste qui n'est qu'une entreprise de service public parmi d'autres à en posséder des exemplaires autorisés.

On me signale, en passant, que La Poste est à l'origine d'un projet de clé magnétique sécurisée rechargeable (Vigic) qui devrait prochainement être utilisée par les facteurs. En attendant, pas question pour cet établissement national de se retrouver mêlé à ce type de procédure juridique. La partie civile ne l'a de toute façon pas sollicité. « Nous n'avons pas vocation à exercer de surveillance particulière sur celles-ci », déclare-t-on solennellement au siège de la Poste.

Les autres distributeurs de prospectus qui usent aussi de ce type de passe-partout me parlent plutôt d'un « vide juridique » qui autoriserait leur utilisation. Bref, à moins de monter la garde à côté de sa boîte aux lettres pour guetter chaque distributeur avant de le pousser gentiment vers la sortie, il n'existe aucun moyen de se soustraire au flot quotidien des publicités distribuées. Certaines personnes ont apposé sur leurs boîtes des autocollants indiquant : « Pas de publicités, merci. » Sans succès.

Évidemment, les choses se compliquent encore s'agissant des postiers eux aussi appelés à se convertir pendant ou après leur tournée matinale en distributeurs de courrier publicitaire. Car, à la différence de Gérard et de ses collègues susceptibles d'être traînés devant les tribunaux, les facteurs disposent, eux, d'une clé « légale » : ils distribuent, comme Gérard, des tracts publicitaires, mais sous les couleurs du service public.

C'est pour servir sa filiale Mediapost, créée en 1987, que

La Poste demande à ses préposés de travailler pour le compte des publicitaires. Les postiers distribuent les prospectus et les mailings commerciaux après ou en même temps que leurs tournées. À Paris, vu la quantité de prospectus à diffuser, des facteurs « spécial pub » ont même été recrutés expressément. Agents contractuels sous-payés par rapport aux autres facteurs, ils forment des unités spéciales aux couleurs de La Poste. Sans signe distinctif par rapport aux « vrais » facteurs. Difficile de s'y retrouver !

La Poste profite de la proximité humaine construite au fil des ans par des générations de facteurs pour devenir, en douceur, le dépositaire efficace des sollicitations publicitaires. À La Poste on était fier, récemment, de me rappeler que, dans certains coins reculés de campagne, les facteurs aident encore à remplir les feuilles de Sécurité sociale. Qui se méfierait de la loyauté de ceux qui sont devenus les supplétifs de la pub sans en avoir la mine ?

L'allure du postier constitue sans doute ce que le chercheur Philippe Breton appellerait des « signes de vérité » utilisés comme des « leurres »[1]. La Poste brouille les frontières en jouant sur les deux tableaux : celui de service public et celui, moins glorieux, d'acteur privé en proie à une vive concurrence. Ce faisant, elle trompe les esprits pour mieux vaincre les résistances. Autant le savoir. Autant savoir, aussi, que les facteurs nous épient. C'est plus inquiétant.

De nombreux préposés aident à remplir, quatre fois par an, des formulaires comprenant toutes sortes de précisions sur notre logement, notre structure familiale et la typologie de notre courrier. Le but ? Transmettre à Mediapost des informa-

---

1. Philippe Breton est chercheur au CNRS, auteur de *La Parole manipulée*, La Découverte, 2000.

tions susceptibles de séduire les annonceurs publicitaires. Dimanche 17 janvier 1999, M6 diffusait dans son émission « Culture Pub » un reportage saisissant : on y apprenait les méthodes d'investigation quasi imposées, dans les faits, à certains postiers. À cette occasion, le journaliste Thomas Hervé raconte que les facteurs sont de plus en plus fréquemment appelés à décharger les organisateurs de courrier – qui coordonnent les tournées des facteurs – de certaines de leurs tâches. Dont le recueil d'informations sur « l'habitant, l'habitat et l'infrastructure socioéconomique ». J'appelle un délégué syndical qui me confirme l'information en y adjoignant quelques détails inattendus.

En effet, certaines tournées se font le crayon à la main. Le coordinateur qui doit remplir les bordereaux de renseignements pour Mediapost sur la situation de chaque chef de famille (est-il employé, cadre ou ouvrier par exemple), donner son âge (plus ou moins de quarante ans...), et l'état de son logement a du mal à effectuer seul ce travail. On le comprend : il s'occupe en moyenne d'une centaine de tournées, et chacune compte environ trois cent soixante foyers. Plus d'un millier de familles dans la banlieue parisienne. Le coordinateur serait donc censé donner, seul, des informations précises sur plusieurs dizaines de milliers de foyers chaque fois que la mise à jour de la base de données privées de Mediapost le nécessite. Une gageure.

Donc, pour l'aider dans sa tâche – qui lui rapporte deux mille francs en moyenne chaque année –, il fait appel à ses subordonnés. « Il demande aux facteurs et aux chefs d'équipe de noter sur des brouillons les informations, puis les recopie au propre », m'explique Jean-Louis Frisulli, responsable SUD-La Poste pour la Seine-Saint-Denis. Comment le facteur détermine-t-il tout cela ? Grâce à sa connaissance du terrain et un sacré sens logique.

Plusieurs témoignages recueillis à l'époque me confirment

que les postiers identifient les émetteurs de nos lettres pour déterminer notre profil socioprofessionnel. « Parce que à chaque métier correspond un courrier particulier », me confie M. Frisulli. Comment ? Eh bien, pour savoir si l'immeuble est peuplé de propriétaires, par exemple, il suffit de compter les destinataires convoqués à la prochaine réunion de copropriété par lettre recommandée. Les enveloppes du Trésor public, elles, livrent les informations sur le statut du couple selon qu'il s'agit d'une seule enveloppe ou de deux enveloppes distinctes pour la déclaration de revenus ; les magazines d'entreprises, le nom de l'employeur ; les lettres des caisses de retraites, de mutuelles, les secteurs d'activité professionnelle. Comme un courrier régulier des Assedic indique que madame est à la recherche d'un emploi.

Le facteur déduit l'âge des enfants des abonnements aux magazines ou des courriers émanant des établissements scolaires, comme il note quelques remarques sur l'état de notre habitation. Tous ces renseignements peuvent également servir au facteur qui doit atteindre « ses objectifs de vente »... en produits courrier ou financiers pour éviter que sa note annuelle s'en ressente lors des « entretiens d'évaluation » (instaurés en 1993).

Bref, pour ceux qui l'auraient ignoré, notre bon et gentil facteur peut devenir le serviteur de Big Brother. Ces pratiques qui ne sont pas en vigueur dans toutes les régions peuvent être refusées par les postiers. Mais dans ces cas-là, expliquait le délégué syndical il y a deux ans, « on va faire des pressions, lui demander des explications et sa note annuelle s'en ressentira ». Sa promotion pourrait être bloquée et son « quartier » lui être retiré. Aujourd'hui, me dit-on, la pression serait moins forte.

Il faut dire que, pour le groupe La Poste, la publicité en boîtes aux lettres est une source de profits, un « levier de croissance », comme on dit. Embarquée vers une privatisation inéluctable en raison de la déréglementation des services postaux en Europe, l'entreprise de service public modifie progressivement son fonctionnement. Sans, pour l'instant, afficher la couleur.

Les prospectus publicitaires comme les mailings (sous enveloppe) ont le vent en poupe. En 1998, plus de 18 milliards de prospectus ont été distribués en France, sans compter les 4 milliards de mailings (et les 97,8 millions de catalogues). La France et ses 25 millions de boîtes aux lettres privées constituent autant de « rendez-vous publicitaires puissants », affirme un professionnel dans un document d'étude[1].

« La Poste est le premier réseau de proximité en France », affirme son président Martin Vial. Le fin maillage géographique de son réseau de distribution (65 000 micro-quartiers correspondant chacun à une tournée) et ses 89 000 facteurs représentent une force de frappe sans équivalent pour le marché publicitaire... qui s'est empressé d'utiliser les bons offices du groupe de service public. Résultat : La Poste se targue aujourd'hui d'être « n° 1 de la publicité en boîte aux lettres » avec sept milliards de publicités distribuées en 1999. Grâce à sa stratégie de la « double casquette », elle s'est octroyé en cinq ans près de la moitié du marché de la distribution des courriers publicitaires. Ses concurrents, Delta Diffusion (filiale de la Comareg, l'éditeur du journal gratuit *Bonjour*) et le groupe Spir Comunication se disputent, avec moins d'avantages « naturels », le reste du gâteau. Aux côtés de quelques petits indépendants. Comme Gérard.

Inutile d'espérer, donc, que le nombre de papiers commerciaux arrivant chaque jour avec notre courrier diminue. Les dépenses publicitaires des entreprises appartenant à la grande

---

1. MPG Ressources, « Le média boîte aux lettres » (étude de janvier 2001).

Grande Distribut° gde utilisatrice

distribution alimentaire, principales utilisatrices de ces techniques, étaient en hausse de 85 % en 1998 par rapport à 1997. En 1998 chaque foyer français a reçu en moyenne 806 courriers publicitaires, dont 310 pour nos seuls super et hypermarchés, selon les chiffres diffusés par l'Union française du marketing direct, cités par l'hebdomadaire *L'Entreprise*[1]. Carrefour aurait ainsi envoyé un milliard de prospectus aux foyers français entre le deuxième semestre 1999 et le premier semestre 2000[2].

↑1 en mkg direct

Le marketing direct est devenu le premier investissement en communication des entreprises. Loin devant des médias comme la presse (15,4 %) et la télévision (12,2 %), dont on parle pourtant plus souvent. Quelques chiffres significatifs : entre 1992 et 1998, sur un marché hexagonal où les dépenses de pub passaient de 132,8 milliards de francs à 158,3 milliards de francs[3], la filière de marketing direct s'octroyait la première place. Dans ce tableau qui frise l'overdose (rien qu'à le décrire), la France n'est pas une exception. En Europe, les Allemands dotés de mouvements antipub très organisés reçoivent davantage d'objets publicitaires que les Français, et les Suisses restent les champions, toutes catégories, du mailing.

prospectus=bonne efficacité ciale

Comment expliquer l'explosion des prospectus, mailings et autres imprimés sans adresses ? Par une efficacité commerciale inégalée. Un bon prospectus entraînerait une croissance

---

1. *L'Entreprise* (juin 2000).
2. Selon l'étude « Referenseigne 2000 » de Secodip.
3. Selon l'Association des agences-conseils en communication (AACC).

de 25 à 30 % du chiffre d'affaires. Son faible coût est sa première raison d'être.

À raison de vingt centimes pièce pour la distribution[1] et d'environ soixante-dix centimes pièce pour la fabrication, le prospectus revient à moins d'un franc pièce. Alors les entreprises peuvent dépenser quelques francs de plus pour accéder à ce qu'ils appellent « les zones optimales de distribution ». Et faire mouche. Comment ? En s'offrant pour un franc ou deux de plus des informations de « géo-marketing ». Ces informations sont extraites de gigantesques bases de données qui fichent à grande échelle nos habitudes de consommation et nos profils socio-comportementaux. Les entreprises peuvent ainsi vanter les mérites de leurs produits auprès de la cible idéale qu'elles auront réussi à trouver à force de recoupements.

Que ce soit Mediapost, Delta Diffusion ou Spir, tous les distributeurs d'imprimés publicitaires proposent ce service qui peut être plus ou moins sophistiqué. Au-delà de l'apparente cacophonie polychromique des prospectus, se cachent de redoutables stratégies publicitaires dont le leitmotiv tient en cinq mots : viser juste pour vendre plus. Mediapost possède dans sa base de données « non nominatives » – qu'elle rapporte quand même à l'adresse de notre boîte aux lettres – des informations sur vingt-cinq millions de foyers en France selon une cinquantaine de critères qu'elle affine constamment. Elle peut ensuite l'enrichir avec des données Insee ou bancaires. Mais le nerf de la guerre, la « Rolls » de l'espionnite marketing, ce sont les « mégabases de données comportementales ».

Elles s'appellent Consodata, Claritas, ICD (filiale de l'Américain Metromail) en Europe et se partagent un marché

---

1. Selon MPG Ressources.

toujours plus large. En France, ces prestataires publicitaires ont déjà fiché, le plus souvent à leur insu, plus de 20 % de la population en fonction de milliers de critères. Ce chiffre atteint des proportions impressionnantes aux États-Unis, terre pionnière du « marketing qui s'adresse à des personnes connues par leurs noms, avec 90 % des foyers américains fichés. Les publicitaires peuvent ainsi proposer, selon leur formule consacrée, « le bon produit au bon moment à la bonne personne ». Entendez la personne le plus susceptible de l'acheter.

Consodata, qui vient d'être racheté par la société Seat Pagine Gialle, filiale de Telecom Italia, possède des informations nominatives selon deux mille cinq cents critères sur déjà plus de vingt-cinq millions de foyers en France, son pays d'origine, mais aussi en Belgique, en Espagne, en Grande-Bretagne et en Italie. Son objectif avoué ? Parfaire « la connaissance de l'environnement des entreprises » – l'environnement c'est nous –, afin de permettre à l'entreprise « de prendre en compte les us et coutumes du secteur pour faciliter son acceptation psychologique par les futurs utilisateurs »[1]. Derrière cette terminologie alambiquée se cache, en fait, un système coûteux mais rodé d'espionnage privé à des fins commerciales. Tout repose sur le questionnaire présenté comme un concours. Pas un, pas cent, mais des millions de questionnaires que l'on trouve dans des magazines, des magasins... et des boîtes aux lettres.

La vague de l'enquête-concours semestrielle de Consodata en mars 2000 a, par exemple, été envoyée à dix-huit millions de Français. Chaque questionnaire diffusé de façon massive

---

1. Document Consodata, « Mise en place et exploitation d'une mégabase de données marketing ».

comporte parfois plus de cent cinquante questions : quel est votre âge, celui de votre chien, s'agit-il d'une chienne, comptez-vous déménager dans l'année, quelle est votre banque, le nom de votre assureur, la date d'échéance de vos contrats, prenez-vous vos vacances une fois, deux fois, trois fois par an, en hôtel ou dans un gîte rural, quelle voiture possédez-vous, quand l'avez-vous achetée, où la garez-vous, disposez-vous d'un parking privé, fumez-vous des cigarettes, des brunes, des blondes, buvez-vous de la Badoit, de la Volvic que vous achetez en pack de six ou en bouteilles individuelles... ?

La personne sollicitée devra en moyenne passer deux heures le crayon à la main, une paire de lunettes sur le nez (tout est écrit en caractères microscopiques) et avoir une sacrée dose de bonne volonté pour venir à bout du questionnaire. Sans oublier, évidemment, nom, prénom, adresse, numéro de téléphone et adresse e-mail pour avoir une chance de gagner, grâce à « ce concours sur la consommation 1997 », un voyage à Marrakech ou à Málaga. « Les moins chanceux » pourrons recevoir des coupons de réduction. Autant le savoir (mais ce n'est jamais précisé) : plus les revenus déclarés sur ce questionnaire sont élevés, plus grandes sont les chances d'obtenir des coupons.

Ainsi Procter & Gamble utilise Consodata pour augmenter la pression sur les consommateurs qui achètent déjà sept produits appartenant à l'une de ses marques. Il faut qu'ils deviennent de plus gros acheteurs encore. « Le foyer est vu comme un centre de profit, explique Consodata à ses clients. On considère l'ensemble des achats qu'il effectue dans la catégorie pour déterminer la part de marché que l'on possède chez lui. » Et d'ajouter, quelques lignes plus loin : « Certains consommateurs seront rejetés du système s'ils ne génèrent pas suffisamment de marge bénéficiaire. »

La liste des clients de Consodata est longue : des médias comme Canal Plus, le groupe *Les Échos* en passant par des banques comme la Banque populaire, des prestataires de service public comme Gaz de France, La Poste, mais aussi des constructeurs automobiles (Renault, Peugeot, Seat...), La Redoute, Habitat, sans oublier Unilever, Henkel, Gillette évidemment. On trouve aussi des clients plus inattendus, comme le laboratoire pharmaceutique Pfizer ou le fabricant de cigarettes Philip Morris.

Ces collectes de renseignements sur les personnes, ce qu'elles sont, mais aussi ce qu'elles font, ce qu'elles possèdent, ont préoccupé la Commission nationale de l'informatique et des libertés (Cnil). L'autorité administrative s'est d'ailleurs fendue d'une recommandation pour tenter d'y mettre bon ordre. En 1997[1], elle constate : « Ces questionnaires sont le plus souvent présentés par les organismes qui les diffusent comme des enquêtes de consommation, des études sur la qualité des produits, voire des sondages ; de plus, pour inciter les gens à répondre, il leur est proposé en contrepartie de leur "participation" des cadeaux, des bons d'achat ou des chèques cadeaux à valoir sur de futurs achats »,... avantages qui ne sont accessibles qu'à condition que la personne accepte de céder les informations la concernant à l'entreprise qui les collecte, mais aussi aux tiers auxquels cette dernière décidera de les vendre. L'objet de ces supposées enquêtes vise simplement « à recueillir le plus grand nombre possible de coordonnées de personnes (noms et adresses) et le plus de renseignements possible sur les personnes qui y répondent ».

---

1. Délibération n° 97-012 du 18 février 1997, portant recommandation relative aux bases de données comportementales sur les habitudes de consommation des ménages constituées à des fins de marketing direct et parue au *JO* en septembre 1997.

CNIL

Si en France la constitution de fichiers nominatifs à vocation commerciale n'est pas interdite, les opérateurs sont soumis à certaines obligations. De loyauté et de transparence, notamment. L'entreprise collectrice doit mentionner le lieu où la personne peut avoir accès aux informations qui la concernent (pour les rectifier ou les supprimer) ainsi qu'à la liste des destinataires qui peuvent les acheter. Elle n'a pas le droit de se présenter comme un « institut » réalisant un « sondage ».

Peu de plaintes, pas de réel pouvoir pr la CNIL

Mais les interdictions ne valent que si tout manquement est sanctionné. Dans les faits, ces entreprises jamais contrôlées (elles ne le sont que lorsque la Cnil est saisie de plaintes, ce qui est rare) ne risquent pas grand-chose. La Cnil, qui n'a même pas le pouvoir de leur infliger une amende en cas d'entorse, se contente d'adresser des « recommandations ». Qui peuvent être, ou ne pas être, suivies d'effet. En vingt-deux ans d'exercice, la Cnil n'a traité que 33 000 plaintes, n'a délivré que 47 avertissements et n'a transmis que 16 affaires au Parquet. Il est moins étonnant alors de constater que, quatre ans après l'entrée en vigueur de la recommandation « Mégabases de données comportementales », les règles officiellement acceptées par tous ne soient toujours pas respectées.

Flou

Le flou entretenu par ces entreprises est monnaie courante. Bon nombre d'annonceurs qui collectent et exploitent les données sur les personnes par voie de jeux-concours se bornent à signaler que leurs questionnaires sont en « conformité avec la loi Informatique et Libertés ». Ce qui ne veut rien dire. D'autres prennent la peine de signaler que « les informations pourront être communiquées à des tiers », mais « sans préciser que chacun dispose du droit de s'[y] opposer[1] », reconnaît-on à la Cnil. La commission est dépassée par un système d'espionnage privé qui s'intensifie encore avec la multiplication des modes de collecte proposés par Internet.

Le budget annuel de la Cnil (30 millions de francs) est en augmentation de 20 % en 2001. Vraisemblablement, sa mission de contrôle *a posteriori* sera revue et son pouvoir de sanction renforcé. Ce ne sera pas suffisant pour préserver la vie privée des intrusions commerciales.

Les assurances apportées par les entreprises à la protection de la vie privée sont un sujet sensible. Dès qu'elle est abordée, les responsables se hâtent de brandir les « codes de déontologie » censés garantir le droit fondamental à la protection de la vie privée. L'Union française du marketing direct a rédigé le sien dès décembre 1993. Il a fallu attendre novembre 1998 pour que le Syndicat des entreprises de vente par correspondance et à distance accouche du code relatif aux bases de données comportementales. En 2000, c'était au tour de la Fédération du commerce et de la distribution de « réfléchir » à la rédaction d'un code visant à protéger les données personnelles.

---

1. Loi Informatique et Libertés, article 25 : « La collecte de données opérée par tout moyen frauduleux, déloyal ou illicite est interdite. » Article 26 : « Toute personne physique a le droit de s'opposer, pour des raisons légitimes, à ce que des informations nominatives la concernant fassent l'objet d'un traitement. Ce droit ne s'applique pas aux traitements limitativement désignés dans l'acte réglementaire prévu à l'article 15. » Et article 27 : « Les personnes auprès desquelles sont recueillies des informations nominatives doivent être informées : du caractère obligatoire ou facultatif des réponses ; des conséquences à leur égard d'un défaut de réponse ; des personnes physiques ou morales destinataires des informations ; de l'existence d'un droit d'accès et de rectification. Lorsque de telles informations sont recueillies par voie de questionnaires, ceux-ci doivent porter mention de ces prescriptions. »

Le code de déontologie ou d'éthique est un passage obligé pour des opérateurs qui cherchent avant tout à conserver les mains libres. Toutes ces entreprises sont de fervents apôtres de l'autocontrôle, c'est-à-dire qu'elles appellent le citoyen consommateur à se reposer sur leurs propres capacités à gérer « éthiquement » les données personnelles collectées. On comprend la préférence de ces milliers de multinationales regroupées en associations (comme e-Trust, « confiance électronique ») pour tenter de rallier le plus de gouvernements occidentaux à leur cause. Mais qu'est-ce qu'un citoyen peut raisonnablement attendre de cette « éthique » professionnelle ?

Pour se faire une idée, il suffit de traverser l'Atlantique où aucune loi n'existait il y a encore un an, et où tous les fichiers sont librement accessibles et cessibles (numéros de Sécurité sociale et informations attachées, fichiers des plaques d'immatriculation, listes de malades). Et constater qu'aujourd'hui les Américains sont inquiets. « La question n'est plus désormais de savoir s'il faut légiférer, mais comment il faut le faire [1] », affirme le responsable d'une association militante.

Des faits divers secouent l'opinion. Mark Klaas, le père de la petite Polly, douze ans, enlevée puis tuée en 1994 en Californie mène campagne depuis 1996 pour tenter d'enrayer une spirale incontrôlable. Sa fille a été la victime d'un criminel qui avait acquis des informations sur elle auprès de la mégabase de données Metromail [2] (rachetée, depuis, par l'Européen Experian, partenaire du Français

---

1. Selon la lettre électronique éditée par le magazine *Transfert* (25 janvier 2001).
2. *Ibid.*

Delta Diffusion). Cette entreprise américaine, heureuse « propriétaire » d'informations personnelles qu'elle achète à plus
de 3 200 sources, se vante de pouvoir proposer à qui veut, des
données « fraîches » concernant « 67 000 nouveaux bébés,
chaque semaine ». L'assassin de Polly avait, grâce à la fiche
qu'il avait achetée à cette entreprise, pu localiser et suivre
l'enfant.

M. Klaas, soutenu par une entreprise concurrente de
Metromail, a réussi à alerter la Commission fédérale du commerce (FTC) et à mobiliser une partie de l'opinion publique
en exigeant que soient retirés les noms des enfants des bases
de données qui organisent notamment tous ces jeux promotionnels et autres concours publicitaires qui séduisent tant de
jeunes. Ils ont fini par obtenir quelque chose. Petite avancée.

Dans l'urgence, la législation fédérale américaine a été
complétée par une loi entrée en vigueur le 30 avril 2000, destinée à protéger les mineurs. Désormais tout traitement de données personnelles appartenant à des enfants de moins de treize
ans doit se faire avec le consentement des parents.

Aujourd'hui, les associations américaines de défense de la
vie privée et une partie de la presse se font régulièrement les
défenseurs d'une approche législative, à l'européenne. Plusieurs États annoncent, également, leur intention de légiférer
sur certains secteurs d'activité. Même la puissante FTC, qui
ne jurait que par les initiatives d'autocontrôle, a brutalement
retourné sa veste en mai 2000. Promue enjeu politique lors de
la récente campagne présidentielle, la protection de la vie privée a provoqué, début janvier 2001, le dépôt de nouveaux
textes par les parlementaires au Congrès. Un projet de loi
également défendu au Sénat pourrait finalement aboutir, malgré le lobbying intense des entreprises concernées.

Pour la Cnil, « la situation [américaine] est préoccupante » car, le fait est avéré, « les moyens d'autocontrôle » sont inefficaces. Avec l'augmentation des échanges internationaux, les Européens insistent sur la nécessité de prévoir l'existence d'une instance indépendante pouvant être saisie, aux États-Unis, par toute personne concernée par un traitement de données. Le Vieux Continent dispose de textes, mais n'a pas pour l'instant les moyens de les faire respecter. En France, les ressources financières de la Cnil (10 millions de francs par an pour le fonctionnement) et humaines (20 millions de francs pour soixante agents, dont seulement sept juristes qui enregistrent les déclarations, reçoivent et instruisent les plaintes) sont dérisoires.

L'organisation non gouvernementale européenne Privacy International dénonce d'ailleurs la « reddition » de la Cnil face à un certain nombre de dossiers. L'association épingle aussi le Parlement français pour « son incapacité lancinante, depuis plus de vingt ans, à se doter de contre-pouvoirs puissants et efficaces pour faire face à la montée du fichage accru des citoyens, des contribuables, des salariés et des assurés sociaux ». Aucune mesure n'est prise pour renforcer le moyen de préserver la vie privée des individus face à l'appétit vorace des entreprises.

Toutes se sont engagées dans la traque à l'information privée[1]. Les Bouygues Télécom, SFR, Itinéris (même EDF s'y est mis) surveillent leurs clients – mais aussi ceux de leurs concurrents –, grâce aux centres d'appel téléphoniques reliés à des mégabases de données nominatives. Elles leur servent par exemple à identifier rapidement ceux dont la consomma-

---

1. Colloque « Intelligence et défense économiques au service du développement économique », organisé le 25 janvier 2001 à l'IHEDN.

tion baisse pour les « récupérer » avant qu'ils ne passent à la concurrence. L'idée est, en général, de satisfaire toujours davantage ceux qui consomment le plus... afin qu'ils consomment encore plus.

Nos fiches se côtoient donc à l'intérieur de ces abyssales ventres informatiques... qui ne sont pas, soit dit en passant, à l'abri d'opérations de piratage, ce qui n'est pas fait pour nous rassurer.

Le fabricant de meubles Ikea en a fait les frais. Il s'est retrouvé en septembre 2000 avec les fiches de tous ses clients américains mis librement à disposition de tout un chacun sur son site Internet. Son « système informatique » était pourtant « hautement sécurisé[1] » ! Ce qui n'est pas le cas de ceux de France Télécom pour ses activités sur le Web (Wanadoo et Voilà). Privacy International, qui décerne chaque année ses tristes « Big Brother Awards » aux entreprises, administrations ou ministères qui se distinguent par « leur négligence ou leur mépris du droit fondamental à la protection de la sphère privée », épinglait en décembre 2000 France Télécom pour « son traitement particulier des données personnelles ».

Mais le pire du pire reste sans doute l'insoupçonnable réalité à laquelle sont confrontés nos voisins britanniques : après avoir adopté une loi qui permettait aux services secrets du gouvernement de Tony Blair de surveiller tous les sites Internet dans des conditions pires que celles prônées en Russie par le FSB (ex-KGB), les agents du MI5 (l'équivalent britannique

---

1. Magazine *Transfert* (11 septembre 2000).

de notre DST) ont demandé l'autorisation d'enregistrer « toutes » les communications téléphoniques et de les archiver pendant sept ans[1]. Après les entreprises, l'État, donc... mais là, c'est encore une autre affaire.

---

1. Selon un rapport classé « secret défense », publié par *The Observer* (décembre 2000).

3

Le patient est un consommateur
comme les autres

« Presque tous les hommes meurent
de leurs remèdes et non pas de leurs
maladies. »

MOLIÈRE,
Le Malade imaginaire.

Londres, 11 février 2000. Un encart à la une du magazine
Campaign annonce que l'un des plus gros laboratoires pharmaceutiques au monde, Pfizer, a mis en concurrence quatre
agences de publicité. Des agences grand public, plutôt coutu-
mières des spots pour pâtes alimentaires que des arguments
cliniques nécessaires à la communication médicale. Que
cache cet entrefilet ? La réglementation européenne, par sa
directive de 1992, interdit la pub auprès du grand public pour
les médicaments vendus sur ordonnance[1]. Il semble pourtant

---

1. Les médicaments n'étant pas comparables aux autres produits de
consommation, une directive européenne consacrée à « la publicité faite à
l'égard des médicaments à usage humain » publiée le 31 mars 1992
indique : « Les États membres interdisent la publicité auprès du public

137

que le laboratoire américain ait trouvé un biais[1]. Il veut donner un coup de fouet aux ventes européennes du Viagra et mettrait entre 65 et 130 millions de francs sur la table pour pousser sa pilule contre les érections défaillantes.

Comment les publicitaires vont-ils parvenir, malgré les contraintes réglementaires, à toucher les « 11 % d'hommes âgés de plus de dix-huit ans » victimes d'impuissances passagères ? En créant une « maladie » par le canal de la communication. Cette technique publicitaire, baptisée « campagne d'éducation », ou « campagne symptôme », ou « campagne de santé publique », a été développée spécifiquement par les laboratoires pharmaceutiques. Elle a débarqué en Europe depuis cinq ans. Plongée en apnée dans le monde feutré et secret de la communication médicale.

À l'agence McCann-Erickson où règne une certaine fébrilité, on élabore dans la plus grande discrétion en ce début d'année 2000 la campagne de « santé publique » qui se déversera sur l'Europe depuis Londres. Aucun employé de McCann n'acceptera de répondre à mes questions. Tous me renvoient systématiquement vers ce « client » sensible qui interdit toute communication avec son agence. « Vous savez, on a eu des problèmes avant, alors maintenant on ne parle plus », m'explique l'un des publicitaires. Chez Pfizer, on manie une langue de bois vertueuse.

De « publique », la campagne n'a que l'apparence. Le gouvernement public n'y est pas associé. La communication se contente de porter sur la place « publique » une maladie qui

---

faite à l'égard des médicaments qui ne peuvent être délivrés que sur prescription médicale, conformément à la directive 92/26/CEE(8). »

1. Selon le cahier des charges, les publicitaires doivent « surmonter un certain nombre de barrières, notamment contourner l'interdiction publicitaire auprès du grand public pour des médicaments vendus sur ordonnance », peut-on lire dans *Campaign* (11 février 2000).

n'existait pas jusque-là. C'est une stratégie en deux temps : il faut mettre en lumière les symptômes de la nouvelle maladie afin d'« éduquer » le consommateur final, et qu'il fasse pression sur le médecin pour obtenir ce produit qu'il ne peut pas acheter seul. Ces pratiques sont hypocrites et construites sur de fausses vérités. C'est un mensonge collectif bien organisé.

D'abord une campagne de publicité met en lumière la nouvelle pathologie auprès des Français. Aux États-Unis, Pfizer dépense près de 200 millions de francs par an en achat d'espaces pour faire passer des pubs qui se terminent par le lancinant « ask your doctor ». La France suit, même si la télé n'est pas encore touchée et les sommes engagées inférieures : 2 millions de francs ont été dépensés en achat d'espaces publicitaires pour faire passer, dans les quatre mois qui ont suivi le lancement du Viagra en octobre 1998, plus de trente annonces différentes dans douze titres (news magazines, titres de santé, presse beauté, etc.).

Il n'était pas question de mentionner le nom du Viagra, puisque c'est interdit par l'article 5050 du code de santé publique et que « nous avons le souci commun de ne pas faire de promotion pour des médicaments qui n'y ont pas droit », m'indique-t-on chez Pfizer France. C'est vrai : au lieu d'étaler son produit sur de pleines pages, Pfizer se contente de distiller des informations choisies sur les troubles de la sexualité masculine et les raisons médicales qui pourraient expliquer « les défaillances du système érectile ». Le ton est sérieux et d'une apparente tenue scientifique.

Mais la publicité ne suffit pas. Le nerf de cette guerre, c'est l'utilisation des médias, car ils agissent comme une formidable caisse de résonance. Peu importe qu'ils soient enthousiastes ou critiques : ce qui compte, c'est que la presse écrite, la télévision et la radio hissent ces symptômes au rang de « maladie » reconnue.

Les journalistes sont invités à des voyages où ils côtoient les leaders d'opinion. Les attachés de presse prennent d'assaut leurs lignes téléphoniques et les ensevelissent sous des dossiers épais et des documents statistiques luxueux... Et ça marche. Pfizer a ainsi réussi à obtenir en 1998 (entre mai et novembre de l'année de lancement du Viagra en France) six mille mentions de son produit à la télévision, à la radio, et dans les journaux. On peut dire que l'opération fut un succès pour le labo. Même si, légalement – on peut toujours le préciser –, les journalistes travaillant dans des médias grand public ne sont pas autorisés à mentionner le nom d'un médicament vendu sur ordonnance.

La campagne fut européenne. Plusieurs pays – la Grande-Bretagne, l'Italie, la Grèce, par exemple –, ont accepté de diffuser des spots télévisés puisque, conformément aux textes en vigueur, le médicament n'est pas cité. En Allemagne seulement, on voit apparaître la marque Pfizer. En France, le labo a présenté à plusieurs reprises un spot à la Commission de contrôle de la publicité, cellule de l'Agence française de sécurité sanitaire des aliments et produits de santé (Afssaps). Mais malgré de nombreuses versions, ce spot a toujours été refusé, en juin 2000 notamment. Les experts considèrent pour l'instant que Pfizer détient sur ce produit un monopole. Communiquer sur le traitement oral de l'impuissance revient à communiquer sur le Viagra.

Pfizer a-t-il renoncé à s'offrir un spot télévisé ? Sans doute pas. Une publicité à la télévision pousse le consommateur à faire son propre diagnostic. Elle le persuade que le produit « est pour lui ». La présentation à la télé d'un spot financé par

Pfizer prendra simplement, chez nous, un peu plus longtemps que prévu.

« Il y a des projets, mais le calendrier n'est pas précisé », lâchait-on à demi-mot. Bien sûr, « il n'y a pas de difficulté particulière [avec les autorités françaises]. Il va seulement falloir que l'Agence du médicament et le Comité de contrôle de la publicité soient parfaitement au courant et l'entérinent ». Pfizer bute, avec son Viagra, sur les suspicions des sages du comité d'éthique.

Le très sérieux Comité consultatif national d'éthique pour les sciences de la vie et de la santé (CCNE), saisi le 23 juin 1998 par le secrétaire d'État à la Santé Bernard Kouchner, a tenté de barrer la route à Pfizer. Et à toute perspective, à court terme, de remboursement du Viagra par la Sécurité sociale.

L'avis rendu le 18 novembre 1999 affirme : « Il y a lieu de s'interroger sur les non-dits [...] qui souhaitent faciliter l'usage de ce médicament. » Les sages s'inquiètent de la création d'une « pathologie nouvelle » qui « bénéficierait aux grandes entreprises pharmaceutiques » : « La pression sera croissante pour susciter de nouveaux besoins, au bénéfice d'un plus grand nombre d'individus qui ne sont pas dans des situations forcément pathologiques[1] ». « En visant une clientèle particulière aux revenus aisés, le discours à connotation médicale » crée « une dépendance par le biais du leurre d'une identité retrouvée ». Le comité se demande, par exemple, pourquoi les traitements consacrés à l'amélioration de la qualité de la vie sexuelle chez la femme en période de ménopause « n'ont pas bénéficié du même retentissement

---

1. Avis n° 62 du 18 novembre 1999 du Conseil consultatif national d'éthique pour les sciences de la vie et de la santé.

médiatique ». D'autant que chez l'homme, ces « dysfonction-nements » sont beaucoup plus progressifs que chez la femme du même âge... Les médecins-experts proches de Pfizer par-viendront-ils, tout de même, à forcer le passage de l'adminis-tration française ? La question reste entière.

La campagne « symptôme » organisée pour publiciser le Viagra n'est pas une première. En France, cette technique a été utilisée auparavant avec succès par les laboratoires améri-cains Lilly pour faire du Prozac, leur antidépresseur vedette, le troisième médicament le plus vendu en France. Comment expliquer qu'un million de Français soient « accros » à cet antidépresseur alors que « tous [...] ont le même taux d'effica-cité[1] » ? s'interroge le journaliste Vincent Olivier, qui a décortiqué « la valse à trois temps » des laboratoires.

Le laboratoire Lilly met en place des slogans destinés à faciliter la diffusion de son argument : voici venu le temps de « l'épisode dépressif majeur ». Le (non-)malade visualise ses (faux) symptômes et peut considérer que ce produit est « fait pour lui ». Dans le même temps, le labo rémunère des psy-chiatres judicieusement sélectionnés. Puis il s'adresse aux généralistes qui vont composer le gros des prescripteurs : ceux-ci en arriveront à prescrire 85 % des boîtes de Prozac.
On les a chouchoutés, on les a rassurés... Oui, le Prozac est simple à prescrire, « vous aussi vous pouvez prendre en charge la dépression ». Les échantillons achèveront de convaincre de la simplicité du traitement. Ça tombe bien, à ce moment la dépression devient un sujet de société grâce aux médias qui relaient les informations fournies par le bataillon

---

1. Vincent Olivier, « Prozac, comment la France a avalé la pilule », *L'Express* (7 décembre 2000).

d'attachés de presse. On s'informe lors de colloques parrainés par Lilly, et c'est « le raz de marée », explique Vincent Olivier qui rapporte les propos du Dr Gilles Mignot, rédacteur à la revue *Prescrire* : « [...] le Prozac finit par renverser la démarche médicale : c'est le médicament qui fait le diagnostic ». Le monde à l'envers...

La rumeur a joué un rôle important. Très important même pour ce miroir aux alouettes. Même si la rumeur ne fut pas toujours positive et maîtrisée. Grâce au bouche à oreille, le médicament est devenu « génial » au point d'avoir un effet sur tout et rien. Aux États-Unis, certains sont mêmes allés jusqu'à dire que le Prozac était capable de déclencher un orgasme grâce à un simple bâillement ! En même temps, la population s'est effrayée de faits divers macabres : lorsque, en 1989, Joseph Wesbecker débarque dans le Kentucky avec un fusil pour commettre un carnage dans une imprimerie, carnage qui sera suivi de son suicide, la famille met en cause le Prozac. Celui-ci aurait été aussi responsable de la mort de la princesse de Galles : M. Paul, le chauffeur de Lady Di lors de son accident dans le tunnel de l'Alma, aurait été sous Prozac.

En 1995, les laboratoires Fournier avaient pour la première fois testé les limites de la réglementation en soutenant une campagne publicitaire « fracassante », selon Hervé Bonnaud, de l'agence Saatchi & Saatchi Healthcare, pour lancer le patch aux œstrogènes : Œsclim. Son client voulait compenser immédiatement la perte d'environ 50 millions de francs de chiffre d'affaires car l'ancien produit star de Fournier, un traitement contre le cholestérol, affrontait la récente concurrence des médicaments génériques.

Au programme, une création publicitaire originale (un film réalisé par Nicole Garcia). Les leaders d'opinion, déjà « très travaillés par les autres labos » sur le même type de produit,

La santé est devenue marchande.

n'ont pas besoin d'être convaincus. La communication est facile à vendre pour le visiteur médical et surprend le public qui voit pour la première fois un message « de santé publique » délivré par un laboratoire à la télévision.

Les résultats? En six semaines, Fournier devient l'un des trois labos les plus connus dans le domaine de la gynécologie[1] – alors qu'il n'était jusque-là pas du tout présent dans cette spécialité. Œsclim devient le patch le plus vendu en dix-huit mois. Le laboratoire a une rente viagère assurée : son traitement, prescrit pendant une dizaine d'années à certaines femmes ménopausées (à partir de quarante-sept ans environ), nécessite l'achat d'au moins deux patches par semaine.

Devant ce succès, d'autres publicitaires et d'autres laboratoires pharmaceutiques, en France et en Europe, ont à leur tour œuvré pour lancer des produits censés guérir de tout et de n'importe quoi. Un bel exemple concerne la chute des cheveux. Un homme sans cheveux n'est plus un homme, paraît-il. Heureusement, les produits miracle sont là. Un tribunal, en Allemagne, a pourtant beau trancher : non, l'alopécie (terme scientifique désignant la chute des cheveux) n'est pas une maladie, les campagnes qui font de cet état naturel un mal dont il faut guérir se multiplient. Pas toujours avec le succès escompté, heureusement.

En décembre 1999, en France, les laboratoires Merck ont voulu convaincre les hommes âgés de trente-cinq à quarante-cinq ans de demander à leur médecin un médicament vendu sur ordonnance : Propecia. Plusieurs millions de francs sont mis sur la table. Les publicitaires doivent inventer quelques saynètes courtes, qui seront diffusées pendant un mois sur les ondes radiophoniques. Ces spots radio sont signés du labora-

---

1. Selon un baromètre d'image effectué sur trois publics cibles.

toire Merck mais, conformément à la loi, ne mentionnent pas le nom du produit. Résultat ? Aucun.

Une trentaine de produits similaires existaient déjà dans les supermarchés, sans oublier les remèdes de grand-mère. La concurrence était trop forte. Et le laboratoire n'a pas davantage réussi à faire prescrire le Propecia par les médecins. Le médicament méconnu, et qui n'offre pas d'avantages probants par rapport aux nombreux autres produits miracle, n'a pas réussi à émerger dans la foire marketing des cabinets médicaux. De toute façon, la plupart des généralistes ou des dermatologues avaient déjà leurs habitudes.

En fait, me dit-on, ces campagnes d'éducation ou d'environnement ne fonctionnent qu'à l'une de ces trois conditions : soit le produit est largement leader sur son marché – selon le bon vieux principe « c'est toujours au numéro un que bénéficie le développement du marché » ; soit il a un avantage tel qu'il peut par son originalité émerger seul ; soit plusieurs laboratoires acceptent de se regrouper pour développer un marché qui profitera à eux tous.

Aujourd'hui, les autorités françaises tentent de ralentir ce nouveau type de communication. La ficelle est trop grosse. On sait, sans le reconnaître ouvertement, qu'il s'agit d'un habile stratagème pour contourner la loi... « Nous avions ouvert une porte, tout le monde a ensuite cherché à s'y engouffrer. Et il y a eu des dérapages, raconte le Dr Bonnaud. La Commission de contrôle de la publicité bloque maintenant ce type de film télévisé. » Les laboratoires se soumettent bon gré, mal gré à ces avis.

Mais en Europe ces nouvelles formes de communication progressent rapidement et à l'insu du plus grand nombre. Les labos contribuent à la médicalisation croissante de nos sociétés. Ils montrent ouvertement qu'ils considèrent que les populations sont composées de patients qui s'ignorent, de consommateurs dont la principale vertu est de gonfler les chiffres d'affaires. Ils raisonnent en termes économiques et financiers pour créer des marchés qui n'existent pas dans les pays les plus riches et ignorer les marchés où les malades sont en nombre mais non solvables[1].

La maladie du « dysfonctionnement érectile » est ainsi née en France, où elle a été injectée dans l'esprit du public. Les acheteurs potentiels se considèrent comme malades. Les symptômes ont été dramatisés, puis on nous a expliqué, dans un deuxième temps, que nous, les victimes, ne sommes pas seules, qu'il s'agit d'un problème qui se soigne, qu'il existe un remède... bref, « consultez votre médecin »... Ça tombe bien, le médecin a été briefé. « Pour que ça fonctionne, il faut que la tenaille opère correctement, qu'il n'y ait pas de possibilité de sortie », m'explique Didier Brunet, de chez Publicis Wellcare. Le labo doit donc aussi « travailler » les médecins prescripteurs...

Une étape plus longue, moins visible, a démarré plusieurs mois avant l'autorisation de mise sur le marché français. Elle a consisté pour le labo à mettre de son côté les médecins susceptibles de prescrire le produit. « Il faut informer préalablement le médecin et lui démontrer l'intérêt de la campagne, soit en termes de santé publique, soit pour sa pratique quotidienne », explique Didier Brunet. Pour le publicitaire, c'est un passage obligé qui, s'il n'est pas respecté, empêchera la publicité qui vise le grand public d'obtenir les résultats escomptés : si le médecin n'est pas « préparé », il risque de ne pas prescrire ce produit qu'il ne connaît pas.

Pour le convaincre, Pfizer a fait appel à des agences de publicité spécialistes du milieu médical, qui connaissent sur

1. « Les géants de la pharmacie entravent l'accès aux traitements anti-sida génériques », *Le Monde* (7 mars 2001).

le bout des doigts les contraintes réglementaires et fournissent des pubs techniques publiées ensuite dans la presse spécialisée. Ces annonces s'adressent exclusivement aux professionnels. Pfizer, qui entretient de bonnes relations avec les revues médicales (*Lè Quotidien du médecin, Le Monde de la médecine*, et surtout le *New England Journal of Medicine*) obtient de faire publier les résultats (satisfaisants) des études cliniques qu'il finance.

Le laboratoire nous apprenait, en février 2000, que les hommes souffrant de surcharge pondérale sont des candidats prédestinés aux troubles de l'érection. Bonne nouvelle pour Pfizer : ces hommes seraient 50 millions aux États-Unis. Autre « bonne nouvelle, clame le labo dans son communiqué de presse : il existe des remèdes aux troubles sexuels pour ceux qui n'arrivent pas à maigrir ». Ces publications réputées pour leur sérieux ont force de « preuve ». Quand c'est possible, le chef de produit du labo – une fonction marketing apparue en France dans les années 1975 – use d'un argument d'autorité : la caution délivrée par des « patrons » de la médecine.

Comment obtenir le soutien des ténors de la médecine publique ? « Un industriel intelligent prend en charge un certain nombre de jeunes médecins et se donne entre cinq et dix ans pour les voir nommés comme experts auprès des autorités gouvernementales, en France dans la commission de transparence, commission qui délivre les autorisations de mise sur le marché ou au sein de la Commission de contrôle de la publicité », explique le Dr Marc Girard, conseil en pharmacovigilance et pharmacoépidémiologie, expert auprès des tribunaux. Ce que me confirmeront deux publicitaires qui officient comme consultants dans ces commissions.

Tentative d'explication sur les relations qu'entretiennent

les industriels de la pharmacie avec certains médecins : « L'industrie choisit ses leaders d'opinion à l'université, explique Marc Girard. On publie leurs papiers, on finance des études cliniques à raison de cinq mille ou dix mille francs par patient recruté, on les emmène dans des colloques à travers le monde pour qu'ils parlent... Ils sont contents, les gars. En plus, ils n'ont pas l'impression qu'ils sont payés par l'industrie. En France, en tout cas. Contrairement à des pays comme la Suède, ici on pense que c'est seulement parce qu'on est doué qu'on a le droit à ce traitement. » Les aides financières apportées aux médecins sont acceptées par la plupart d'entre eux sans qu'ils y voient de conflit d'intérêts. D'une certaine façon, les industriels ont réussi à faire en sorte que ces pratiques soient « normales ».

Les laboratoires Servier, eux, soignent les futurs gros calibres. Depuis 1982 ils financent à Paris, puis à Lille, Lyon et Marseille, les « Conférences Hippocrate » dont la mission proclamée est d'« aider les étudiants en médecine à préparer le concours de l'internat ». Certes, les étudiants apprécient ces ateliers à taille humaine qui s'opposent au gigantisme des facs de médecine. Malheureusement, ces nobles intentions paraissent n'être que l'un des éléments d'une stratégie plus complexe.

La Commission nationale de l'informatique et des libertés (Cnil) a constaté avec effroi que le labo fichait les étudiants à des fins douteuses. Elle a trouvé, lors d'une enquête menée à partir d'une plainte, que les mentions « issue d'une famille honorablement connue, apolitique et non inféodée à une idéologie quelconque », « bien élevée, elle est non politisée ni revendicatrice », ou « profil pas clair », « difficilement intégrable, taille physique » ou « pas le profil (homosexuel) », figuraient parfois en face d'un nom. En juillet 1999, la Cnil a dénoncé ces pratiques auprès du parquet de Nanterre. La Commission estime que l'entreprise familiale possède une liste détaillée de plus de cinquante mille noms qui représente son vivier de VRP.

Être en bons termes avec les médecins est une stratégie qui se construit dans la durée. Pfizer travaille en permanence à sa notoriété pour s'assurer que ses produits soient le plus possible présents à l'esprit. Son nom est associé à des colloques et conférences qu'il organise aux quatre coins de la planète. De préférence dans des lieux fort agréables. Récemment – mais ce n'est pas en France –, le laboratoire Merck Sharp and Dohme a été condamné aux Pays-Bas à une amende de 270 500 francs pour avoir offert des divertissements excessivement onéreux à des médecins[1].

Le laboratoire est accusé d'avoir enfreint une directive européenne de 1992 qui stipule que « l'hospitalité offerte, lors de manifestations de promotion de médicaments, doit toujours être d'un niveau raisonnable et rester accessoire par rapport à l'objectif principal de la réunion[2] ». Merck a invité des médecins à des concours de ski, des compétitions de kart, des parties de pêche et à un festival de jazz en Hollande (notamment) pour promouvoir un médicament antimigraineux. Ces rencontres vivement encouragées par les publicitaires sont conçues pour lever les « freins psychologiques » ou les « résistances », même si, là encore, quelques résultats d'études judicieusement diffusées servent à nourrir l'impression d'une conférence strictement scientifique. Ensuite, le labo utilisera son escadron de visiteurs médicaux – dix mille chez Pfizer dans le monde –, pour verrouiller le message auprès du médecin rentré à son cabinet. Aux États-Unis, l'ensemble des industriels de la pharmacie dépense en

1. *British Medical Journal,* vol. 322 (17 février 2001).
2. Article 9 de la directive 92/28/CEE du 31 mars 1992 : « Dans le cadre de la promotion des médicaments auprès des personnes habilitées à les prescrire ou à les délivrer, il est interdit d'octroyer, d'offrir ou de promettre à ces personnes une prime, un avantage pécuniaire ou un avantage en nature, à moins que ceux-ci ne soient de valeur négligeable et n'aient pas trait à l'exercice de la médecine ou de la pharmacie. »

moyenne treize mille dollars en publicité et promotion par médecin[1]. En France, aucun chiffre de ce type n'est disponible.

Les publicitaires français le disent : la visite médicale est, dans l'arsenal des techniques publipromotionnelles des labos, un outil efficace. Les industriels lui consacraient en 1997 70,4 % de leur budget de promotion, selon Trade Care. L'entretien d'un réseau coûte cher, six cents francs le « coût de sonnette », cinquante millions de francs pour payer une centaine de visiteurs à l'année. Sans compter le matériel publicitaire. Le délégué médical dispose de documents d'« aide à la vente » (brochures, blocs-notes, « remises », etc.) conçus par les publicitaires, il distribue aussi des échantillons et invite les médecins à déjeuner. Aux États-Unis, des réunions d'information « parrainées » permettent de régaler les étudiants en médecine. En France, on trouve aussi de ces soirées de médecins organisées par les labos.

Ces pratiques sont un sujet sensible pour les patients comme pour les médecins. Même si la majorité des praticiens ne se dit pas dupe : « Les médecins de ma génération sont méfiants vis-à-vis de l'information médicale, on sait bien que celle diffusée par les visiteurs médicaux tient surtout de la communication et de la promotion[2] », confie le Dr Richard Birène, généraliste à Paris. Lui reçoit en moyenne chaque jour deux visiteurs, trois à cinq mailings publicitaires et une dizaine de coups de fil émanant des labos.

« Il est très difficile de mesurer l'efficacité des visiteurs médicaux, m'explique Hervé Bonnaud, un médecin devenu patron de l'agence Saatchi & Saatchi Healthcare. Tout ce

---

1. *The Journal of Family Practice*, vol. 49, n° 9 (septembre 2000).
2. « Les antidotes d'un généraliste », *Stratégies* (9 mars 2001).

VRP pr labos !

qu'on sait, c'est que sur une unité géographique qui n'a plus de visiteurs pendant trois mois les ventes s'effondrent instantanément. » Facile, en tout cas, de contrôler l'efficacité commerciale de chacun : près de 9 000 pharmacies en France – sur les 23 000 que compte l'Hexagone – acceptent de fournir aux laboratoires la copie des ordonnances nominatives délivrées par les médecins. Elles permettent de mesurer l'impact d'une visite médicale sur les ventes dans un quartier. De mesurer la qualité du « soutien » du médecin au labo. Pour après, éventuellement, le remercier.

Les cadeaux de valeur importante sont interdits. Quant aux gadgets, « on ne se rappelle plus quel laboratoire nous l'a offert », affirme le généraliste parisien. Même si le nom du médicament apposé sur l'objet trône bien en vue sur son bureau ? Les visiteurs médicaux ont interdiction de proposer des avantages en nature, « à moins que ceux-ci ne soient de valeur négligeable[1] ». Mais comme le mot « raisonnable » à propos des colloques, le mot « négligeable » est laissé à l'appréciation des laboratoires. Ce qui leur permet une assez grande marge de manœuvre.

Pfizer, pour son Viagra, avance masqué. Plusieurs sources affirment que des associations œuvreraient pour son compte, ce que le laboratoire dément formellement. Quoi de plus neutre en effet pour lever les « blocages psychologiques » qu'un émetteur scientifiquement légitime et qui n'affiche pas d'intérêt pour le profit financier ?

Quand le Viagra a commencé à être commercialisé, c'est sans doute par un heureux concours de circonstances que plusieurs associations consacrées aux « troubles de la sexualité » ont fleuri en Europe. Une par pays, précisément. En France,

---

1. Selon la directive de 1992 citée note 2, p. 149.

soutien associatif/scientifique...
pr rendre légitime...

elle a pris le nom d'Adirs (Association pour le développement de l'information et de la recherche sur la sexualité) et
n'a été créée qu'au début de l'année 2000. La première avait
été testée en Grande-Bretagne (ESDA), puis en Allemagne
(ISG : German Information Center for Sexuality and Health).
La Grèce s'est aussi dotée d'une association en novembre
1999. Elle est associée à l'université d'Antosh de Thessalo-
nique.

Le nom de Pfizer n'y est pas mentionné, il ne figure pas
non plus dans les statuts diffusés par les associations qui disposent de sites Internet. Mais l'Adirs est présentée au détour
d'une phrase par la porte-parole de Pfizer en France comme
une association de médecins « tout à fait indépendante ». Son
but est de « donner aux gens une compréhension élémentaire
des plus courants désordres sexuels et [de] les familiariser
avec leur condition ».

Intriguée qu'un labo puisse vendre autre chose que ses produits, j'apprendrai plus tard que le labo finance et fait concevoir par ses publicitaires les outils d'information (affiches,
numéro indigo...) diffusés par l'association. « Il y a indépendance et indépendance », reconnaît un publicitaire, ennuyé.
Pfizer assumerait les frais de fonctionnement de la cellule
mais « il n'y a aucun membre de Pfizer au conseil d'administration ou au bureau ». Ce serait une sorte de *gentleman's
agreement*. L'Adirs sert les intérêts de Pfizer. N'allez pas
croire qu'il s'agisse de patients qui se sont regroupés sponta-
nément.

Les publicitaires de McCann-Ericksson et de Publicis
Wellcare en France confirment avoir déjà aidé à l'installation
de ces associations-écrans, dotées chacune – ça fait plus
sérieux – d'un conseil scientifique et d'un bureau tenu par
quelques médecins de renom. « C'est une chambre d'écho
intéressante pour faire bouger les choses, elle permet de faire
exister la problématique de communication dans un cadre de

référence scientifique », commente Marc Saint-Ouen, d'Euro RSCG Corporate, qui confirme que ce procédé est courant.

Aux États-Unis, l'utilisation des associations par les labos commence à être sérieusement critiquée. Un article du *Washington Post*, fin 2000, a fait état d'une enquête diligentée par la Food and Drug Administration sur les trop nombreuses associations créées par le laboratoire Schering-Plough pour faire la promotion des traitements contre l'hépatite C[1]. Ses associations-écrans utilisent les services de l'agence de relations publiques Shandwick International pour répondre aux questions du public et faire, subtilement, la promotion du médicament Ribalon vendu par Schering-Plough. Le labo a confirmé avoir « aidé à faire germer » des associations dans neuf États américains. En France, les standards des associations sont parfois basculés sur des plateformes téléphoniques financées par les labos quand il faut répondre aux appels suscités par des spots télévisés.

Ici, on ne s'interroge pas sur ces pratiques. Le site Internet de l'Adirs égrène un chapelet de slogans-chocs qui reprennent presque mot pour mot l'argumentation publicitaire de Pfizer : « Sachez qu'environ un homme sur dix déclare avoir des troubles de l'érection fréquents. Alors si c'est votre cas, n'hésitez pas à en parler à votre médecin. [...] Quel que soit votre âge, les troubles de l'érection ne sont pas une fatalité. [...] Ne laissez plus vos problèmes d'érection affecter votre équilibre ou celui de votre couple », etc. Personne ne s'étonne.

Peut-être est-ce parce que, pour noyer le poisson, l'associa-

---

1. Revue *Scrip* (22 septembre 2000).

pas d'autres choix

tion-écran ne cite pas le Viagra comme unique remède. Le produit n'est, fort habilement, cité qu'une seule fois. Mais la présentation des traitements est construite de telle sorte qu'il n'existe plus d'autre choix raisonnable pour le patient « révélé ». Qui choisira en effet « un produit d'origine végé-tale [...] dont l'efficacité n'a pas pu être démontrée formelle-ment », ou les effrayantes « injections intracaverneuses » (piqûres dans la verge) ou les « introductions transurétrales » (appareil introduit dans l'urètre) ou encore le moyenâgeux *vacuum*, ce tube qui aspire la verge verticalement avant de la rigidifier par un nœud en caoutchouc à sa base ? Les schémas sont suffisamment explicites pour provoquer une moue terri-fiée chez le plus courageux des hommes ou la plus volonta-riste des compagnes ! Alors, on préférera (modestement) les comprimés de « sildénafil », « ce produit commercialisé sous le nom de Viagra [...] le premier traitement en comprimés qui ait fait la preuve d'une efficacité réelle [...] et qui [...] ne fait que renforcer les mécanismes normaux de l'érection »... et dont les multiples vertus font l'objet d'un long développe-ment sur le site Internet de l'Adirs.

La campagne d'« éducation » du Viagra a eu moins de suc-cès que celle du vaccin antihépatite B, opération conduite par SmithKline Beecham (avant sa fusion avec Glaxo Well-come). Ce labo pourrait avoir pris quelques libertés avec les impératifs de santé publique. Retour sur une campagne d'édu-cation poussée à l'excès qui aurait fait prendre des risques inutiles à de nombreux Français.

La campagne de communication qui a encouragé les Fran-çais à se faire massivement vacciner contre l'hépatite B n'a pas encore livré tous ses secrets. Depuis 1994 environ, trente millions de personnes en France se sont fait vacciner à raison de quatre injections par personne. Pour le plus grand bénéfice de deux laboratoires, SmithKline Beecham et Pasteur Vaccins, deux des trois fabricants du vaccin. L'opération n'a pas fini de soulever des questions.

En 1994-1995, alors que la France affronte les peurs liées au sang contaminé (mille sept cents victimes) et au sida, les leaders du corps médical vont pousser à la vaccination massive contre l'hépatite B présentée comme une maladie sexuellement transmissible (« même par la salive », dit un spot radiophonique). De gros moyens sont mis sur la table. Une conférence de presse à laquelle participe le ministre de la Santé Philippe Douste-Blazy lance la campagne publicitaire qui comprend un spot télévisé, des messages radiophoniques, des affiches (« Ta santé, c'est ton avenir »), des livrets d'information pour attirer, dans l'urgence, l'attention sur ce nouveau fléau.

Nouveau, on peut le dire : la France n'a jamais fait partie des foyers endémiques de propagation du virus, jusqu'ici plutôt localisés en Asie et en Afrique noire. Jusqu'en 1994 n'étaient vaccinés en France que les populations dites « à risque », c'est-à-dire surtout les membres de professions médicales et paramédicales, les homosexuels et les prostituées[1]. Résultat de la campagne : en 1995 seulement, on vaccina autant que dans les quatorze années précédentes.

On a vécu en France pendant ces deux années 1994 et 1995 – et ce n'est pas fini car les pouvoirs publics continuent à recommander la vaccination de tous les nourrissons – une opération de communication efficace dont le bien-fondé médical reste à prouver.

Les Français se sont fait rouler dans la farine, estiment nos

—————

1. *Les 365 nouvelles maladies*, ouvrage collectif, Médecine-Sciences Flammarion, 1989.

voisins britanniques. Le *British Medical Journal*[1] (*BMJ*) restitue ainsi la tentative de SmithKline Beecham d'imposer la maladie de l'hépatite B en Grande-Bretagne : « Il y a une semaine, l'Angleterre s'est réveillée avec, pendant le petit déjeuner, le sentiment nouveau que peut-être elle allait attraper l'hépatite B. À 9 heures du matin, vingt-six bulletins de radio et de télévision "révélaient" que les meilleurs experts médicaux prônaient une stratégie universelle d'éradication du virus chez les enfants. » Et de poursuivre : « Si notre ministère s'y refusait, évidemment il oublierait son devoir de protection à l'égard de nos enfants. D'autant que cette recommandation émanait aussi de l'OMS. »

Le *BMJ* lève le voile sur les deux (vraies) raisons de cette soudaine préoccupation. « La première : le laboratoire SmithKline Beecham avait organisé une conférence de consensus sur ce sujet l'an dernier ; la deuxième : il venait de mandater l'agence de relations publiques Shire Hall Communications pour en diffuser les résultats. » Et le journaliste de remarquer : « Shire Hall réalisa un travail remarquable. Même si l'immunisation universelle des enfants anglais pour une maladie qui ne s'attrape que dans certains pays tropicaux, ou lors d'injections de drogue par intraveineuse, ou encore en cas de fréquentations sexuelles multiples, a mis un sourire sur de nombreux visages. » La Grande-Bretagne n'a pas plié sous la dramatisation principalement orchestrée par SmithKline Beecham. La France si.

Car la campagne – qui bénéficia largement à ce labo qui obtint en 1994 l'exclusivité de la vaccination en milieu sco-

---

1. Douglas Carall dans *British Medical Journal*, l'une des cinq revues les plus lues au monde, éditée par l'association des médecins britanniques, vol. 313 (28 septembre 1996).

laire et en un an augmenta de 24 % son chiffre d'affaires – présente la caractéristique politique (à la différence du Viagra ou de l'Œsclim) d'avoir été cautionnée et promue par le ministre de la Santé de l'époque, Philippe Douste-Blazy en personne[1]. Celui-ci demanda au Comité français d'éducation pour la santé (CFES) d'en être l'opérateur pour le compte des pouvoirs publics. Ce dont ne se cachait pas, en 1997, Alain Aufrère, responsable « relations et communication scientifique » pour les vaccins et la médecine du voyage chez SmithKline Beecham.

Voici ce qu'il déclarait en janvier 1997 au mensuel *Sciences et Avenir*[2] : « Dès 1988, nous avons commencé à sensibiliser les experts européens de l'OMS à la question de l'hépatite B ; de 1988 à 1991 nous avons financé des études épidémiologiques sur le sujet pour créer un consensus scientifique sur le fait que l'hépatite était un problème majeur de santé publique. » Et de souligner : « Avec succès puisqu'en 1991 l'OMS a émis de nouvelles recommandations[3]. » Un peu plus loin, on peut lire : « En France, nous avons eu la chance de tomber sur Philippe Douste-Blazy [...]. Nous sommes allés le voir et il a compris du premier coup d'œil qu'il y avait un problème de santé publique. Cela n'a pas été le cas avec l'Allemagne et la Grande-Bretagne. »

Selon le magazine *Sciences et Avenir*, fin 1996 six millions d'adultes au moins auraient été « inutilement » immunisés.

---

1. D'après une enquête de la rédaction de « 90 minutes » (Canal Plus) diffusée les 23 et 28 janvier 2001 et intitulée « Hepatite B : mensonges autour d'un vaccin ».

2. « L'habile stratégie d'un labo », *Sciences et Avenir* (janvier 1997).

3. Un document cosigné du Viral Hepatitis Prevention Board et de l'OMS, intitulé « A technical consultation on the safety of Hepatitis B vaccines », a rendu compte de la conférence de consensus, organisée à Genève du 28 au 30 septembre 1998.

Les effets secondaires de cette vaccination massive sont nombreux. Trop nombreux peut-être, comme le montre une enquête nationale commandée en 1994 : scléroses en plaques qui se multiplient, nombreux cas de lésions du système nerveux, d'arthrites juvéniles, etc. À propos des conséquences de la vaccination massive antihépatite B, l'Afssaps demandait en février 2000 que des efforts de surveillance soient réalisés pour tenter d'identifier les caractéristiques des populations potentiellement à risque. Car le croisement des études qui mentionnent des lésions du système nerveux (scléroses en plaques, etc.) « suggère un nombre réel de cas significativement supérieur au nombre de cas attendu[1] ».

Plusieurs équipes de scientifiques ont tiré la sonnette d'alarme à l'étranger. Une étude américaine a révélé, en septembre 2000, un nombre important de scléroses en plaques associées à la vaccination antihépatite B[2]. Un autre article a été publié un mois avant par les *Annals of Epidemiology*. Il présente les résultats d'une étude clinique indépendante des labos et menée aux États-Unis en 1993 et 1994. Là encore, des effets secondaires graves et en nombre relativement élevé ont été constatés chez les enfants de moins de six ans ayant été vaccinés[3]. La conclusion est sans appel : « Le risque d'infection des enfants est négligeable, en conséquence la vaccination systématique n'est pas recommandée[4]. »

---

1. Document siglé République française, intitulé « Vaccination antihépatite B, mise à jour des données et des études de pharmacovigilance » (février 2000).

2. « Medical progress : multiple sclerosis », *The New England Journal of Medicine*, vol. 343, n° 13.

3. Il s'agirait de lésions de la myéline. Ce corps qui recouvre les nerfs pourrait être à l'origine de scléroses en plaques lorsqu'il est endommagé par le vaccin.

4. « Adverse events with Hepatitis B Vaccine in US children less than six years of age, 1993-1994 », Annals of Epidemiology, vol. 11, n° 1 (janvier 2001).

Fin décembre 1999, 8,9 millions d'enfants français de moins de quinze ans, dont 1,8 million de moins de deux ans, avaient été vaccinés d'après des chiffres fournis par l'organisme d'État français. Tout cela semble tellement compliqué que personne ne parvient véritablement à y voir clair. Le mur de communication et de lobbying tient bon. Résistera-t-il aux procès qui menacent ?

Cent cinquante plaintes ont été déposées, en France, en 1994 et 1995 devant des juridictions civiles par des victimes qui seraient tombées malades à la suite de la vaccination et souhaitent aujourd'hui obtenir réparation. Et cinq dossiers dans lesquels les « patients » sont décédés – deux enfants, une jeune fille et deux adultes – sont actuellement instruits au pénal. Les plaintes ont été déposées pour « homicide involontaire » en 1997. En janvier 2001, le juge qui vient (enfin) d'être nommé envisagerait de les requalifier en « publicité mensongère ». Car, dans bon nombre de cas, c'est la publicité qui a convaincu la personne de demander le vaccin à son médecin.

Selon l'un des rapports d'expertise commandés par le juge d'instruction du tribunal de Bobigny, on peut lire à propos d'un jeune homme dont le système nerveux central est dramatiquement endommagé : « La vaccination aurait été décidée par l'intéressé à la suite d'un spot publicitaire télévisé attirant l'attention des jeunes sur le risque d'hépatite B lié à leurs comportements sexuels. » Le patient obtient parfois gain de cause et impose ce qu'il veut au médecin. Certains arrivent à la consultation en « exhibant des coupures de presse vantant les mérites d'un médicament révolutionnaire : "Il faut leur expliquer et les convaincre", soupire le généraliste de l'est parisien » interrogé par *Stratégies*.

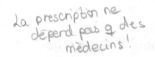

La prescription ne dépend pas q des médecins!

Plus généralement, le consommateur joue un rôle croissant dans la prescription des médicaments. Dans *Le Monde*, la journaliste Véronique Lorelle écrit : « Il influence le médecin, voire exige de lui la prescription, en réclamant certains médicaments parce qu'il en a entendu parler [...]. » Ce que confirmait un porte-parole de Pfizer dans les colonnes du magazine américain *Advertising Age*. Ces annonces qui s'adressent aux consommateurs-patients, « c'est simple, ça marche », expliquait-il.

Prenons le cas du Viagra. Le nombre de prescriptions n'arrête pas d'augmenter : dix-neuf millions d'ordonnances ont été rédigées par les médecins pour six millions de « patients » au premier trimestre 2000, contre sept millions d'ordonnances pour trois millions de patients dans l'année 1998. En France, en 1999, le Pr Lucien Abenhaim, directeur général de la santé, s'inquiétait : « Le corps médical redoute que le patient n'influence, voire ne dicte bientôt la prescription des médicaments [...]. » Avant d'ajouter : « La pression exercée sur les médecins généralistes risque de mettre *in fine* les pouvoirs publics dans l'obligation de rembourser ces médicaments[1]. » Même son de cloche aux États-Unis où l'ancien commissaire à la Food and Drug Administration, le Dr David Kessler, estime que ce type d'action publicitaire « peut influencer » le choix du médecin[2].

Le succès des campagnes symptômes est tel que, même en période de ralentissement économique, les publicitaires amé-

1. *Le Monde* (24 novembre 1999).
2. *Advertising Age* (juin 1999).

ricains s'estiment à l'abri : « La plupart de ces pubs sont pour des médicaments qui rapportent plus d'un milliard de dollars de revenus aux entreprises. Avec ce niveau de vente, il est peu probable que vous réduisiez votre investissement en communication[1] », confirmait, en janvier, Bob Ehrlich, un ancien dirigeant de Warner-Lambert (avant la fusion avec Pfizer) devenu publicitaire.

À la différence des États-Unis, la publicité « auprès du public » n'est autorisée en Europe que pour les vaccins et « les médicaments qui, par leur composition et leur objectif, sont prévus et conçus pour être utilisés sans intervention d'un médecin pour le diagnostic, la prescription ou la surveillance du traitement, au besoin avec le conseil du pharmacien[2] ». Ce n'est pas le cas du Viagra. Ce médicament nécessite un diagnostic médical avant d'être prescrit : mal utilisé, il peut être dangereux. « Le problème, explique le Dr Marc Girard, c'est que tous ces terrains défavorables sont sur-représentés dans la cible visée par le Viagra, les hommes de plus de cinquante ans. Tout cela est d'une grande hypocrisie. » De toute façon, n'importe qui peut facilement acheter du Viagra sur Internet, sans autre formalité.

Les laboratoires n'ont sans doute pas d'intentions malveillantes, mais leurs appétits commerciaux les poussent à prendre toujours plus de risques. Les labos, qui devraient perdre jusqu'à 35 % du chiffre d'affaires qu'ils réalisaient en 1995 au profit des médicaments génériques[3], veulent tirer parti au mieux des opportunités tant qu'elles sont juteuses. Obligés par des marchés financiers qui sanctionnent des taux

---

1. *Advertising Age* (janvier 2001).
2. Directive du 31 mars 1992, chapitre II, article 3.
3. Selon une étude publiée en 1999 par le Boston Consulting Group.

de croissance inférieurs à 15 % par an, les industriels de la pharmacie se sont donc engagés dans des logiques de plus en plus agressives. Aux États-Unis, siège de 75 % de l'industrie pharmaceutique mondiale, les dépenses publicitaires pour des médicaments vendus sur ordonnance ont augmenté de 43 % dans les six premiers mois de l'année 1999.

Cette effervescence rappelle un peu celle des années 1920-1930 où, faisant feu de tout bois, quelques pharmaciens inventaient les maux de demain pour assurer la bonne marche de leur échoppe. Vers 1910, par exemple, la pub a transformé la levure en source de vitamines... à manger à pleines cuillerées. Le producteur américain de levure Fleischman voyait s'effondrer ses ventes de levure culinaire, les maîtresses de maison cuisinaient de moins en moins de pâtisserie. Puis les publicités de Fleischman ont soudain vanté les mérites de la levure comme laxatif à raison « d'un gâteau et demi par jour ». À l'époque, « il n'a jamais été prouvé que la levure pouvait lutter contre la constipation, mais les ventes ont tout de même plus que doublé sur la foi de cette argumentation[1] », raconte Carrie McLaren. Sur le même mode, dix ans plus tard, le fabricant du désinfectant Lysol lançait une campagne pour présenter ce produit comme un contraceptif. Il suffisait de jouer sur les mots « tueur de germes » et « tueur de sperme ».

En 2001, les choses ont finalement peu évolué. Ce ne sont plus des charlatans saltimbanques qui haranguent le chaland, mais des poids lourds de l'industrie qui poussent toujours plus loin les limites de l'acceptable. Puisque les boissons

---

1. *Stay Free! Magazine*, n° 16.

gazeuses, l'eau minérale possèdent – c'est la pub qui le dit – des vertus médicinales, le médicament, lui, est devenu un produit comme un autre. Et le patient, un consommateur comme un autre. Aujourd'hui, on veut mieux vieillir parce qu'on vit plus longtemps. On n'admet plus d'être malade : il faut être beau et jeune, si possible éternellement.

Cette attitude prouve combien l'argent des industriels de la santé a été judicieusement investi. Ils ont dépensé près de quatorze milliards de francs dans des communications destinées à « éduquer » les Américains en 1999, selon l'institut IMS Health. Les leçons sont apprises. Mais quel sens cela a-t-il vraiment ? D'après Al Gore, l'ancien vice-président américain monté au créneau sur la question des dépenses publicitaires pharmaceutiques pendant la campagne présidentielle 2000, les laboratoires « dépensent maintenant plus en publicité et promotion – regardez toutes ces pubs – qu'en recherche et développement[1] ». Adonis Hoffman, vice-président de l'association des agences de publicité américaines, estime au contraire que « la publicité pour des médicaments sur ordonnance dirigée directement vers le consommateur ou le consommateur potentiel lui fournit des informations de valeur sur les traitements à risque et les effets secondaires ».

La vampirisation du discours sur la santé publique ne semble pas émouvoir notre gouvernement. Au Comité français d'éducation pour la santé (CFES), organisme officiellement mandaté par le gouvernement pour organiser des campagnes de prévention sanitaire, on avoue son désarroi face à l'offensive et aux moyens de communication déployés par les industriels.

Aux États-Unis, les mensonges des communications phar-

---

1. « Crain Communication », *Advertising Age* (octobre 2000).

maceutiques commencent à être fortement critiqués. Deux plaintes ont été enregistrées fin 2000, en Californie et dans le New Jersey. Elles reprochent au laboratoire Novartis d'avoir conspiré avec un groupe de psychiatres dans le but d'inventer la maladie de l'hyperactivité enfantine (ADHD) pour vendre son antidépresseur phare, la Ritalin. Des millions d'enfants américains sont ainsi considérés comme « malades » parce qu'ils sont turbulents.

En Europe, on regrette que ces campagnes « symptômes » se déploient aussi largement. Les gouvernements refusent, sur le papier, de se montrer permissifs. Faudra-t-il attendre des actions judiciaires à l'américaine ou les pouvoirs publics se décideront-ils à faire le ménage ? L'Europe va-t-elle devenir l'Amérique ?

soirées organisées par cigarettiers ac kdo...

4

Les cigarettiers, contrebandiers publicitaires

Une affiche anodine. Une affiche aux couleurs chaudes et au graphisme « techno ». Elle est scotchée sur la vitrine de certains commerçants à Amiens (Somme) pour annoncer la soirée « Australian Mixman Party », samedi 24 février 2001, à la discothèque Millénium. Un panneau routier australien jaune et un rectangle rouge estampillé d'un kangourou... La promotion de l'Australie en plein pays picard. Pourquoi pas ? Le néophyte n'y voit que du feu. Les étudiants de cette ville universitaire, eux, ont compris : il s'agit d'une pub clandestine pour la plus australienne des cigarettes américaines, Winfield.

À l'entrée de l'« Australian Mixman Party », deux hôtesses habillées à la couleur rouge de la marque accueillent le millier d'étudiants ayant répondu à l'appel. Elles leur distribuent des bracelets, des colliers avec des médaillons en forme de boomerang ou de carte d'Australie. Un DJ recruté et payé par Winfield a remplacé l'animateur habituel. Il fait danser toute la nuit et lance dans la foule, de temps à autre, des sacs, des casquettes... Pas de cigarettes gratuites, mais au comptoir on ne trouvera ce soir que des Winfield.

Ces soirées se sont multipliées en France depuis quatre, cinq ans, dans les bars, les discothèques, les fêtes organisées par les bureaux des élèves des grandes écoles. La mécanique est rodée. Pour annoncer cette soirée, le Millénium s'est contenté de remplir un encadré avec son adresse et la date de la soirée sur l'affiche fournie dans le « kit animation Winfield ». Les responsables du Millénium organisent environ quatre soirées par an en partenariat avec l'industrie du tabac.

Ils se souviennent avec enthousiasme de la soirée Camel. Un homme déguisé en chameau peluche « Joe le Camel » était venu se trémousser au milieu des danseurs. Les participants se sont fait photographier à ses côtés, il y avait des écrans vidéo géants, « c'était un vrai spectacle », me raconte l'un d'eux. Chaque fois, le troc est le même : pour la marque, c'est l'occasion d'être perçue « positivement » dans un contexte favorable à la consommation ; pour les responsables de la discothèque, c'est l'assurance d'avoir salle comble grâce aux cadeaux. Ces soirées sont des succès. Des succès dans l'illégalité.

Depuis l'entrée en application de la loi Evin en janvier 1992, les marques de cigarettes n'ont plus le droit de faire de la promotion ou de la publicité directe ou indirecte pour leurs produits [1]. Pas de publicité dans les médias, pas de publicité hors médias, pas d'animations promotionnelles, pas de parrainage culturel ou sportif. Rien. Prises en flagrant délit, ces entreprises et leurs associés risquent de cinq mille à cinq cent mille francs d'amende. Et le retrait de la vente du produit en cas de récidive. C'est peu pour leur couper toute envie publicitaire. C'est assez pour les dissuader d'agir avec ostentation. Alors les bannis de la pub tentent leur chance aux frontières du droit. Petit florilège des méthodes de communication subliminale qui fourmillent aux quatre coins de la France.

---

1. Loi du 10 janvier 1991 : « Toute propagande ou publicité directe ou indirecte en faveur du tabac ou des produits du tabac ainsi que toute distribution gratuite sont interdites. »

Il y a d'abord les *road shows* dans les villes balnéaires l'été et les stations de ski l'hiver. Les responsables marketing constituent une équipe de deux à six personnes et lui allouent du matériel. Il y a en général un régisseur, une à trois hôtesses et un technicien pour « installer la sono, gérer le micro », m'explique Éric Grasland, directeur général de l'agence Sales et Promotion, qui affirme ne pas travailler pour l'industrie de la cigarette. Même si son entreprise cherchait à recruter deux « hôtesses commerciales en discothèques et bars musicaux » pour « animer des soirées promotionnelles pour des marques de cigarettes » pendant les mois de juillet et août 2000, « à raison de quatre établissements par soirée », de 22 heures à 2 heures du matin dans la région de La Rochelle. « Une erreur », selon M. Grasland. Bon. De toute façon, aucune soirée de promotion illégale n'a encore donné lieu à des sanctions.

Les marques de cigarettes ont aussi pris l'habitude de se glisser dans les manifestations musicales – comme au Printemps de Bourges ou aux Francofolies de La Rochelle, par exemple –, ou lors des grands événements sportifs. En juin 2000 un huissier, une ordonnance du juge en poche, a fait le relevé scrupuleux de la promotion organisée par Philip Morris à l'intérieur de l'enceinte de Roland-Garros. Une procédure judiciaire est en cours. Après avoir constaté la présence du nom Philip Morris « en lettres vertes sur fond blanc » et « d'un très grand nombre d'objets » (briquets, porte-clefs, montres, tee-shirts...) sur un stand installé près du village officiel, il a rendu compte du déroulement des opérations. Les hôtesses vendent des cigarettes et, « selon le nombre de paquets de cigarettes achetés par les clients, il leur a été donné différents objets gratuitement et particulièrement des briquets ». Et de remarquer qu'il n'existe pas de barème affiché pour les cadeaux, mais les hôtesses sont « particulièrement averties et préparées ». Ceci est normalement interdit par la loi. Qui s'en soucie ?

Pour se faire une idée du caractère stratégique de ces animations qui coûtent près d'un milliard de francs par an aux industriels, il suffit de prendre connaissance des informations « strictement confidentielles » délivrées par l'agence Dip'Hôtesses. Cette agence fournit des hôtesses de vente dans les bureaux de tabac. Des hôtesses du même type que celles utilisées par Philip Morris à Roland-Garros.

Celles qui travaillent pour Dip'Hôtesses sont formées pendant huit heures avant d'être envoyées chez les buralistes. Leur mission : « installer la PLV [promotion sur le lieu de vente] et les éléments promotionnels de façon valorisante [...] ; identifier et aller au-devant des tous les consommateurs cibles ». Et Dip'Hôtesses de distiller ses bons conseils. Le débitant « est votre meilleur allié pour la réussite de votre action ; ayez son nom en tête en arrivant ». Tout est prévu, calculé, millimétré. Le maquillage doit être « discret mais sophistiqué », des « accessoires aux couleurs de la marque animée uniquement ». Sans oublier une discipline quasi militaire. Il est interdit de « fumer », de « mâcher du chewing-gum », de « manger ou boire », de « donner votre avis personnel »... Ultime conseil « déontologique » : la dégustation et la prise en main par le client des cigarettes sont interdites.

Lorsque j'ai interrogé l'un des vingt plus gros débitants de Paris, porte d'Orléans, il m'a confié recevoir chaque mois entre deux et trois animations promotionnelles pour des cigarettes. Un petit cirque régulier. Ces filles « plutôt jeunes » « étalent leur marchandise et parfois elles font sentir les cigarettes aux clients, et selon le nombre de paquets qu'ils achètent, leur offrent ensuite un stylo ou un briquet », m'explique la jeune femme derrière la caisse.

L'efficacité? Sur le moment, la marque vend plus de paquets, et les clients « sont contents » d'avoir des cadeaux. Qu'est-ce qu'un paquet ou deux de plus en échange d'un disque du DJ Fred (deux paquets de Camel), d'un sac de sport, ou d'un cendrier en aluminium (Chesterfield), d'une casquette, de pin's (quand c'était la mode), d'un tee-shirt et même d'une trottinette. Parfois il faut gratter un jeu-concours, d'autres fois, les lots sont distribués en fonction du nombre de paquets achetés...

Un arrêté ministériel signé par Bernard Kouchner le 31 décembre 1992, qui venait compléter la loi du 10 janvier 1991, a précisé la promotion autorisée sur le lieu de vente : les affichettes au format de 60×80 centimètres, sans slogan, à condition qu'elles ne soient pas visibles de l'extérieur. Les animations promotionnelles d'aujourd'hui sont autrement plus agressives commercialement. Même si c'est avec le sourire.

Le Comité national contre le tabagisme (CNCT) veut bloquer cette nouvelle forme de communication sur le lieu de vente, comme elle l'a fait pour la première génération de pubs clandestines. Au début des années 90, on a vu en France fleurir des produits dont les noms avaient une consonance familière de marques de cigarettes.

Quelques mois avant et après l'adoption de la loi, les fabricants ont, en effet, cherché à la contourner – « à l'interpréter », disent-ils – en lançant des produits prétextes. À en croire les soudaines pages de publicité qui ont fleuri, Peter Stuyvesant n'était plus qu'une agence de voyages pour les jeunes (Peter Stuyvesant Travel), Marlboro une marque de vêtements pour cow-boys urbains (Marlboro Classics), Camel et Gauloises des organisateurs ou parrains de compétitions sportives, voire une ligne de vêtements (Camel Trophy, Raid

Gauloises), Gitanes un festival de musique et un label discographique (Gitanes Jazz Festival), etc. Activités sans relation directe avec la vente de cigarettes, mais qui soudain bénéficiaient de budgets publicitaires sans équivalent. En dépit des interdictions françaises, les industriels du tabac consacraient encore, en 1993, cinquante-trois millions de francs à la publicité pour les cigarettes[1].

Dans son rapport relatif aux années 1990 à 1993, l'Observatoire permanent des publicités et promotions des produits du tabac (organisme public) épingle ces pubs indirectes. Gérard Dubois, professeur de santé publique et président du Comité national contre le tabagisme (CNCT) confiait à l'époque : « Nos moyens limités et l'ingéniosité des cigarettiers à violer la loi ne permettent pas de prétendre à l'exhaustivité. » Et de poursuivre : « Nos avocats ont engagé des poursuites [...] conformément à l'article 19 de la loi du 10 janvier 1991 [...]. » Le CNCT – en même temps qu'il était confronté lui-même aux tribunaux qui mirent en examen son directeur pour détournements de fonds – se lançait dans la traque systématique des promotions interdites. Malgré son budget gelé et l'abandon du soutien ministériel, l'association reconnue d'intérêt public provoquait de nombreuses procédures à l'encontre des industriels. Quitte à démêler des montages financiers complexes.

En avril 1997, par exemple, elle faisait poursuivre par le parquet de Paris Peter Stuyvesant Travel qui affichait sur les vitrines des commerces de Paris et de la région parisienne, son programme de voyages pour jeunes : « City Vibes ». Peter Stuyvesant Travel était une marque gérée par l'agence Multipromotions qui utilisait une licence accordée par Peter Stuyvesant Travel Pays-Bas, filiale indirecte de Rothmans

---

1. *Le Monde* (15 mars 1994).

Tobacco Company (Europe). Finalement, Peter Stuyvesant Travel a disparu de France.

Des documents saisis chez Reynolds France le 2 février 1995 ont confirmé que les activités de développement de licences et de logos via des « canaux légaux et financiers qui [sont] hermétiquement séparées des sociétés de tabac[1] » étaient la stratégie établie, notamment, pour les marques Camel et Winston depuis 1992. Différentes copies des plans mondiaux de communication établis pour les années 1992-1996 et 1993-1997 ont livré devant les tribunaux français les modes de contournement prévus de longue date.

Les juges eurent, au début, bien des difficultés à trancher de façon cohérente. Mais de premiers jugements en cours d'appel, puis en arrêts prononcés par la Cour de cassation, ils ont fini par condamner systématiquement ces marques dérivées au motif que le graphisme, la présentation et d'autres signes distinctifs rappellent le tabac ou un produit du tabac, à l'exception des filiales ou sociétés financièrement indépendantes créées avant le 1er janvier 1990. Ce fut une nouvelle herbe coupée sous le pied d'industriels qui durent, du coup, aller un cran plus loin. Il n'est plus question désormais de faire apparaître le nom, même modifié.

En 2000, la communication est devenue subliminale. Il faut que la marque soit identifiable sans être ouvertement visible. Pour cela, les publicitaires doivent imaginer des ensembles cohérents de signes, de couleurs et de symboles qui renvoient à l'univers de communication, à la marque de cigarettes : les grands espaces de liberté et les cow-boys nous rappelleront Marlboro ; le chameau Joe, l'humour et l'aventure, Camel ; le rouge, le jaune et le kangourou nous parlent de Winfield ; les

---

1. *Le Monde* (28 février 1996).

ailes bleues d'un casque gaulois la marque Gauloises blondes...

Ces « patrimoines » de marque – les comptables anglo-saxons leur attribuent une valeur financière importante – sont confiés à des agences de publicité qui les font fructifier : en France, Leo Burnett pour le groupe Philip Morris, Bates pour British American Tobacco, Lintas pour RJR Reynolds (aujourd'hui Japan Tobacco). Cigarettiers et publicitaires jonglent avec la réglementation, un pied sur la ligne jaune, l'autre en avant d'un pas. Question légitime des professionnels : quelle cohérence y a-t-il à interdire de publicité un produit qui est en vente libre ?

En attendant, il faut que moi, consommateur en devenir, je devine la marque, ou mieux que je la ressente. La référence aux cigarettes Winfield sur l'affiche du Millénium était loin d'être évidente ? Un employé de la discothèque me détrompe. Ses jeunes clients « reconnaissent les symboles, ils ont tellement l'habitude de les voir dans les bars, les teintes aussi, vous ne pouvez que faire le rapprochement ». La pub subliminale, celle que l'on ne voit pas mais qui entre en nous, c'est de la pub clandestine. C'est en tout cas sur cette base que la cour d'appel de Paris a, par un arrêt du 18 décembre 1997, confirmé la condamnation de la société BGM pour « publicité indirecte ou clandestine en faveur du tabac ». Il n'était pas question des cigarettes Marlboro.

Cette société diffusait seulement un catalogue, *Welcome to US Collection*, illustré de photographies de l'Ouest américain, chapeaux de cow-boy, chevaux en liberté, montagnes Rocheuses, le tout dans des couleurs rappelant celles d'anciennes publicités Marlboro et sur lesquelles figurait le célèbre cow-boy. Le CNCT, ici, a réussi à obtenir gain de cause. Mais d'autres signes, fort nombreux, continuent de renvoyer les clients potentiels aux paquets de cigarettes. Notamment grâce aux personnages publicitaires qui permettent de faire le lien entre les fêtes et le lieu de vente.

Conformément à des objectifs fixés il y a longtemps, les industriels du tabac cherchent à rendre leurs produits sympathiques auprès de jeunes recrues. Un document interne à la société RJR Reynolds daté du 23 janvier 1975 – déjà ! – indiquait : « Afin d'assurer la croissance à long terme de Camel Filtre, la marque doit augmenter sa pénétration dans le groupe des 14-24 ans [...] qui représente le business de demain. » En 1976, Camel n'était citée comme la marque préférée des jeunes que par 0,5 % d'entre eux. En 1998, dix ans après le lancement du personnage publicitaire Joe Camel – un chameau sympathique, souriant et goguenard –, un tiers des mineurs californiens achetaient des Camel[1]. Entre 1989 et 1993, les dépenses affectées à la promotion de Joe Camel ont bondi de 27 millions de dollars (1989) à 43 millions de dollars (1993).

Pendant cette même période, la part de marché de Camel chez les jeunes a augmenté de 50 % sans bouger d'un iota dans le marché adulte. La marque, en France, n'est pas en reste. Elle relaie le souvenir de ses soirées bon enfant sur ses paquets de cigarettes en apposant sur l'une des faces une série de dessins humoristiques et colorés mettant en scène le joyeux Joe qui « a toujours sa place dans votre valise », « qui se prélasse avec vous tout l'été », qui « adore partager vos virées nocturnes » ou qui « assure dans toutes les situations ». Comme la marque Gauloises blondes (Seita-Altadis), première cigarette blonde vendue en France, qui vante sur ses paquets colorés l'esprit « nightclubber » ou l'« esprit d'équipe » des fumeurs de Gauloises blondes... et même le *safe sex* !

---

1. Une étude publiée en 1991 dans le *JAMA*, « RJR Nabisco's cartoon Camel promotes Camel cigarettes to children », a démontré scientifiquement l'impact du personnage d'animation Joe Camel sur les enfants.

Faut-il voir dans le paquet de cigarettes un outil de propagande clandestine? Une partie « des fumeurs de cigarettes choisit celles-ci non pas d'après le goût du tabac, ni d'après le taux de goudron ou de nicotine, encore moins d'après le prix de vente, mais bien d'après la couleur du paquet », analyse Michel Pastoureau, dans son *Dictionnaire des couleurs de notre temps*[1]. Cet historien, spécialiste des emblèmes et des symboles sociaux, précise : « La couleur, c'est-à-dire ce qui se voit du plus loin et qui emblématise l'ensemble du paquet, reste l'ensemble déterminant. » Comme l'image, le logo, la typographie séduisent le consommateur. Ou les acteurs dans un film.

Depuis quelques années déjà, l'industrie du tabac multiplie en Europe les occasions de croiser les jeunes sur les écrans des salles obscures. Une promotion très indirecte qui passe par le placement de paquets ou de panneaux publicitaires dans les films de cinéma. La sophistication de ces techniques de communication a permis aux marques de cigarettes d'être en position de contourner la loi Evin bien avant qu'elle existe en France! Quelques exemples seulement.

En 1983, l'entreprise Brown & Williamson Tobacco, la filiale américaine de British American Tobacco, passait un contrat avec l'acteur Sylvester Stallone. Celui-ci s'était engagé, par lettre en date du 28 avril 1983, à « utiliser les produits de tabac de Brown & Williamson dans au moins cinq longs métrages », en échange du paiement de cinq cent mille dollars (environ trois millions et demi de francs). Parmi les films concernés par cet accord, il y avait *Rambo* et *Rocky IV*.

La même année, à propos du contrat liant la marque Marl-

---

1. Michel Pastoureau, *Dictionnaire des couleurs de notre temps, symbolique et société*, Éditions Bonneton, 1999.

boro au film *Apocalypse Now,* un dirigeant de Brown and Williamson contestait le montant payé (deux cent mille dollars). Cette prestation, selon lui, n'était pas assez voyante : « Martin Sheen fume des Marlboro tout le long du film, on voit le paquet au début de la bobine 1 et de la bobine 2 [...] », analysait-il, quatre ans après la sortie en salle d'*Apocalypse Now.* « Le logo n'est pas visible. » Lui réclamait une visibilité plus grande dans une note interne datée du 5 décembre 1983. On ne sait s'il l'a obtenue.

La technique n'était pas nouvelle. Déjà, en 1979, Philip Morris Europe, filiale du numéro un mondial, confirmait par un courrier en date du 18 octobre le placement de la marque Marlboro dans le film *Superman 2* produit par les studios Pinewood. Selon cet accord, un panneau lumineux Marlboro de vingt pieds par dix serait présent dans les principales scènes où jouent Sarah Douglas (Urea), Terence Stamp (General Zod) et Christopher Reeve (Superman), en échange de vingt mille livres sterling (environ deux cent mille francs). Les cigarettiers auraient également réussi à placer leurs produits dans des films pour jeune public, comme celui des *Muppets* et *Qui a peur de Roger Rabbit?* « C'est là la forme la plus insidieuse de publicité », estime-t-on au sein de l'association de lutte contre le tabac, Ash-Londres.

Mais c'est sans doute dans le parrainage des écuries de formule 1 que les industriels du tabac ont montré le plus de culot.

Jusqu'en 1968, les championnats de formule 1 étaient relativement peu à la mode. La médiatisation des Grands Prix a pris un essor décisif avec l'arrivée des marques de cigarettes, qui versent entre deux et trois millions de francs – cent fois moins que les tarifs actuels – pour figurer sur les voitures. Au

Grand Prix de Jarama, les cigarettes Gold Leaf et les couleurs orange, blanc et or du paquet remplacent le vert anglais de la Lotus[1]. Ce fut une première, suivie quatre ans plus tard par Marlboro qui recouvre en 1972 la voiture de Jean-Pierre Beltoise.

Aujourd'hui, les fabricants de cigarettes dépensent un milliard et demi de francs par an en sponsoring automobile pour avoir une chance de passer sur les chaînes de télévision – TF1 et Canal Satellite en France –, qui diffusent les images des dix-sept Grands Prix. Ces images valent cher, elles sont contrôlées par le magnat allemand des médias Leo Kirch. Pour les cigarettiers, une monoplace sur ces circuits, « c'est le panneau publicitaire le plus rapide au monde », affirme mon confrère Stéphane Samson, de *L'Auto-Journal*. Les sports mécaniques attirent un public majoritairement masculin (68 %) et relativement jeune (56 % ont entre quinze ans et quante-neuf ans). L'audience de la formule 1 est plus jeune que celle des autres événements, comme la coupe du monde de rugby par exemple, selon l'agence média MPG-Ressources. Et un bon coup de pub, même furtif, s'il touche un total de quarante milliards de téléspectateurs (cumulé à l'année) – entre trois cent cinquante et sept cent cinquante millions de téléspectateurs par course –, ça ne se refuse pas. Alors, pour faire un pied de nez aux réglementations nationales qui se durcissent – en France, en Grande-Bretagne en Italie notamment –, on invente de nouveaux trucs.

Pour le Grand Prix de Magny-Cours (France), par exemple. L'an dernier, la marque Marlboro s'est métamorphosée sur les Ferrari en rectangles verticaux qui font penser à un code barre. Le mot Marlboro n'est plus écrit, mais on reconnaît son tracé, un peu comme si tout d'un coup on voyait trouble mais

---

1. *Figaro Magazine* (19 septembre 1998).

qu'on devinait tout de même ce dont il s'agit. Seuls quelques indices permettent au téléspectateur de savoir de quelle marque il s'agit.

Sur les Williams, le nom Winfield n'apparaît plus, mais les couleurs rouge et jaune sont toujours présentes, de même que le kangourou. Il est coupé en deux, on ne voit plus sur la voiture que le postérieur de l'animal. La marque de cigarettes West a effacé son nom sur la McLaren, elle adopte désormais les prénoms de ses pilotes, Mika (Hakkinen) et David (Coulthard), qu'elle écrit dans le même caractère que la marque pour que les téléspectateurs continuent à l'identifier facilement.

Mais la palme revient à Benson & Hedges qui s'est transformée, sur les flancs des voitures Jordan, en « Buzzin et Hornets » (littéralement bourdonnement et bourdon) : deux mots inscrits dans le même caractère, sur fond jaune et noir, avec précisément le même nombre de lettres, les mêmes initiales et les mêmes terminaisons ! Lucky Strike, la marque phare de British American Tobacco, a conservé la cible rouge, mais s'est transformée en Wanted (recherché) ou Look Alike (pareil).

Des designers spécialisés ont pour mission d'agencer sur les voitures les différents labels et couleurs. Les cigarettiers étant les principaux sponsors, les constructeurs automobiles s'arrangent pour qu'ils soient visibles sur leurs voitures. Les designers peuvent ainsi travailler à partir du paquet de cigarettes et l'interpréter de façon « métaphorique ». On peut constater le fruit de ce travail sur la McLaren. Le nez rouge de la voiture évoquerait le bout incandescent de la cigarette et les dégradés gris, des volutes de fumée, selon les confidences recueillies auprès d'un professionnel.

Le designer de la Williams qui portait pour les saisons 1998 et 1999 la couleur rouge des cigarettes Winfield décrivait ainsi sa mission[1] : « Il ne fallait pas dessiner un paquet de cigarettes à roulettes, comme le voulait la maison mère, mais tenter de jouer avec les particularités graphiques du packaging, réaliser un ensemble immédiatement identifiable, affirmait en 1998 Gerry Bright. L'objectif visé est clair : en course, le public doit pouvoir reconnaître immédiatement le sponsor principal de la voiture, même si nous ôtons le nom de ce sponsor. »

L'imagerie promotionnelle ainsi tronquée est ensuite testée sur une maquette de voiture construite à la moitié de la taille réelle. Des images sont prises à la caméra pour vérifier que les couleurs qui passeront à la télévision refléteront bien celles des paquets de cigarettes. C'est ainsi que le rouge Marlboro est légèrement plus brillant sur la voiture que sur le paquet. Le doré devient caramel pour rester doré à la télévision. Chaque morceau de la voiture a une valeur publicitaire qui dépend de son exposition aux caméras. Les industriels du tabac pourront payer entre cinq et dix millions de francs pour le nez, entre sept et neuf millions et demi pour l'aileron avant, entre vingt et cinquante millions les flancs et entre dix et vingt-cinq millions l'aileron arrière[2]. Sur les Williams, les surfaces latérales sont enduites d'une matière réfléchissante idéale sous les flashes des photographes. Comme ça, on peut voir le nom des cigarettes par gros temps de pluie, et se servir de cette image, à l'occasion, pour une campagne d'affichage. Vu mais pas pris.

En mai 2001, en plein Paris, de drôles d'affiches ont fleuri pour la marque de cigarettes West. Sur la partie gauche de l'affiche, un bandeau blanc avec une montre Tag Heuer. Sur la partie droite – les deux tiers de la surface –, un bel exemple de pub subliminale : une formule 1 aux couleurs de West,

---

1. *L'Auto-Journal* (29 janvier 1998).
2. Selon les estimations publiées par *L'Auto-Journal* en 1998.

mais le nom de la marque est transformée en David, nom du coureur qui apparaît dans la même lettrine. Sur la droite de l'image, le rond d'une jante incandescente, bien rouge – un allume-cigare de voiture – met en valeur la seule roue apparente du véhicule. Et, pour compléter le tableau, sous la voiture, un beau nuage de volutes de fumée. Tout cela est passé comme une lettre à la poste.

On le constate, le jeu consiste à passer sur les écrans de télévision, les panneaux d'affichage, tout en ayant l'air de ne pas y être. Il y a deux ans, le président de la Seita qui finançait l'écurie Prost – via sa marque Gauloises blondes –, a voulu éviter de se faire coincer lors du Grand Prix de Magny-Cours : « Nous ne voulons pas communiquer de manière subliminale comme certains de nos confrères », avait-il déclaré au *Figaro Magazine*. Il préférait « concentrer » ses efforts sur les autres Grands Prix, ceux qui ont lieu dans des pays où la promotion pour le tabac n'est pas interdite, et que les chaînes de télévision françaises peuvent retransmettre, depuis un amendement du Parlement en 1993.

En France, la promotion des cigarettes via le sport automobile fut interdite par la loi Evin en janvier 1991 avant d'être aménagée en 1993 sous la pression conjointe des industriels du tabac, des constructeurs automobiles et des chaînes de télévision. Les lobbyistes obtinrent des députés le vote d'une autre loi[1] qui modifia en leur faveur un article du code de santé publique : « La retransmission des compétitions de sport mécanique qui se déroulent dans des pays où la pub pour le tabac est autorisée peut être diffusée par les chaînes de télévision jusqu'à ce qu'intervienne une réglementation européenne. »

---

1. La loi 93-121.

En 1998, la Commission européenne fit adopter une directive[1] qui prévoyait explicitement (articles 2 et 3) l'interdiction totale de la publicité pour le tabac sous toutes ses formes. En 2006, ça allait être la fin de la présence du tabac sur les circuits de formule 1. Mais les lobbys industriels – Kirch, Murdoch (administrateur de Philip Morris) – et politiques – Parti travailliste britannique[2], en décidèrent autrement.

On pleura beaucoup sur la fin de ce sport formidable, on pesa le poids financier des partis en présence... et on trancha. Le gouvernement allemand de Helmut Kohl puis de Gerhard Schröder en même temps que plusieurs industriels (dont la société britannique Imperial Tobacco) ont attaqué en février 1999 le Parlement européen et le Conseil européen devant la Cour de justice européenne. Qui leur donna raison. Pour une question de forme, pas de fond, la Cour européenne a annulé la directive, par un arrêt en date du 5 octobre 2000. Elle a jugé que les instances européennes n'avaient pas de pouvoir en matière de santé publique.

Décidé à remettre sur le métier son ouvrage, David Byrne, commissaire européen à la Santé, a aussitôt annoncé que la Commission allait présenter un nouveau projet de directive sur l'interdiction de publicité pour le tabac. « Je suis déterminé à présenter de nouvelles mesures », a-t-il indiqué dans un communiqué. Son objectif est de « s'attaquer aux effets pernicieux du tabac, particulièrement pour les enfants et les

---

1. Directive 98/43/CE du Parlement européen et du Conseil, du 6 juillet 1998.
2. Selon Nigel Gray, UICC, lors d'une conférence « Ensemble contre le tabac » en mai 1999, « l'interdiction publicitaire nous a échappé parce que M. Ecclestone [propriétaire de SLEC] a accordé un million de livres sterling au Parti travailliste anglais et que ce parti a ensuite voté pour repousser cette interdiction ». Pris la main dans le portefeuille, les travaillistes britanniques auraient rendu l'argent.

jeunes qui sont l'une des principales cibles ». Ce que confirme Gro Harlemn Brundtland, la directrice générale de l'OMS. Elle regrette ce contretemps de procédure et rappelle qu'« entre quatre-vingt mille et quatre-vingt-dix mille [nouveaux] enfants et adolescents fument dans le monde chaque jour ». Ils sont « trompés par l'aura qui entoure le tabac dans la publicité qui le présente comme à la mode et l'associe au goût de liberté ». Pour elle l'accoutumance au tabac « est une maladie transmissible par la publicité, le sport, le marketing et le parrainage [1] ».

Ces opérations n'ont qu'un objectif : recruter de nouveaux fumeurs, recruter de jeunes clients.

Pas étonnant que les marchés prioritaires soient ceux dont les courbes démographiques sont les plus dynamiques. Un exemple, la Turquie : « Ce marché a un potentiel extraordinaire », expliquait Sukru Arkayin, le directeur des opérations de Philip Morris en Turquie en 1997. « Le taux de croissance démographique est de 2,2 et 40 % de la population a moins de dix-huit ans. » Officiellement, l'industrie du tabac s'est pourtant engagée – en vertu d'un accord signé avec quarante-six États américains en 1998 –, à ne plus tenter de viser les jeunes âgés de moins de dix-huit ans. Cette noble intention a été portée à la connaissance de tous les gouvernements du monde. Elle m'est confirmée par le porte-parole de l'industrie en France, le secrétaire général du Centre de documentation et d'information sur le tabac (CDIT) : « Il ne faut pas que les jeunes fument » ; ou plutôt « que les mineurs fument », corrige Jean-Paul Truchot. « Fumer est un choix d'adulte responsable », rabâchent les communiqués publiés par les ténors de l'industrie en Europe.

---

1. *La Correspondance de la publicité* (lettre du 6 octobre 2000).

Mensonge. Depuis plus de vingt-cinq ans, les industriels du tabac ont les yeux fixés sur les jeunes. La raison ? Dans 90 % des cas, on commence à fumer avant l'âge de dix-huit ans, affirmait en 1994 le ministère de la Santé et des Services humains des États-Unis. Et selon des études réalisées outre-Atlantique, le fumeur ne change pas souvent de marque dans sa vie. Trois ou quatre fois tout au plus.

Les nombreuses saisies de documents, effectuées dans le cadre de retentissants procès du tabac nord-américains, aux États-Unis (Minnesota) et au dépôt de Guilford (Canada), ont permis de valider ce qui n'était jusqu'à présent qu'une hypothèse. Dans un document de 1984 qui fut récupéré par les juges lors d'une perquisition chez RJR Reynolds Tobacco, on pouvait lire : « Les jeunes adultes sont la seule source de renouvellement des fumeurs [...] S'ils se détournent du tabagisme, l'industrie est vouée au déclin tout comme une population stérile finit par s'éteindre. »

Cette stratégie n'est pas nouvelle. En 1950, déjà, un article publié dans le journal de l'industrie aux États-Unis (United States Tobacco Journal) indiquait : « Un marché potentiel massif existe encore chez les femmes et les jeunes adultes [...]. Le recrutement de ces millions de futurs fumeurs constitue l'objectif majeur pour le futur immédiat mais aussi pour le long terme[1]. » En France, on commence à fumer en moyenne à quinze ans. Et d'après les spécialistes français, un jeune qui ne fume pas à l'âge de dix-huit ans ne fumera probablement jamais. Le fournisseur doit donc impérativement s'attacher son consommateur avant qu'il ait ses habitudes.

Les fabricants de tabac ont pris l'habitude de jouer sur les mots. Qu'est-ce qu'un jeune ? Selon le CDIT, une personne

---

1. G. Dubois, B. Traimer, « La responsabilité de l'industrie du tabac dans la pandémie tabagique », *Revue de pneumologie clinique*, 2000.

âgée de plus de dix-huit ans. Les spécialistes des médias habitués à passer à la moulinette les cibles publicitaires me répondent différemment : en télévision, on pense aux « quinze ans et plus ». Les publicitaires chargés de la création, eux, diront qu'ils s'adressent à un groupe d'âge homogène par son comportement et sa sensibilité aux messages. Ce groupe va de seize ans à dix-neuf ans. La barrière artificielle de dix-huit ans n'est qu'un leurre : si la marque de cigarettes s'adresse aux jeunes de dix-huit ans, elle touchera mécaniquement ceux qui en ont tout juste seize. Pourquoi ? Peut-être parce que, à quinze ans ou seize ans, on commence à sortir, on commence à être confronté au marketing des cigarettiers.

En France, les jeunes âgés de seize à dix-huit ans sont les plus gros fumeurs de leur âge en Europe. Selon un baromètre 1999/2000 publié par le Comité français d'éducation pour la santé (CFES), un quart des douze-dix-sept ans fument. Les filles sont plus nombreuses que les garçons à fumer, même si elles fument moins de cigarettes chaque jour (5,8) contre un peu plus de 8 pour les garçons.

« Le recrutement de nouveaux fumeurs sur le marché du tabac, qui commence vers dix ans, voire plus tôt [surtout en Europe centrale et en Asie], constitue un aspect majeur de la réussite commerciale », expliquait Clive Bates, directeur d'ASH-Londres, une association de lutte contre le tabagisme. En 1995, Cathy Leiber, de Philip Morris International, confirmait dans un document interne : « [...] Nous redéfinissons les objectifs d'un programme juvénile comme suit : maintenir et protéger de façon proactive notre capacité à faire de la publicité, de la promotion et à commercialiser nos produits à travers des initiatives juvéniles[1]. » Un document de Philip

---

1. Selon un extrait cité le 19 octobre 2000 par l'*Alliance Bulletin on Tobacco Control*, lors de la convention internationale de Genève, « Fra-

Morris criait déjà victoire en 1995 : « Marlboro domine le marché des dix-sept ans et moins, capturant plus de la moitié de ce marché. » Quelle que soit la position de forme, pour les marques, c'est une question de survie.

Il y a de moins en moins d'adultes qui fument et de plus en plus de jeunes à qui on fait croire qu'ils pourront s'arrêter quand ils le voudront. N'en déplaise au gouvernement français qui se félicitait, en janvier 2001, que la loi Evin ait réussi « à faire évoluer les comportements et les mentalités ». C'est vrai, le volume de cigarettes vendues a baissé de 11 % entre 1991 et 1997 mais depuis trois ans le niveau de consommation stagne. Peut-on en conclure qu'au terme des dix premières années d'interdiction publicitaire sporadiquement respectée, le bilan est positif? La prise en charge sociale des soins liés aux maladies issues du tabagisme – un fumeur régulier sur deux meurt du tabac –, devient chaque année plus lourde.

La publicité a réussi, selon l'Américain Alan Brody, journaliste et auteur d'un ouvrage sur la sémiotique de la cigarette [1], à présenter la cigarette comme un rite d'initiation, un rite de transition vers l'âge adulte. Que ressentent les fumeurs en voyant se consumer leur première cigarette? De l'écœurement. Au début, fumer c'est mauvais, on tousse, ça brûle la gorge, on étouffe. Mais, une fois l'épreuve passée, ou plus exactement surmontée, l'adolescent pense qu'il fait partie d'un nouveau groupe. Grâce à son statut de fumeur, il a le sentiment d'apprendre les secrets d'une tribu, celle des adultes. L'affrontement du danger fait partie de tout « rite de passage ».

---

mework Convention on Tobacco Control », placée sous le contrôle de l'OMS.

1. Alan Brody, « Déconstruire l'appel de la sirène fumeuse auprès des adolescents », conférence sur la séduction de la cigarette, forum de santé publique, du portail Internet Compuserve (9 novembre 1996).

Les cigarettiers, contrebandiers publicitaires

*notion de liberté
accès au monde des adultes*

Ce mythe, sorte de transposition occidentale des rites vernaculaires, a été nourri et entretenu par la pub et par la promotion. La communication du tabac a toujours présenté la cigarette comme un moyen d'accéder à la liberté, le fait de fumer comme un acte d'adulte. Dans les créations publicitaires, les personnages sont sexy, glamour. Pendant longtemps, on ne voyait jamais de jeunes qui fumaient mais des adultes heureux, libérés, qui prenaient du plaisir autour d'un verre entre copains. Dans un document de synthèse daté du 26 mai 1975, l'agence de publicité new-yorkaise Ted Bates a confirmé au groupe British American Tobacco la stratégie à adopter pour séduire ceux qui n'ont jamais fumé. Ce document résumait dix-huit entretiens réalisés dans des *focus groups* par l'agence de publicité. Il concluait : « Présentez la cigarette comme l'une des façons de s'initier au monde des adultes. Présentez la cigarette comme un produit ou une activité qui appartient à la catégorie des plaisirs illicites, dans vos pubs recréez une situation extraite de la vie quotidienne du jeune fumeur mais liez-la de façon élégante à des symboles qui appartiennent à l'âge adulte, qui renvoient à l'évolution de la maturité. Et autant que vous le pourrez, liez la cigarette au pot pris entre copains, au vin, à la bière, au sexe, etc. »

Ce qui valait en 1975 continue à valoir en 2001. « Les cigarettes les plus appréciées des jeunes sont celles qui ont le mieux compris le rôle qu'elles pouvaient tenir dans le processus d'initiation à l'âge adulte », explique le journaliste américain.

Voilà sans doute pourquoi les campagnes d'information sur les dangers du tabac pour la santé qu'a régulièrement financés la Caisse nationale d'assurance maladie n'ont jamais fait mouche. Le principe rabâché de l'interdiction – « fumer est réservé aux seuls adultes » – ou celui de l'avertissement sanitaire qui commence par « selon la loi du... » rendent la cigarette bien tentante pour un ado. « Je crois, constate Alan Brody, que les jeunes sont beaucoup plus intéressés par le sentiment de devenir membres de la tribu [...] que par la peur de mettre leur

Une symboliq qui tente les ados

santé en danger. » On comprendra du coup que les cigarettiers ne risquent absolument rien à proposer d'un bout à l'autre de la planète de grandes campagnes prônant l'interdiction de fumer pour les mineurs. Au contraire.

Cinq cents annonces de ce type – « fumer doit être réservé aux seuls adultes » – ont été fournies par Philip Morris en France aux principaux buralistes, en février 2001. La démarche est habile : « Eh ! les enfants ! Fumer c'est seulement pour les adultes ! Cela rend la cigarette encore plus attractive, prévenait déjà en octobre 2000 l'Anglais Clive Bates, directeur d'Ash-Londres. La cigarette est alors un fruit défendu, fumer devient un acte important de rébellion[1]. » Plusieurs spécialistes dont les études sont diffusées par les associations de lutte antitabac estiment que les adolescents sont réceptifs à ce type d'encouragement indirect. Lors de la première réunion intergouvernementale, organisée à Genève par l'OMS en octobre 2000, censée mettre en place des règles communes pour contrôler le tabac, les participants ont été formels : pas question de faire confiance aux industriels du tabac pour financer des messages de santé publique.

Plus encore que les garçons, les adolescentes représentent en Europe et aux États-Unis le marché le plus porteur pour les fabricants. Elles étaient naguère moins nombreuses à fumer. Mais, à force de matraquage publicitaire, les choses ont changé. Sensibilisées à leur tour, elles voient dans la cigarette d'autres promesses, soigneusement mises en scène à leur intention par les fabricants depuis une trentaine d'années.

Le tabagisme féminin s'est étendu à partir des années 60

---

1. « Pourquoi l'industrie du tabac dit qu'elle veut protéger nos enfants, et pourquoi le FCTC ne devrait pas la croire », *Alliance Bulletin on Tobacco Control* (19 octobre 2000).

pub → ∅ = accessoire de séduct°/émancipat° ?

aux États-Unis d'abord, puis en Europe. Quelle relation avec la publicité ? C'est juste à partir de ce moment-là que la publicité – via la promotion des cigarettes blondes puis light surtout – a fait de la cigarette un accessoire de séduction, un symbole de l'émancipation féminine. Aux États-Unis, on aurait payé des femmes pour fumer dans la rue et infléchir l'attitude de la société face au tabagisme féminin, affirme Patti White, conseillère à la Health Education Authority en Grande-Bretagne.

Ce symbolisme né de la pub est encore très ancré dans l'esprit des adolescentes qui construisent progressivement leur identité de femmes. Le message des fabricants qui contribue à faire de la cigarette un accessoire de séduction est encore véhiculé par les différentes formes de promotion, par le cinéma, les magazines de mode et la télévision. Parmi les actrices internationales qui fument érigées en modèles, on peut citer Bette Davis, Meg Ryan, Juliette Lewis ou Demi Moore. Même si elles n'ont jamais eu de contrat avec des cigarettiers. Et puis, les adolescentes sont convaincues que la cigarette fait maigrir. Les jolies hôtesses qui se jettent sur les champions de formule 1 à la fin d'un Grand Prix, la poitrine barrée par Marlboro, sont là pour le leur rappeler. Pour un nombre important de jeunes hommes et de jeunes filles, la cigarette est devenue un objet de fantasmes grâce au mythe publicitaire soigneusement entretenu. Et qui continue à fonctionner.

Plusieurs groupes de recherche scientifique ont établi un lien direct entre les marques les plus promues et celles que les adolescents consomment le plus. Les Américains disposent de nombreuses études sur la question. Retenons les plus éloquentes.

Une analyse publiée en mars 2000 par l'*American Journal*

la pub facilite le passage à l'acte

of Public Health, réalisée auprès d'adolescents du Massachusetts, a étudié l'influence de la promotion sur le passage à l'acte. Autrement dit, ceux qui sont exposés au marketing des cigarettiers sont-ils plus, moins ou aussi susceptibles de devenir fumeurs que ceux qui ne le sont pas ? Réponse : « Les adolescents qui possèdent un produit qui rappelle une marque de cigarettes (casquette, tee-shirt, gadget..) et qui ont su citer une marque parce qu'ils se souviennent de la pub sont deux fois plus susceptibles de devenir fumeurs que les autres. » Les chercheurs concluent : « La participation à une opération de marketing organisée par le tabac précède ou facilite la progression vers le stade de fumeur habituel. » Aux États-Unis, les cigarettes sont les produits courants pour lesquels les dépenses publi-promotionnelles sont les plus importantes. En 1997, les fabricants ont dépensé 5,7 milliards de dollars pour faire la publicité de leurs produits, soit seize fois plus qu'en 1970.

Une autre étude publiée en octobre 1995 par le *Journal of the National Cancer Institute,* aux États-Unis, offre une analyse similaire. Les chercheurs qui ont travaillé sur un échantillon de 3 536 adolescents n'ayant jamais tiré la moindre bouffée de cigarette ont démontré que le jeune est davantage influencé par les opérations de marketing que par ses copains, ses parents et même « les autres variables socioéconomiques, y compris les performances scolaires [1] ».

plaisir

Allumer une cigarette pour la première fois, c'est rechercher le plaisir, témoignent de nombreux fumeurs. C'est

1. « Influence of tobacco marketing and exposure to smokers on adolescent susceptibility to smoking », department of Speech Communications, Indiana University, parue dans le *Journal of National Cancer Institute* (18 octobre 1995).

évidemment le message que véhiculent les publicités et promotions dont les maîtres mots sont plaisir, fête et liberté. Puis, après quelques mois de consommation régulière, les jeunes fumeurs rapportent que fumer « calme les nerfs » et « empêche de prendre du poids ». La réflexion sur les risques pour la santé n'y a pas sa place, même si les fabricants sont contraints de faire figurer sur les paquets des avertissements sanitaires, plutôt discrets en France par rapport aux avertissements obligatoires canadiens et australiens, par exemple. D'ailleurs, tout le jeu de la communication est de faire oublier au fumeur l'analyse raisonnable de son comportement « illogique, irrationnel et stupide », selon l'agence de publicité Ted Bates qui qualifiait par ces mots les fumeurs dans sa recommandation stratégique, en 1975, au groupe British American Tobacco.

Cette stratégie est facilitée par la dépendance que crée la nicotine, dont les effets sont amplifiés par la présence d'ammoniac. Philip Morris aurait été le premier groupe à ajouter de l'ammoniac dans les Marlboro notamment. « La dépendance à la nicotine est aussi forte qu'à la cocaïne et légèrement moins forte qu'à l'héroïne », martèle le Pr Gérard Dubois. Il suffirait de trois ou quatre paquets, me dit-on, pour devenir « accro » à la nicotine.

Après avoir été pris la main dans le sac pour parjure devant le Congrès américain, les grands patrons de l'industrie sont plutôt sur la défensive[1]. Même si, finalement, ils ne nient plus la dépendance créée par les manipulations chimiques et la nicotine. Ils essaient de déplacer le débat : « Depuis la nuit

---

1. Ils ont d'abord affirmé que la nicotine ne créait aucune dépendance. Puis ils ont été forcés de revenir sur leurs déclarations après que des documents internes saisis dans leurs entreprises eurent confirmé que la nicotine crée un état de dépendance, ce qu'ils savaient, semble-t-il, depuis longtemps.

des temps, les hommes ont utilisé des substances psycho-
actives, la nicotine est l'une d'elles et elle est autorisée partout », rappelle Jean-Paul Truchot, le porte-parole du Centre
de documentation et d'information sur le tabac (CDIT) qui est
financé par les industriels français à hauteur de neuf millions
de francs par an et dont la mission consiste notamment à lutter contre une « pression sociale qui n'a jamais été aussi
forte » contre le tabac.

Le CDIT affirme que « fumer est un choix d'adulte responsable et libre ». Libre ? Il faudrait pour cela pouvoir facilement s'arrêter. Décider de ne plus fumer et ne plus fumer.
Est-ce le cas ? Les chiffres parlent d'eux-mêmes. Selon une
étude publiée en 1994, les trois quarts des jeunes fumeurs
américains affirment qu'ils fument parce que c'est difficile
d'arrêter. Plus de 90 % des jeunes qui ont tenté d'arrêter ont
souffert de symptômes dus au manque de nicotine (difficultés
de concentration, irritabilité, besoin nerveux de cigarette...)[1].
Les deux tiers des adolescents indiquaient en 1992 qu'ils voulaient arrêter de fumer et 70 %, dans une autre étude, qu'ils
n'auraient jamais commencé à fumer s'ils avaient à choisir
aujourd'hui. À l'âge adulte, les trois quarts des fumeurs affirment qu'ils préféreraient ne pas fumer. Ils n'y arrivent pas
sans aide. Seulement 3 % de ceux qui tentent de s'arrêter par
leur seule volonté y parviennent. Peut-on parler de liberté
face à un produit dont on ne peut plus se défaire ?

Quelle est la position des pouvoirs publics ? Mettons de
côté les doutes qui peuvent peser sur un gouvernement qui, en
même temps qu'il prêche pour limiter la consommation de
tabac au titre de la santé publique, se finance grâce à ses
taxes.

---

1. Centers of Disease Control and Prevention (21 octobre 1994).

Les campagnes contre le tabagisme sont de faible portée. Des moyens dérisoires lui sont alloués : le tabac, qui fait mourir en France plus de personnes (soixante mille) que les autres drogues rangées à la rubrique toxicomanie (cinq cents), le sida (deux mille cinq cents) ou l'alcool (quarante mille) est le « fléau » qui dispose du plus petit crédit ministériel. À peine deux millions de francs par an[1], même si le budget total lié à la prévention du tabagisme en France, sous toutes ses formes, était en augmentation, à cinquante millions de francs en 1998.

En face, les investissements en promotion des industriels du tabac en France étaient évalués par les associations anti-tabac, à un milliard de francs en 1997. Soit plus du double de ce que les fabricants dépensaient avant l'interdiction de 1992. « Ce matraquage explique en partie l'absence de diminution de la consommation du tabac chez les jeunes, alors que la consommation globale a baissé de plus de 10 % depuis 1991 », selon les associations de lutte contre le tabac regroupées au sein de l'Alliance française de lutte contre le tabagisme.

En 2001, les jeunes Français de seize ans ou plus fument plus qu'avant. Nos seize/dix-huit ans seraient même les plus gros fumeurs de leur âge en Europe. Les industriels du tabac s'interrogeaient dans un communiqué publié en novembre 2000 : « La consommation diminue en France chez les jeunes de façon spectaculaire. Mais tout à coup, vers seize ans, la courbe se casse. C'est un problème qu'il serait bon d'analyser : que se passe-t-il en France dans la tête des jeunes de seize à dix-huit ans pour que, de fumeurs parmi les plus moyens d'Europe, ils passent tout à coup dans le peloton de tête ? » demande le CDIT avant d'indiquer tout bonnement :

---

1. Mitterand G., « Rapport de la commission des finances de l'Assemblée nationale pour le budget de la santé pour 1999 » (1998).

« Pour notre part nous sommes dans l'incapacité de donner une réponse. » Une plaisanterie ?

Pourquoi ne pas prendre exemple sur les initiatives étrangères les plus efficaces ? Nous pourrions imposer de véritables avertissements sanitaires dignes de ceux que l'on trouve au Canada ou en Australie, pays dans lesquels le message « fumer tue » occupe les deux tiers de la surface du paquet ! Des campagnes de prévention efficaces ont été développées, depuis 1999 dans l'État américain du Massachusetts. La campagne Truth, « vérité », attire l'attention depuis 1999 sur les « secrets des fabricants de cigarettes » grâce à la mobilisation coordonnée d'associations de prévention, de parents bénévoles, de collégiens, de lycéens, grâce à l'utilisation de techniques publicitaires originales créées par les jeunes pour les jeunes[1]. Sanctionnons durement chaque délit constaté. À ce jour, « les sanctions infligées [...] ne semblent pas suffisamment dissuasives pour aboutir à la cessation des infractions », selon le rapport des états généraux de la santé, en 2000. Enfin et surtout, les parquets devraient ouvrir, seuls, des instructions pour faire respecter la loi.

Pour la première fois, les industriels de la cigarette sont en proie à une offensive collective qui pourrait inverser les traditionnels rapports de force. L'Union européenne accuse les géants de la cigarette d'avoir notamment soutenu la contrebande de cigarettes[2]. Depuis le 3 novembre 2000, date de

---

1. Voir le site *thetruthcampaign.com*

2. Une plainte a été déposée aux États-Unis, auprès d'une cour fédérale de New York, le 3 novembre 2000 par la Communauté européenne contre RJR Nabisco, et des filiales spécialisées dans le tabac Japan Tobacco, individuellement et au titre de sa propriété de RJ Reynods et le groupe Philip Morris et plusieurs de ses filiales. Soutenue par plusieurs États européens, dont la France, l'Union accuse les géants de contrebande de cigarettes à grande échelle, de crime organisé et de blanchiment d'argent.

dépôt d'une plainte devant une cour fédérale américaine, les trois groupes Philip Morris, RJ Reynolds et Japan Tobacco se voient accusés de « collusion avec les réseaux mafieux ». Ces accusations font l'objet d'une instruction aux États-Unis, après une longue et minutieuse enquête des services européens de la répression des fraudes. Elles sont portées par la Commission européenne qui a reçu l'appui de la France, de l'Italie et de la Grande-Bretagne. Occasion de rappeler, peut-être, que les fabricants de cigarettes sont aussi des merce-naires publicitaires aux techniques mensongères.

Retournemnt du rapport de force

5

Pourquoi les publicitaires ont tort
d'aimer le goût du sang et de la violence

« À Trappes (78), onze véhicules ont été incendiés, un fumigène a été projeté sur une voiture de police, un conteneur en feu a été lancé contre la façade du poste de police de Carrières-sur-Seine (78). Au Havre (76), quatre bus en mouvement ont été la cible de projectiles. À L'Horme (42), des jeunes ont tenté d'interdire l'accès de leur quartier à des pompiers venus éteindre un feu. Gonesse (95), quatre jeunes de 13, 14 et 16 ans ont été interpellés après avoir agressé des collégiens à la sortie d'un centre commercial pour leur dérober des objets sous la menace d'un couteau. »

Extraits de la note rédigée par la Direction centrale de la sécurité publique pour la journée du 14 juillet 2001 [1].

---

1. « Insécurité : bilan d'un 14 juillet ordinaire », *Le Figaro* (20 juillet 2001).

Pour être « cool », il faut être « gore ». Pour avoir l'air branché, il faut aimer les jeux de massacre, l'odeur de la chair humaine déchirée, la vue du sang qui s'échappe de la bouche par un flot épais. Pour attirer l'œil dans un environnement où le nombre de publicités ne cesse de croître et où certains médias cultivent la surenchère violente, il faut choquer. Perturber. Faire mal. Pincer. Brûler. Couper. Pour que, ensuite, le citoyen malmené, hop, trouve son apaisement en achetant le produit.

Voilà *grosso modo* la logique qui prévaut en ce moment. Chez des publicitaires français, mais pas seulement, car le charme commercial du sang n'a rien d'hexagonal. La publicité faite par des professionnels avertis, et non par une bande d'irresponsables – ils démentent –, veut « parler » à la jeune génération. Elle veut jouer la connivence. Elle utilise donc les mêmes codes « trash » que ceux en vogue dans la sous-culture urbaine. Une méthode douteuse pour faire adopter les produits prévus pour Mme Tout-le-monde (modèle pubs Kinder) par les clans réfractaires à tout conformisme consumériste.

Curieux, me direz-vous... Ne sont-ils pas, ces « sauvageons » qu'on enferme dans leurs cités sans air, des sous-consommateurs nuisibles à la bonne image d'une marque ?! Pas du tout. Les New-Yorkais l'ont appris aux publicitaires français : ces groupes sont les *trend-setters*, les « faiseurs de mode ». Certains publicitaires et leurs clients annonceurs nourrissent, en utilisant violence visuelle et provocations tous azimuts, le secret espoir que les marques plébiscitées dans les cités séduiront finalement toute une génération.

Emportés par une démagogie commerciale toute frétillante et persuadés d'avoir trouvé là un bon filon, ils ont, par exemple, choisi de faire allégeance à la violence urbaine, de flatter les *ego* autoritaires des meneurs de bande, en sacralisant, autre exemple, les combats de chiens. Ils banalisent les comportements dangereux que la société tente péniblement d'endiguer en les érigeant en modèles acceptés par les acteurs du marché économique. Même si c'est à leur corps défendant. D'autres se contentent de montrer dans la rue des images psychologiquement perturbantes... C'est cela aussi la violence.

Affiche pittbulls

Tout entière dévouée à cette logique, il y eut cette affiche qui se joua de la peur des pitbulls. Elle fut réalisée par l'agence BDDP & Fils pour les magasins Sport leader (Intersport), et placardée notamment à Viry-Châtillon et à Morsang-sur-Orge (Essonne), le 24 août 2000. Ces grands halls dédiés à la vente de vêtements de sport (survêtements, baskets, tee-shirts, etc.) s'installent dans les zones industrielles. Leur clientèle, de « jeunes urbains » de 18 à 25 ans constituent « le cœur de cible », comme disent les pros. Il faut les conquérir.

C'est chose faite avec cette affiche montrant un pitbull prêt à sauter à la gorge du premier passant. Le chien posté sur des marches d'escalier nous surplombe, la gueule ouverte, la bave à fleur de crocs. Le graphisme est emprunté à la photo d'actualité, travaillée « sale », en noir et blanc. Une dizaine de ces affiches sont ainsi collées dans des périmètres proches des commerces dont il faut vanter les bienfaits. Peu importe aux publicitaires et à leurs clients annonceurs – une coopérative de franchisés –, que, dans ces communes, la vogue des pitbulls pose depuis plus de cinq ans des problèmes de sécurité urbaine.

En 1993, il y avait en France une centaine de chiens de ce type, en 1998, le nombre atteignait les 40 000[1]. La peur a crû en conséquence. À cause de leurs caractéristiques propres

---

1. Selon des estimations du ministère de l'Intérieur citées par le Sénat en mai 1998.

(puissance de la mâchoire, esprit combatif, force...), mais surtout à cause des mauvaises conditions dans lesquelles ils sont dressés. Les pitbulls, rottweillers et staffordshires sont recherchés par des jeunes « qui veulent jouer aux caïds, explique Arnaud, un jeune de Stains (Seine-Saint-Denis). Ils sont frustrés donc ils veulent un ami qui sait les défendre, qui assure[1] ». Le respect serait proportionnel à la crainte qu'on inspire. Le chien est donc laissé attaché, affamé, roué de coups par d'autres que son maître, il nourrit une haine de l'humain qu'il ne connaît pas. Et se transforme en une arme redoutable.

La vue de ce chien menaçant du haut de ces panneaux de douze mètres carrés a provoqué ce qu'en termes chastes on appelle « un vif émoi ». Peu surprenant en des lieux où les pitbulls et autres chiens dressés au combat alimentent les tensions de voisinage et les rapports de force permanents. Un tel achète un chien pour se défendre après s'être fait violé. Un autre lance son animal en criant : « Tue-le ! », pour régler son compte à un client qui sort d'un fast-food... Les faits divers de ce type sont nombreux depuis 1994. Dans certains quartiers, la peur quotidienne, invisible, juste palpable, pétrifie des voisins qui croisent ces molosses non attachés, non muselés, alors que leurs enfants jouent dans la même cage d'escalier.

Ces publicitaires rémunérés grassement par leurs clients prétendent de leurs bureaux dernier cri de Boulogne (Hauts-de-Seine) « comprendre » la jeunesse défavorisée coincée dans ses cités. En réalité, « ces affiches ont un effet terrible, m'explique Sidi El Haimer, chargé de prévention à Mantes-la-Jolie. D'abord, elles font croire que les jeunes qui habitent ici ne sont que des types habillés en survêtement et en baskets, qui ne font rien d'autre qu'errer dans les rues. Ensuite,

---

1. *L'Humanité* (13 septembre 1997).

elles encouragent les jeunes qui portent ces vêtements à croire qu'ils ont du pouvoir sur les autres ». L'argument des publicitaires ? Au mieux, ils disent œuvrer au bien collectif, comprenez la prospérité des commerçants. Au pire, ils s'en foutent : ce n'est pas leur affaire.

Arrêt municipal contre l'affiche

Dans cette affaire justement, les élus locaux ne se sont pas contentés d'admirer la qualité graphique de l'affiche. Ils se sont mis en colère.

Le maire de Morsang, alerté par ses administrés, a menacé dès le premier jour de la campagne Sport leader de faire voter un arrêté municipal pour faire recouvrir l'affiche. Il obtient qu'elle disparaisse des rues de sa commune : « Ce thème [du pitbull] est inacceptable, confie Freddie Meignan, maire adjoint (PC) de cette ville au *Parisien*. « Au moment où les collectivités mènent une lutte difficile contre les chiens dangereux, ce type de campagne ruine tous nos efforts, explique-t-il, dégoûté. En plus, mêler l'image du sport à ça, c'est dégueulasse[1]. »

Même ton à Viry-Châtillon. Là c'est carrément dans une rue de la cité de La Grande-Borne que le chien, pondu par les publicitaires des banlieues chic, inflige son air menaçant aux riverains. La Grande-Borne, c'est l'une des cités les plus « dures » du département, une ville où des élevages et des combats de chiens dangereux sont organisés. « J'ose espérer que c'est un hasard, remarque Gabriel Amard, le maire (PS) de Viry-Châtillon. Le slogan de cette société suggère que la banalisation de ces chiens est une chose naturelle. Comment voulez-vous ensuite que les propriétaires respectent la loi[2] ? »

---

1. Sébastien Ramnoux, « L'affiche qui scandalise », *Le Parisien* (septembre 2000).
2. *Ibid.*

Officiellement, la loi du 6 janvier 1999 contraint les propriétaires de ces chiens potentiellement dangereux à certaines obligations administratives (enregistrement, numéro d'identification, certificat de stérilisation, attestation d'assurance, etc.). Mais, c'est un exemple, seulement une soixantaine de chiens étaient déclarés à la mairie de Grigny, une commune voisine de Viry-Châtillon, en mai 2000, alors que le nombre de ces animaux était estimé au même moment à environ deux cents.

Échaudé par tant d'outrecuidance, le procureur d'Évry (Essonne), Laurent Davenas, a décidé, en octobre de la même année, de poursuivre pour « provocation au crime ou délit » toutes les personnes – de la société de collage, à l'annonceur, en passant par les publicitaires – qui ont participé à l'élaboration et à la diffusion de l'affiche menaçante. L'Essonne peine à éradiquer ses 2 500 chiens dangereux. Dans les semaines qui avaient précédé cette décision inédite en France, les agressions s'étaient multipliées dans la région. En juin, un enfant de douze ans se faisait attaquer à Grigny, en août, un homme de vingt-sept ans se faisait sauter dessus par un pitbull, toujours à Grigny, sans parler de l'agression d'une femme, en pleine gare de Brétigny-sur-Orge (toujours dans l'Essonne), par un molosse visiblement surexcité. Pour ne citer que quelques tristes faits divers.

Les publicitaires, peu habitués à être contestés devant des tribunaux, n'en reviennent pas. « Quand on lit le libellé [de cette affaire instruite au pénal], ça fait peur », affirme Nicolas Bordas, le publicitaire auteur de la campagne qui risquait, en théorie, entre 20 000 et 40 000 francs d'amende. Finalement, cette affaire fut un coup d'épée dans l'eau. Le 26 juin 2001, lors du délibéré, la procédure fut annulée. Le tribunal a considéré que le parquet n'était pas en droit de poursuivre, sans juger le problème sur le fond. Les publicitaires se sont réjouis, empressés de rappeler la loi de 1881 qui garantit la liberté d'expression. C'est aussi cette loi qui protège la liberté de la presse. En matière publicitaire, ce texte était censé garantir, d'après Nicolas Bordas, le concepteur de cette pub, « le droit à l'inventivité, à l'insolence et à l'humour [1] » de son affiche. Le pitbull à la Grande-Borne c'était du « super-humour ».

Les publicitaires peuvent-ils se jouer impunément des angoisses, justifiées ou non, d'un groupe de personnes, tant que fonctionne « l'adéquation [marketing] du message publicitaire avec sa cible » ? Peuvent-ils narguer l'État et ses préoccupations de sécurité publique pour vendre des chaussures de basket ? Ces campagnes relèvent d'un choix, le leur, ultra-simple en fait : les baskets, c'est bien pour courir, il suffit de montrer des occasions où il est préférable d'avoir des chaussures confortables. Bon. Ils ont trouvé quelques idées et les ont testées auprès de jeunes acheteurs potentiels.

Au départ, il y avait cinq annonces conçues sur l'idée « la rue est un stade ». Les publicitaires n'en retiendront finalement que trois. Des pré-tests furent réalisés en juin 2000 auprès d'une centaine de jeunes âgés de 15 à 25 ans dans un centre commercial à Montreuil (93) et à Lille (59). Les résultats fort concluants furent brandis par les publicitaires comme des preuves de l'acceptation des annonces par la population. Il n'en était rien. Ces tests mesuraient tout juste que ces publicités « parlaient » bien aux jeunes que Sport leader cherchait à toucher.

L'annonceur a, par exemple, demandé aux jeunes si les annonces leur « plaisaient » (2/3 des adolescents interrogés ont répondu positivement) ; s'ils avaient le sentiment que ces

---

1. Dans un communiqué de presse diffusé par l'agence BDDP & Fils, le 26 juin 2001.

affiches étaient conçues pour eux (39 % identifient un message destiné aux jeunes). Si elles leur donnaient envie d'aller dans les magasins (la moitié a répondu « oui certainement » ou « oui, probablement »). Si elles leur donnaient envie d'acheter des marques proposées par l'enseigne. Point. En revanche, si ces affiches sont perçues comme assez « originales » et « modernes », les jeunes les trouvent aussi « peu gaies » et « peu vivantes ».

Ras-le-bol des caricatures violentes et dépressives qui montrent une jeunesse grise et sans espoir. La commission Jeunesse et médias, émanation du Conseil national de la jeunesse, s'est prononcée en août 2001 pour une revalorisation de l'image des jeunes à la télévision. Non, pour parler à la génération née dans les années 80, il ne faut pas forcément être vulgaire, brutal et adepte du trash. La télévision, qui influence le contenu des messages publicitaires, ne décrit, par exemple, les banlieues qu'à travers un prisme discriminant et caricatural. Les membres du conseil de la jeunesse ne sont pas d'accord. « Le discours sur les banlieues se résume en fait à la vision de la police sur la banlieue », m'explique Maxime Drouet, un jeune de la commission Jeunesse et médias, auteur d'un rapport sur l'image des jeunes telle qu'elle est diffusée dans les magazines télévisés. À force de se voir coller toutes ces images sombres devant les yeux, l'ambiance est plutôt à la déprime.

Aucune évaluation n'a jamais été entreprise sur l'effet psychologique que ces annonces publicitaires pouvaient générer. Pire, l'arbitraire règne généralement en maître. Les publicitaires ont conservé l'annonce du pitbull, estimant que ce n'était qu'un chien « comme le fox terrier en vogue dans les années 70, le cocker des années 80 et le berger allemand des années 90 ». Pas de problème, non plus, pour l'annonce qui montre une bouche d'égout ouverte censée symboliser une sorte de « saut en hauteur » urbain qui finirait mal. Ni pour la

201

troisième qui indique que des baskets peuvent servir à shooter dans les pigeons pour récupérer un banc public si les minables ovipares l'occupent.

En revanche, les bien-pensants parisiens firent abandonner l'annonce qui montrait un jeune en train de franchir une barrière de métro pour passer sans ticket. Cette annonce aurait cautionné un comportement délictueux, me confie-t-on... Et le molosse sans muselière, non ? Cette infraction à la loi est pourtant punie de 3 à 6 mois de prison et de 1 000 à 100 000 francs d'amende.

La violence, ça peut être la mise en images de scènes sanguinolentes. Des images d'une détresse humaine insupportable ou des images manipulées pour faire peur. Le premier à avoir tiré dans ce registre, c'est Oliviero Toscani pour Benetton. Dès 1991, il afficha les images d'une actualité crue – un boat-people, un soldat du Liberia un fémur humain en main, une voiture qui explose, un cadavre qui gît dans une flaque de sang, etc. –, qu'il balança dans les rues des métropoles occidentales, sans commentaire, sans slogan. Juste estampillées du fameux United Colors of Benetton, en lettres blanches sur fond vert.

Pendant près de vingt ans, il fut l'un des rares adeptes de la violence pour servir une cause publicitaire. Même si le directeur artistique se défendit toujours, justement, de « faire de la pub ». Au début, il choqua, surprit, puis s'enferma progressivement, à force de provocations et de récupérations, dans une posture qui devint insupportable. Pendant dix-huit ans ce fut l'escalade. Du jeune Américain atteint du sida, à l'agonie sur son lit, en passant par les vêtements souillés de sang d'un soldat bosniaque, Toscani utilisa toutes les images les plus crues pour se faire connaître et faire connaître la marque de pull-overs.

Grâce à ce procédé fort polémique, Benetton se fit

connaître du monde et des marchés financiers où il est coté. Puis en 2000 ce fut la chute. Les visages des condamnés à mort photographiés dans une prison américaine et récupérés pour une campagne institutionnelle signa la fin (jusqu'à ce jour) des provocations de Benetton. Et par là-même, la fin des services de Toscani pour l'entreprise italienne. Officiellement, le coup de semonce vint d'un gros client américain, le distributeur Sears, qui retira les produits Benetton de ses magasins. Depuis, la communication Benetton se cherche.

La vague des start-up, l'avènement des nouvelles technologies dans la publicité donnèrent aussi l'occasion aux professionnels de la communication d'aller titiller quelques tabous. Il y eut le goût (désopilant) du vomi-caca. Ici, la violence n'est plus liée à la mise en images de scènes plus ou moins sanglantes. Le registre utilisé est celui de la violence psychologique, du choc créé par des images assez anodines finalement. Le processus n'est pas moins dangereux.

D'abord le vomi. On le trouve sur le clavier d'un ordinateur pour Seamply.com, un site portail pour l'entretien des bateaux. Pour accrocher les internautes urbains et financièrement aisés, l'agence BDDP & Fils (encore elle) a « suscité la curiosité » avec cette annonce qui ne passa que dans le magazine branché *Teknikart*. La vue de ce vomi n'attira pas forcément les propriétaires de bateaux. La photo de vomi fut aussi utilisée par l'agence Euro RSCG BETC (l'agence d'Évian) pour un site guide des sorties nocturnes Serialweb.com. Un homme hagard barbouillé de vomi se tient appuyé sur un mur qui vient, il n'y a pas de doute, de recevoir une gerbe du meilleur effet. Les publicitaires se sont visiblement bien marrés, puisque c'est même un collaborateur de l'agence qui pose le visage barbouillé de ratatouille. Les lecteurs, eux, peut-être un peu moins.

Un autre lieu de prédilection, dans la pub française en ce moment, ce sont les toilettes, les petits coins, les pipi-rooms, quoi. En 1998, l'agence de pub Jean & Montmarin donna le coup d'envoi en France avec un spot télévisé pour le forfait d'un opérateur de téléphonie mobile. Les toilettes étaient, dans ce cas, l'occasion de découvrir que la mariée était en fait un marié puisqu'il faisait pipi debout sa robe remontée à la taille. Il y eut Kelkoo.com qui proposait aux internautes, toujours pour les accrocher il va sans dire, de comparer la taille de leur zizi. Dans les toilettes, évidemment, les pissotières étant le lieu de prédilection pour ce genre de concours. Un autre homme lit sur son agenda électronique un livre assis sur le trône (pourquoi des toilettes ?). Les afficheurs qui voulaient faire parler d'eux mirent, à leur tour, partout dans Paris, un homme en train de déféquer, les fesses à l'air derrière un arbre... Du meilleur effet.

Le patron du magazine *Transfert*, un hebdomadaire consacré aux nouvelles technologies, « n'a pas compris ce qui s'est passé[1] ». Son affiche qui montrait sur les murs un nouveau-né relié par le cordon ombilical à une télécommande de jeu vidéo n'a pas eu les résultats escomptés. Cette campagne composée d'autres images « chocs », notamment celle d'un cadavre de mouton dont on voyait les viscères, fut diffusée à l'automne 2000. « J'ai l'impression que les gens ne l'ont pas associée à *Transfert*. Certains l'ont prises pour une pub de Benetton ou de Sony », constata Christophe Agnus, le patron du magazine.

Plus vraisemblablement, le choc provoqué par ces images fut tel qu'il empêcha les passants de mémoriser le nom de l'annonceur. C'est en tout cas, la thèse défendue par Olivier Koenig, chercheur en sciences cognitives et spécialiste de la mémorisation des messages publicitaires.

L'utilisation d'un élément violent dans une publicité permet en théorie d'augmenter le souvenir de l'annonce,

---

1. « La provoc fait-elle vendre ? », *Newbiz* (avril 2001).

m'explique-t-il. Ce qui pourrait justifier le pari fait par les annonceurs qui s'offrent ce genre de campagne. Eux considèrent que peu importe finalement que l'on parle d'eux en bien ou en mal, pourvu qu'on en parle. Ce calcul commercial, affirme le chercheur, n'est pas forcément le meilleur. « D'abord le choc émotionnel va faire que la trace mnésique sera plus forte, explique le cofondateur de la société d'étude Impact mémoire. Le choc va, en plus, provoquer un ensemble de réactions de défense qui vont solidifier cette trace dans la mémoire grâce à la mise en activité de régions additionnelles du cerveau. » Mais cette donnée ne suffit pas en publicité : il faut non seulement que les gens se souviennent de l'image ou du slogan publicitaire, mais, surtout, qu'ils sachent l'associer au nom d'une marque. Sinon, la publicité ne sert à rien.

C'est là que le bât blesse. Si l'image violente marque les esprits, le souvenir du nom qui y est associé n'est pas gagné à coup sûr. « Quand le choc est trop important, on se souvient de la méchanceté, par exemple, du chien, mais on ne se souvient plus du nom de la société commanditaire de la campagne », commente le scientifique. L'image impressionne, mais le nom calé en bas à droite de l'affiche est oublié.

Quelle conséquence a, sur la population, la diffusion d'images qui choquent ? Contre bon nombre de présupposés, la violence publicitaire a fort à faire pour atteindre le but marchand qu'on lui assigne. La stratégie peut être contre-productive sur le plan commercial, elle peut aussi se révéler nuisible pour la collectivité civile. Surtout quand ces publicités visent, sans retenue, de jeunes adolescents.

Que se passe-t-il quand une scène violente se déroule sous nos yeux, quand on tombe par hasard sur une affiche qui nous choque violemment ? Ces images violentes nous rendent-elles violents ? Contrairement à des idées fort répandues, au Canada notamment, en France, les spécialistes ne semblent pas considérer que la publicité soit en mesure de dicter leurs comportements violents à des adolescents qui s'identifieraient purement et simplement à leurs « héros ». D'autres qui ce sont intéressés aux effets de la violence à la télévision et au cinéma – alors que les films ultra-violents *Usual Suspects* et autres *Terminator* rencontraient tous les succès –, évoquent souvent de supposés effets catharsistiques : les adolescents voyant ces images seraient pris d'une excitation subite, une sorte de libération de leur agressivité habituellement contrôlée.

Faux, répondent certains psychiatres et psychanalystes. La violence des images n'induit pas une imitation au sens strict du terme. Ces images ne permettent pas non plus la catharsis émotionnelle au sens où l'entendait Aristote. Ces images créent « un désordre psychologique[1] », explique le psychiatre et psychanalyste Serge Tisseron, qui plaide pour que l'on s'intéresse à ces images en prenant en compte leurs conséquences psychologiques sur les spectateurs. Pour le psychiatre, il y a perturbation, une déstabilisation émotionnelle qui va être renforcée par deux facteurs spécifiques à l'image utilisée en publicité.

D'une part, le passant (ou le lecteur) n'a pas le temps de s'y préparer. Il se promène dans la rue, discute avec des amis, lit les nouvelles du jour, les déboires des chasseurs et la météo du lendemain, quand soudain au détour d'une page, d'une rue, le sang ou le vomi l'interrompt. Se jette à sa face. À la différence d'images violentes montrées dans le cadre d'un journal télévisé qui seront, elles, lancées par un présentateur, ou à la différence de films de cinéma – on « sait » que l'on va voir un spectacle violent, donc on a préparé inconsciemment ses défenses psychologiques –, l'irruption publicitaire est forcément brutale. L'annonce débarque en

---

1. Serge Tisseron, *Enfants sous influence, les écrans rendent-ils violents*, Armand Colin, 2000.

l'absence de commentaire d'accompagnement. Elle crée l'angoisse sans fournir d'élément extérieur qui permette de l'atténuer. En publicité, le processus de « déplacement », comme disent les psychologues, s'effectue au profit du produit vanté. À condition qu'on se souvienne de son nom, ce qui est rarement possible dans ces cas-là. Nous voilà donc avec notre désordre psychique qui se double d'un sentiment de honte et d'angoisse...

Notre état est si désagréable qu'il nous faut vite en sortir. Le corps nous aidera à en sortir. C'est la « mise en sens » corporelle : « Les bouleversements intérieurs produits par les images [peuvent être] tellement intenses que les enfants les traduisent par des gestes, des attitudes et des cris hors de propos, écrit Serge Tisseron. C'est cette situation qu'affrontent les enseignants lorsqu'ils veulent faire cours le matin à des élèves qui ont assisté à des spectacles télévisés juste avant de venir en cours[1]. » Face à l'émotion qui submerge, la mise en sens par les mots ne suffit pas. C'est ce qui peut pousser certains enfants à se comporter violemment après avoir vu des images violentes. Ce n'est pas une volonté de copier mais le besoin de dépasser un état émotionnel très éprouvant. En effet, « pour mieux identifier certains états corporels intenses déclenchés en lui par les gestes et les attitudes qu'il a vus représentés, l'enfant peut être tenté de les reproduire ».

Voilà tout un lot d'images publicitaires violentes, pas forcément sanguinolentes, mais violentes psychiquement. Elles peuvent déstabiliser au point de pousser un être humain à ne plus s'appartenir. « Une image qui pousse celui qui la voit à adhérer à un parti, à jeter ses meubles au feu ou à rouler trop vite en voiture est "violente", analyse Tisseron, parce qu'elle

---

1. Serge Tisseron, *Enfants sous influence, op. cit.*

suspend le cours de l'élaboration psychique et pousse à agir plus qu'à penser. » Mais ceci n'est-il pas le but de la publicité ?

Il est vrai que nous pouvons analyser ces images, les replacer dans un contexte (« C'est une pub »), nous pouvons les comparer, les critiquer. Mais aussi, « nous pouvons être amenés, sous leur influence, à ressentir des émotions ou à accomplir des actes dont la raison semble nous échapper ». Les images parlent à notre esprit, explique le psychiatre, mais elles parlent aussi à notre cœur et à notre corps.

La conséquence ? De telles images peuvent « accompagner et accentuer » des frustrations, un mal-être collectif et individuel « surtout dans les milieux où, l'exclusion aidant, la télévision est surconsommée et constitue une référence quasi unique », analysait en 1998 le rapport Cluzel sur l'avenir de la télévision numérique, présenté en commission des finances du Sénat. Et même si, dans l'esprit de l'auteur de la publicité, il existe une volonté de dénonciation, celle-ci ne sera pas forcément comprise par le passant, le téléspectateur. Lui voit l'émetteur et ne comprend pas la teneur du message. Parce que d'une nature peu critique, la publicité sacralise, érige en modèle plus qu'elle ne dénonce.

Comme seule défense, les publicitaires crient alors à la censure. Ils mélangent avec une impunité déconcertante la « liberté d'expression » derrière laquelle ils se retranchent avec emphase, et en même temps l'attirance pour le scandale capable de leur apporter à moindres frais, notoriété et nouveaux clients.

Nicolas Bordas, le publicitaire auteur de la campagne qui s'est plu à montrer un pitbull agressif dans quelques quartiers chauds de la périphérie parisienne, a proposé aux élus perturbés par son initiative de concevoir gratuitement une campagne pour « les aider à relayer les mesures gouvernementales concernant les chiens dangereux[1] ». Un sacré sens du commerce.

Son affiche de pitbull n'aurait été qu'une introduction destinée à mettre un pied chez de nouveaux annonceurs. Comme si l'irresponsabilité et la démagogie étaient les préliminaires d'un nouveau discours publicitaire qui jette de l'huile sur le feu de frustrations trop nombreuses, pour ensuite en obtenir profit. Dans ce contexte bien particulier, faut-il accorder au commerce le même niveau de liberté d'expression que celui qu'on accorde avec respect aux artistes et aux citoyens ? N'avons-nous pas besoin de quelques ajustements ?

La publicité n'est ni une expression artistique, ni l'expression d'une volonté citoyenne. Même si, pour légitimer leur action parfois douteuse, les publicitaires jouent de plus en plus souvent sur l'un des deux tableaux. Certaines de leurs « créations » sont tout simplement à ranger dans la catégorie incitation à la haine ou au dégoût, d'autres jouent des comportements agressifs, des peurs, de la domination des plus forts sur les plus faibles. Elles contribuent à leur façon à cette vieille psychose sécuritaire très en vogue en période d'élections. Stop.

Nous ne vivons pas dans un supermarché. Les marchands doivent tenir leur place. Même s'ils ont beaucoup d'argent et de grandes ambitions.

---

1. *Stratégies* (15 septembre 2000).

TROISIÈME PARTIE

Les mariages contre nature

1

Publicité et politique, un mariage impossible

« Lacan disait qu'on ne peut pas nommer ce qui n'existe pas. J'ai bien peur que cela ne s'applique à mon métier. Aucun nom convaincant n'a pu lui être donné. Tous ceux qu'on emploie sont laids. C'est déjà une indication : l'inesthétique parle. »

Jacques Pilhan,
conseiller en communication
de François Mitterrand
puis de Jacques Chirac,
L'Écriture médiatique.

Une fine bande de terre coincée entre le Ghana et le Bénin avec, au bout, le golfe de Guinée. Le Togo est un petit pays enserré dans un régime autoritaire comme il est coincé sur les cartes de géographie. Nous sommes un mois avant l'élection qui confirmera encore une fois, le général-président Gnassingbé Eyadema à la tête du pays. Inférieur à 60 %, son score fut particulièrement bon pour son image de démocrate : les

213

mercenaires de la communication dépêchés de France, dans le plus grand secret, ont réussi leur coup.

Depuis le milieu des années 90, un groupuscule de conseillers se disputent les faveurs de chefs d'État en Afrique pour des millions de francs de commission par an. Parce que la publicité politique est désormais interdite en France, ces pros de l'image, qui eurent énormément de pouvoir dans les années 80, ont progressivement été évincés de la scène hexagonale. La communication en Afrique, c'est la communication politique en France d'il y a vingt ans.

Il est 8 heures du matin et une écrasante chaleur va bientôt s'abattre sur Lomé, la capitale du Togo. Dans le bureau du Premier ministre Kwassi Klutsé, il fait encore frais. Ce vendredi 29 mai 1998, comme chaque matin depuis huit semaines, les deux émissaires de l'agence française de communication Euro RSCG Corporate, Jean-Philippe Dorent et Stéphane Bigata, viennent rendre compte des dernières avancées de leur mission. Une mission de séduction. Ou plutôt de propagande idéologique. Ils doivent faire en sorte que cette élection présidentielle, qui verra à coup sûr la victoire de ce général au pouvoir depuis une trentaine d'années, « se passe le mieux possible aux yeux de l'opinion internationale[1] », m'explique M. Dorent. Les conseillers français doivent obtenir qu'on montre des images de l'opposition à la télévision.

Problème : les rares partis qui contestent le régime n'ont pas accès à l'unique télévision nationale. En fait, la TVT a toujours été le fief réservé et exclusif de la garde rapprochée d'Eyadema. Est-il envisageable de changer, en quelques semaines, les habitudes héritées d'une longue tradition monopartiste ? Les publicitaires ont beau organiser un « cycle de

---

1. *Le Monde* (16 juin 1998).

formation au pluralisme » – auquel a participé Jean-Luc Mano, ex-directeur de l'information de France 2 –, rien n'y fait. Les journalistes togolais, voisins des militaires en armes qui surveillent la télévision, comprennent mal l'intérêt (soudain) de donner la parole aux contestataires.

Les Français décident alors de recruter leur propre équipe – deux cameramen et un monteur –, qu'ils font venir de Paris pour trois mois. Ils s'installent à l'hôtel le plus moderne de Lomé, puis vont filmer dans les villages les opposants au régime. Ceux-ci affichent leur méfiance. Qui sont ces Français conduits par des militaires, dans deux 4×4 flambant neufs, estampillés « propriété du gouvernement togolais » ? La prestation est peu usuelle. Et Eyadema peu connu pour sa propension à favoriser le débat.

L'agence de publicité fabrique pour la télévision l'image d'une démocratie. Une démocratie factice, uniquement destinée à obtenir un « bon » rapport de Reporters sans frontières (RSF). L'organisation non gouvernementale est mandatée par la Commission européenne pour valider, de Lomé, l'existence du pluralisme dans les médias. RSF rend compte, semaine après semaine, du temps de parole accordé à chacun. Pour l'instant, on en est à une minute pour tous les opposants réunis contre neuf heures au général-président.

Cette action de communication au Togo a une raison simple. Le général est arrivé au pouvoir lors d'un coup d'État en 1967, et compte encore y rester quelques années. C'est pour obtenir la reconduction d'aides européennes qu'il s'est engagé à organiser une véritable « élection démocratique et transparente » auprès de ses bailleurs de fonds[1]. La politique

---

1. La communauté européenne finançait en mai 1998 plusieurs projets (en cours) pour un montant de 234 millions de francs, *Le Monde* (16 juin 1998).

étrangère au Togo – mais aussi dans d'autres pays africains comme la Côte-d'Ivoire, le Congo-Brazzaville ou même l'Angola – consiste essentiellement à répondre aux exigences des financiers étrangers par des exercices ponctuels, tactiques, formels.

Le pluralisme politique togolais n'existe pas en 1998. Il n'y a que des opposants installés dans une opposition de forme par Eyadema lui-même. Comme le candidat Jacques Amouzou (ULI), un homme de paille qui accepte de se faire filmer par les caméras d'Euro RSCG à condition de ne pas avoir à ouvrir la bouche. Assis à son bureau, il demande aux Français de « nous commenter » comme les journalistes de la TVT en « ont l'habitude ». Et puis, il y a les vrais opposants, comme Yawovi Agboylbo (CAR) ou Zarlfou Ayeva (PDR), qui, eux, se terrent, ont peur de parler à ces étrangers trop proches des autorités. Ils craignent les pièges et les représailles. Ils disent que les films montés par Euro RSCG sont revus par un officiel togolais qui modifie les commentaires ou supprime des plans, s'il le souhaite, avant de les diffuser à la TVT.

Pour les gens d'Euro RSCG Corporate, cette mission togolaise fut une première. Ont-il eu conscience que la vision audiovisuelle qu'ils fabriquaient ne correspondait pas à la réalité politique du Togo ? Qu'en dépit des apparences, le général rechignait à partager le pouvoir ? Qu'il continue à tenir d'une main de fer ses trois millions d'habitants n'est, sans doute, pas leur affaire. Euro RSCG Corporate est au Togo pour fournir une prestation de communication. Son affaire, c'est le business. L'agence sera d'ailleurs rémunérée un million de francs. Et tant pis si elle rend plus difficile le travail des observateurs envoyés par la Commission. Tant pis si « le procédé est contre-productif », s'« il se contente de maquiller les manques et ne pousse pas le pays vers une réelle démocratisation », me confie un diplomate européen en poste

216

à Lomé. « J'ai pensé et je pense toujours que ce que nous avons fait au Togo était la meilleure chose à faire », expliquera plus tard Stéphane Fouks, le patron d'Euro RSCG Corporate. Militant socialiste, il conseille de temps à autre, avec son compagnon de jeunesse Manuel Valls, qui avait été permanent à Matignon, le Premier ministre Lionel Jospin.

Au Togo, cette agence est loin d'être seule dans la partie. Là-bas, la propagande démocratique emploie du monde : l'agence Euro RSCG Corporate, pour une vitrine audiovisuelle pluraliste lors des élections présidentielles ; mais aussi Thierry Saussez et son agence Image et Stratégie, qui travaille à l'année pour la médiatisation du pays ; Claude Marti, l'« ami » conseiller, qui fut celui de Mobutu en 1992. Tous ces spécialistes sont à pied d'œuvre pour communiquer. C'est-à-dire diffuser des signes destinés à étayer le discours en vigueur, prodémocratie.

Voyons de quelle liberté jouit la presse, c'est un bon baromètre. Trois jours après mon arrivée à Lomé, je suis convoquée par le ministre de la Communication, puis par le ministre des Affaires étrangères, Koffi Panou : je me trouve au Togo sans y avoir été invitée par les autorités. M. Panou, qui représente la faction dure du gouvernement d'Eyadema, veut que je lui décrive le contenu de mon article. D'après lui, la publicité qu'il a fait passer dans *Le Monde* en y achetant de l'espace est une garantie de l'allégeance du journal à son endroit... Je refuse. Il finira par pointer un doigt menaçant : « Les rues de Lomé ne sont pas sûres ! » lâchera-t-il. En 2001, au Togo, il n'y a plus de journalistes en prison, mais on saisit les exemplaires des journaux qui fâchent.

Quelques mois avant cette scène, le Français Thierry Saussez, bouillonnant communicant souriant et bronzé, a en effet vendu une campagne de publicité au gouvernement togolais.

Les équipes d'Image et Stratégie ont acheté des espaces publicitaires pour cette campagne dans des journaux français, comme *Le Monde,* mais aussi dans des journaux africains comme *Jeune Afrique* ou *Jeune Afrique économie.*

L'une d'elles affirmait : « Certains pensent que le niveau d'éducation est faible au Togo, ils devraient revoir leur jugement de A à Z. » Vraiment ? Les conclusions d'un rapport réalisé pour la Commission européenne en 1996 sont alarmistes : au Togo, « l'efficacité interne du système éducatif est l'un des plus faibles au monde ». Seulement 2,2 % des enfants accéderaient au certificat de fin d'études primaires à l'âge de six ans. « Les conditions matérielles d'enseignement sont d'une extrême pauvreté », lit-on aussi dans ce rapport (bâtiments délabrés, enfants grelottant de froid, absence d'eau courante, de toilettes...).

Une autre annonce, au ton tout aussi institutionnel, clame : « Certains pensent que la presse n'est pas libre au Togo, ils devraient la lire plus souvent. » D'après cette publicité conçue à Paris par Image et Stratégie quelques mois avant l'organisation de la réélection présidentielle du général-président, le Togo serait « stable et démocratique » et doté d'« une presse libre ». Comme un fait exprès, c'est justement cette annonce qu'a brandie sous mon nez le ministre Panou. C'est aussi auprès de lui que Thierry Saussez a rendu compte des résultats de sa campagne qui coûta environ deux millions de francs. Deux millions de francs pour un pays qui n'a pas le sou. Il fallait le « médiatiser », me dira M. Saussez, plus tard. À l'époque, Image et Stratégie réalisait près de la moitié de son chiffre d'affaires en Afrique.

Certains chefs d'État africains sont sans doute un peu trop influencés par un « produit » de communication qui leur est fréquemment proposé par les publicitaires : le voyage de presse où l'on invite tous frais payés des journalistes pour une rencontre au sommet de l'État. C'est le voyage « spécial chef d'État ».

Prenons le cas des campagnes orchestrées par Thierry Saussez pour le Togo. Ce proche d'Édouard Balladur, d'Alain Juppé, de Nicolas Sarkozy, qui a travaillé pour Jacques Chirac lors des municipales de 1983 et de la présidentielle de 1988, a organisé à Lomé plusieurs voyages de presse entre 1997 et 1999. Ces sortes de virées en grappe de journalistes « invités » sont censées faire parler du pays, si possible en termes élogieux. Comment cela se passe-t-il ? « À l'occasion d'événements, je monte les rendez-vous que les journalistes souhaitent avec les autorités du pays, m'explique Thierry Saussez. Au fond, je joue un rôle de facilitateur. » Chaque conférence, chaque réunion, pour peu qu'elle ait un caractère au minimum panafricain donne lieu au financement d'un charter d'une vingtaine de journalistes.

Son ancien bras droit, François Blanchard, fait une description plus concrète de sa tâche. Il confiait en novembre 1998 sur les ondes de RFI : « Il faut aller voir nos amis journalistes leur proposer un bon bifteck pour qu'ils puissent bien manger et qu'ils puissent bien écrire [1]. » Un bon bifteck ? Ce sera, par exemple, une entretien exclusif avec le président Eyadema pour un journaliste français. Au final, celui-ci rédigera, uniquement si sa rigueur vacille, « un article global sur la situation politique dans ce pays, sans avoir rencontré le moindre opposant ».

Ce stratagème ne marche pas toujours, heureusement. Parfois, les visites prévues par les organisateurs sont désertées. Les organisateurs d'Image et Stratégie se seraient, déjà, re-

---

1. Christophe Champin et Thierry Vincent, journalistes à Radio France International, « Le pactole de la communication politique », *Le Monde diplomatique* (janvier 2000).

Les visites org.
ne marchant pas tjs

trouvés à trois pour faire la visite du port de Lomé, pourtant présenté à la vingtaine de journalistes invités comme « un bastion de la modernité togolaise ». Claude Marti, un proche conseiller du général-président Gnassingbé Eyadema, affirme : « Les journalistes sont des emmerdeurs qui disent ce qu'ils veulent. » Pour ce stratège solitaire, qui fustige les campagnes de publicité inefficaces vendues à prix d'or en Afrique, « la seule chose à faire, c'est établir une relation privilégiée entre une plume compétente et le chef de l'État ». Il fera un ou deux voyages de ce type au Togo. Un seul journaliste, donc, et des réseaux qui fonctionnent... La technique est plus fine, plus pernicieuse aussi.

En Afrique francophone, les spécialistes français de la communication politique ont l'avantage d'être nombreux, et dotés, ce qui ne gâche rien, d'un carnet d'adresses qui impressionne : on y trouve des anciens ministres français. Cette dizaine de communicants est arrivée, au début des années 90 (pour le gros des troupes), tout auréolée des noms de leurs anciens et prestigieux clients.
« Monsieur le Président, vous savez sans doute que l'on connaît mal votre pays, d'ailleurs on vous connaît mal aussi. Il existe une technique pour vous faire connaître... Regardez, je me suis déjà occupé de... » L'argumentaire ressemble souvent à celui-là. Le communicant s'adresse directement au chef de l'État – c'est lui qui a la clé du coffre –, chef de l'État « qui est assez facile à convaincre puisqu'il n'a aucun effort à faire », me confie l'un d'eux. La condition, c'est d'avoir de belles références et de savoir en jouer.
Peut-être le moins représentatif de la bande est-il Jacques Séguéla. Le patron créatif du groupe Havas Advertising porte une médaille sur la poitrine qui lui vaut d'être sollicité : il est l'auteur le plus connu de l'affiche « La force tranquille » réa-

lisée pour François Mitterrand lors des présidentielles de 1981. Sur la scène internationale de la communication politique, Jacques Séguéla est l'artisan de la victoire de Mitterrand. Conséquence en termes de business : s'il peut faire élire un président en France, il peut certainement servir en Afrique.

Le publicitaire refuse d'associer son nom à n'importe quelle famille politique. Lui soutient l'internationale sociale-démocrate. En Afrique, il a peu travaillé. Sauf pour l'ancien président sénégalais Abdou Diouf. Il serait intervenu en 1993 à la demande de Michel Rocard, qui « souhaitait aider cette jeune démocratie ». Le publicitaire organisa la campagne de Diouf, puis s'en alla. Il y retourna en février 2000, à l'occasion de nouvelles élections présidentielles. Il fixa la stratégie, conçut les trois affiches et mit en forme le programme pour le candidat. En hésitant : « Dès l'instant où la démocratie est là, il est utopique en 2000 de croire que l'on va pouvoir rester au pouvoir plus de dix ans. J'ai manqué de courage pour le lui dire », me confiera-t-il par la suite. Cette fois, son candidat perdit.

Aujourd'hui, Jacques Séguéla dit ne plus vouloir être le conseiller personnel de chefs d'État africains : « J'ai tellement peur d'être pris au piège d'une élection qui ne serait pas totalement transparente que je préfère éviter de travailler en Afrique », explique-t-il. Il se détache des travaux menés par ses équipes d'Euro RSCG et préfère œuvrer à titre personnel et bénévole pour Ricardo Lagos au Chili, Ehud Barak en Israël, ou Aleksander Kwasniewski en Pologne. « Je ne suis pas sûr du pouvoir de la publicité. Peut-être que cela ne change rien, mais peut-être que c'est vraiment efficace, m'explique-t-il. Si c'est le cas, il ne faut pas la mettre entre toutes les mains. » Avant chaque mission étrangère, Jacques Séguéla dit demander le blanc-seing du Quai d'Orsay.

Claude Marti, publicitaire de métier, fut vice-président de l'agence TBWA en France (1978-1982). Il œuvre en Afrique comme un diplomate solitaire, sans doute celui qui navigue le plus entre conseils en communication politique et conseils tout court. Sa petite agence, Claude Marti Communication, est installée dans le 8ᵉ arrondissement, au-dessus de celle de son ancien compère et désormais concurrent Thierry Saussez. Elle fonctionne « comme un cabinet d'avocats » : « La communication c'est une écoute, et ensuite une manipulation si on en est capable », me racontera-t-il. À Paris, il attend la réponse de l'ambassade d'Angola censée lui annoncer s'il a décroché ou non une mission de communication pour ce pays malmené dans la presse européenne pour cause d'« Angolagate ».

Son portefeuille africain est large. Les clients de Claude Marti sont camerounais, guinéens, libyens, togolais, nigériens, ivoiriens... Cet homme proche de Michel Rocard, qu'il conseille depuis 1969 et qui fut de 1983 à 1987, conseiller en communication du président François Mitterrand, est un homme de réseaux qui justifie son action tous azimuts par « l'éthique de responsabilité » et non « l'éthique de conviction »[1]... Ce principe qu'il reprend à son compte, lui permet de servir, presque au nom de la France, des chefs d'État « durs » comme Eyadema ou Mobutu.

Lors de la dernière course à la présidence ivoirienne, Claude Marti a pris fait et cause pour le général Robert Guei. Il n'est pas le seul, le général est très entouré[2]. Claude Marti

---

1. Max Weber, sociologue allemand (1864-1920), distinguait l'éthique de conviction, qui ne se préoccupe que du principe moral présidant à l'action sans se soucier des conséquences, et l'éthique de responsabilité, selon laquelle seul compte le résultat. Lui prônait l'utilisation par l'homme politique des deux « éthiques », sans jamais en occulter une.

2. Pascal Gengoux, de l'agence Écriture & Image pour l'« image extérieure du chef », Edgar Kaptindé, pour la promotion dans les pays voisins et Leila N'Diaye pour le lobbying aux États-Unis, selon la *Lettre du continent,* nº 358 (24 août 2000).

est un vieux de la vieille; sa méthode, c'est le conseil glissé au creux de l'oreille. Il aime travailler les « concepts » et rendre compte des mouvements d'opinion. Il exècre la publicité-spectacle. Pas de paillettes, donc, surtout en politique : « Acheter trois annonces dans la presse française pour faire croire que l'on va améliorer l'image du Togo ne sert à rien », me dit-il.

Lui préfère « créer des liens ». Sur son CV, il se définit comme « consultant international en relations humaines et communication », et se fait rémunérer pour des « dialogues et collaborations avec les chefs d'État et de gouvernement ». Ce conseiller, qui marche à l'intuition, n'est manifestement pas avare de sa personne. Désormais, le général Guei l'appelle « Mon très cher Claude [1] » – sans doute une façon de le remercier d'avoir payé les deux cent mille francs de sa campagne... Contrairement à des prestataires publicitaires qui exigent des contrats en bonne et due forme, Claude Marti n'a jamais eu qu'un seul contrat en Afrique – avec le Sénégalais Paul Byia –, alors qu'il a travaillé pour une dizaine de chefs d'État. Sa recette? Tous les efforts possibles pour ses amis-clients africains. Pour le général Guei, il a fait imprimer des affiches à Paris, acheté une pub soixante mille francs dans *Jeune Afrique,* et payé des billets d'avion pour des proches habitant en France et qui souhaitaient faire le voyage. Sa discrétion participe au mythe, il affirme ne disposer d'aucune archive – « Je brûle tout », dit-il. Il joue à entretenir consciencieusement sa mémoire défaillante.

Thierry Saussez, autre homme fort de la communication africaine, joue d'influences françaises. Ses clients, en plus du général-président Eyadema, sont l'Ivoirien Henri Konan Bédié et le Congolais Denis Sassou Nguesso dont il travaille l'image auprès des médias français. Son coup de maître, il l'a

---

1. Selon un courrier signé du général Guei, en date du 19 janvier 2001.

réussi en octobre 1997, juste après les batailles meurtrières qui permirent à Sassou Nguesso de reprendre Brazzaville. Témoignage du journaliste du *Monde* Stephen Smith, et d'Antoine Glaser, coauteurs de *Ces messieurs Afrique*[1] : Thierry Saussez « s'emploie à présenter un Sassou new look à la presse française et non un général en uniforme de coup d'État. Dès le lendemain, son collaborateur François Blanchard, qui assure à Paris les relations avec une petite dizaine de journalistes spécialistes de l'Afrique, organise, via Libreville, un voyage de presse dans le fief du nouvel homme fort. Le soir même, au journal de 20 heures, apparaît un Sassou souriant et calme, dans le rôle du libérateur. Le lendemain sur Europe 1, c'est Thierry Saussez lui-même qui vante l'esprit grand seigneur de son poulain ».

Ce spécialiste de la communication politique, très ancré à droite, sait faire profiter ses clients africains de son réseau français. Quelques jours à peine après son aventure congolaise, il emmène Nicolas Sarkozy, alors porte-parole du RPR, rencontrer Henri Konan Bédié en Côte-d'Ivoire, accompagné de Martin Bouygues, le P-DG du groupe du même nom.

Accointances douteuses ? Pour lui, rien d'anormal : « Organiser le déjeuner d'un chef d'État avec quatre grands patrons et quatre responsables politiques, c'est tout à fait classique. Aller dîner avec le président ivoirien Henri Konan Bédié et Nicolas Sarkozy, qui va de temps à autre sur le continent noir et s'est rendu en Angola, aller en Afrique avec trois parlementaires européens... voilà qui est tout à fait banal[2]. » En attendant, ce printemps 2001, tous ses clients africains sont en « stand-by », me dit-il. Un temps d'arrêt qui

1. Stephen Smith et Antoine Glaser, *Ces messieurs Afrique*, 2 tomes, Calmann-Lévy, 1997.
2. « Agence française vend président africain », *Le Monde diplomatique* (janvier 2000).

n'est peut-être pas étranger à de récentes tensions avec ses amis du RPR. Ceux-ci lui tiendraient rigueur de s'être lancé à la tête de la mairie de Rueil-Malmaison (Hauts-de-seine), contre vents et marées, et d'avoir perdu, après avoir fait dissidence contre le maire RPR, Jacques Baumel.

Contrairement à Claude Marti qui a commencé par officier comme spécialiste en communication avec l'Afrique pour le compte de la Shell en 1957 à Dakar (Sénégal), Thierry Saussez n'a découvert les pays subsahariens que tardivement, vers 1997. Par l'entremise de François Blanchard, l'ancien responsable de la communication à la mairie de Rueil-Malmaison, ville dans laquelle il était adjoint au maire Baumel depuis 1975[1]. Il débarque en Côte-d'Ivoire et repart avec une mission de « communication globale » en poche, pour laquelle il aurait touché entre quatre-vingt mille francs et cent mille francs par mois. Sans les frais. Et « il y en a beaucoup », me raconte un consultant. « Sur ce type de contrat vous avez entre sept et dix personnes qui s'accrochent, m'explique-t-on. Vous faites un devis à deux millions et demi de francs et vous ressortez avec un budget à sept millions et demi de francs. »

Jean-Pierre Fleury, publicitaire-politique des plus actifs en Afrique, est l'un des plus étranges personnages de la bande. Je n'ai jamais rencontré cet homme discret. Apparemment, les communicants spécialisés pour l'Afrique ne le connaissent pas davantage. « Inconnu », « Je ne l'ai jamais rencontré », « Je ne sais pas qui c'est », semble le leitmotiv en vigueur depuis que Jean-Christophe Mitterrand, ami d'enfance de Jean-Pierre Fleury et son ouvreur de portes africaines, selon certains, a été mis en examen en décembre 2000 dans une affaire illégale de vente d'armes à l'Angola.

---

1. Thierry Saussez a brigué sans succès la succession de Baumel aux municipales de 2001.

L'entreprise Adefi International, agence de communication dirigée par Jean-Pierre Fleury, serait ou aurait été titulaire de contrats avec le Togo, le Cameroun et le Congo notamment. Elle fut très active entre 1986 et 1992, à l'époque où le fils aîné du président Mitterrand occupait les fonctions de « conseiller à la présidence de la République » pour les affaires africaines. D'après plusieurs sources, ce serait par Mitterrand fils que M. Fleury aurait décroché ses missions africaines. Jean-Christophe Mitterrand se servait de l'écoute dont il bénéficiait auprès des chefs d'État africains pour placer Jean-Pierre Fleury, un publicitaire capable de les « aider » à résoudre leurs « problèmes » de communication, me raconte-t-on. « Au lieu d'avoir du code pénal et du code constitutionnel, il avait son ami Fleury dans ses valises », m'explique l'un des consultants locaux. « Mes relations avec Jean-Christophe Mitterrand, je répète une fois encore qu'elles sont purement amicales et non professionnelles », rétorque Jean-Pierre Fleury dans un fax qu'il me fait parvenir le 24 avril 2001.

Jean-Pierre Fleury ne fait pas de la publicité mais de la communication : « La publicité est une expression voyante de la communication, elle en est un sous-ensemble. Le conseil en communication ne s'exprime pas obligatoirement sous une forme publicitaire et n'est pas forcément voyant. En ce qui me concerne, je ne fais pas de publicité », m'écrira-t-il. On me dit, ailleurs, que les services fournis par Adefi International sont divers : des campagnes de publicité aux films institutionnels, voire à des images d'« opposants africains à Paris » utilisées ensuite « à des fins d'identification au pays »[1]. Dans la brochure de présentation de l'entreprise

---

1. *Le Monde* (22 décembre 2000).

« Geopolitics Communication and Strategies »), M. Fleury défend une approche scentifique, organisée et méthodologique de la communication.

Un observateur raconte : « La seule chose qui intéresse en Afrique, c'est de faire du fric. Ici, l'avantage, c'est que c'est pas des chèques. Une commission sur une campagne de pub, c'est la règle, et cinq cent mille francs, c'est facile, ça tient dans une sacoche. »

L'Office de lutte anti-fraude (Olaf) qui dépend de la Commission européenne enquête depuis le 5 septembre 2000 sur des « allégations concernant des détournements d'aides européennes vers la Mauritanie ». Ces « allégations », qui concerneraient notamment des détournements de subvention européenne pour la communication et le renforcement des structures de pêche, sont portées depuis un an dans la presse mauricienne à l'encontre de Jean-Pierre Fleury, par un homme d'affaires suisse, Éric Stauffer[1]. La communication en Afrique sent parfois le soufre.

La communication politique n'a pas toujours été synonyme de transparence. En Afrique, elle est encore parfois un pansement mis sur les archaïsmes des régimes politiques. En France, elle brilla au firmament avant d'être reléguée aux oubliettes. La raison ? L'argent.

Les campagnes de communication demandent des fonds. Les consultants américains se consacrent à plein temps à la recherche de financements *fund raising* : lors de la dernière campagne présidentielle, la plus chère de l'histoire, les démocrates ont collecté l'équivalent de plus de 828 millions de

---

1. *La Lettre du Continent*, n° 369 (1er février 2001).

francs, et les républicains près de 960 millions de francs, des sommes qui ne sont soumises, là-bas, à aucun contrôle[1].

Ici, les financements n'ont jamais atteint de tels sommets. Lors des élections présidentielles de 1988, les deux candidats du deuxième tour auraient dépensé environ 300 millions de francs chacun, contre 40 millions chacun en 1974[2]. Mais la spirale inflationniste des dépenses de campagne, et les comportements pervers qu'elle a induits, expliquent nombre d'« affaires » françaises. Plus de dix ans après, les hommes politiques et leurs conseillers continuent à payer le prix des excès d'hier : la scène politique hexagonale est devenue un no man's land publicitaire.

Nous sommes passés d'une zone de non-droit où régnait le laisser-faire, le laisser-aller, à l'interdiction totale. Il fallait mettre fin au show-business politique.

Raymond Barre maugrée en frottant la semelle de ses chaussures dans la craie, se souvient Thierry Saussez dans son livre *Le Pouvoir des mentors*[3] : « On m'aura décidément tout fait faire », grommelle le député-maire de Lyon. La scène se déroule au palais omnisports de Bercy. C'est le jour du « grand meeting unitaire » de la droite majoritaire avant le second tour de l'élection présidentielle de 1988. Pour donner une « dimension spectaculaire » et symbolique à la rencontre de Jacques Chirac, qui va affronter François Mitterrand au second tour, avec Raymond Barre, deuxième candidat mal-

---

1. « Politique et big business font bon ménage », *Le Monde* (17 août 2000).
2. Thierry Bréhier, « Ombres et lumières de la campagne présidentielle. La propagande électorale, des millions par centaines », *Le Monde* (1er octobre 1987).
3. Thierry Saussez, *Le Pouvoir des mentors*, Éditions n° 1, 1999.

heureux de la droite du premier tour, les communicants ont fait construire « une scène en pente douce vers le public, comme la pointe d'un grand vaisseau spatial ». La scène glisse. La craie servira d'antidérapant de dernière minute.

Thierry Saussez s'occupe de la campagne de Jacques Chirac aux côtés de deux publicitaires chiraquiens, Jean-Michel Goudard (le « G » de Euro RSCG) et Bernard Brochand (Monsieur PSG, qui présida jusqu'en 2000 aux destinées de l'agence DDB). À l'époque, les conseillers en communication jouissent en France des pleins pouvoirs. Rien n'est trop beau, rien n'est trop grand, la démesure bat son plein. La description par Thierry Saussez de cette scène censée symboliser l'union de la droite à quelques jours du vote décisif vaut le détour : « Deux passerelles permettent, de part et d'autre de la scène, à Jacques Chirac et à Raymond Barre de faire leur entrée sur fond de musique planante, de se retrouver ensuite au centre pour une poignée de main, sous les flashes des photographes et les caméras de télévision, tandis que leurs deux noms écrits au laser se confondent pour sceller l'union promise. » Redescendons sur terre.

Déjà en 1981, Hubert Basso, « le grand show-man » de Valéry Giscard d'Estaing, disposait de cent francs par spectateur pour les grands meetings publics [1]. Car en plus, il faut le remplir ce palais des sports que l'on a loué, rappelle le journaliste Thierry Bréhier, dans *Le Monde* : « Il y va du moral du candidat, de la mobilisation des militants, de la bonne impression de la presse. Un ramassage serré est donc indispensable. » Le budget du rassemblement giscardien, porte de Pantin, à Paris, à la veille du 10 mai 1981, avait coûté la bagatelle de huit à neuf millions de francs. Ces dépenses somptuaires ne datent pas d'hier.

En 1969 déjà, Georges Pompidou, affolé par un mauvais

---

1. *Le Monde* (1er octobre 1987).

pub médiatiq qd elle touche à la politique

sondage, créa *ex nihilo* un journal à sa botte : *France-Demain,* mauvaise copie de *France-soir,* vit le jour. Il en coûta cinq millions de francs et 92 % du tirage fut gâché. Mais à cette époque, comme toujours en 1974, les cellules de communication étaient « confidentielles ». Cachées, en somme. Celle que dirigea Régis Debray pour François Mitterrand, entre les deux tours de l'élection présidentielle de 1974, était installée dans de petits bureaux à quelques rues de son QG de campagne, tour Montparnasse. On y trouvait à pied d'œuvre, dans un secret feutré, notamment Jacques Attali, Françoise Castro, Jean-Claude Colliard, Stellio Lorenzi (réalisateur, pour la télévision), Gérard Legall (l'homme des sondages) et Claude Marti (pour la stratégie d'image). Personne ne se doutait à l'époque que la machine à vendre de l'homme politique fonctionnait déjà.

C'est à partir de 1981, après la victoire de Mitterrand, que la publicité politique est sortie des placards dans laquelle on la tenait cachée. Puisque les affiches de Séguéla avaient contribué à faire élire le nouveau président, la publicité avait désormais droit de cité. « On a cru que la publicité avait fait gagner la gauche, en fait c'était l'inverse, analyse Claude Marti. C'est la gauche qui a fait gagner la publicité. » Les Français publiphobes avant 1981 devinrent « accros à la pub ». En échange de sa prestation gratuite, Jaques Séguéla avait obtenu l'autorisation de faire la publicité de sa publicité. « Je m'étais aperçu que la publicité ne devenait médiatique que quand elle touchait à la politique, j'ai obtenu en échange de mes affiches l'autorisation de François Mitterrand d'en parler. » À partir de là, la communication commerciale comme la communication politique s'imposèrent. La publicité « fait de la consommation une fête, explique le patron de la création du groupe Havas Advertising, et la publicité peut faire du vote une fête adulte, où l'on s'engage ». L'homme politique devenait progressivement un produit comme un autre, qu'il fallait « vendre » à des électeurs « clients ».

homme pol = pdt

230

Suppress° pub politique - loi

1990 est l'année du coup de grâce : la publicité politique est guillotinée. Après dix ans de consommation excessive, les députés français constatent, affolés, l'ampleur médiatique des dérives financières qui éclatent au grand jour. La suppression totale de la publicité politique fut le prix à payer. La France allait devenir un cas unique en Europe.

Ce fut d'abord l'affaire Urba, ce bureau d'études qui ramassait des fonds pour le compte du Parti socialiste; puis celle du maire de Grenoble, Alain Carignon, qui tombe à cause des commissions réalisées sur le marché de l'eau de sa ville; ou encore les affaires financières de l'ex-maire de Lyon, Michel Noir, et de son gendre, Pierre Botton. Bref, aspirés par une spirale judiciaire inédite, les hommes politiques, acculés, cherchent dans l'urgence à « moraliser la vie publique ». La lutte contre la corruption devient la priorité nationale. De nouvelles lois – y compris celle spécifiquement consacrée à la passation des marchés publicitaires[1] – et le ménage dans les comptes des partis parfois suivi d'amnistie se multiplient pour tenter de rassurer l'opinion.

Un premier couperet tombe en 1986. François Mitterrand préside, Jacques Chirac gouverne. Une loi consacrée à la réglementation des médias audiovisuels est présentée par François Léotard, alors ministre de la Culture et de la Communication. Elle prive la publicité politique de diffusion à la télévision et sur les radios[2]. Ne restent plus alors que les affiches. Pendant une dizaine d'années l'affichage commercial est très largement utilisé. C'est le dernier média autorisé

reste
q les
affiches

---

1. Dite loi Sapin.
2. Loi du 30 septembre 1986 relative à la liberté de communication. Article 14 : « Les émissions publicitaires à caractère politique sont interdites. »

en dehors des campagnes organisées par les services de l'État. Les fraudes se multiplient. Les principales dépenses en communication s'étant concentrées sur un seul vecteur, la collusion entre afficheurs et candidats à l'élection atteignit son comble. C'était la règle, depuis des années, que les afficheurs offrent gratuitement des panneaux à des élus qui leur avaient attribué des contrats municipaux. Certains afficheurs comme Jean-Claude Decaux créèrent même des filiales dédiées à la communication des élus. Jean-Claude Decaux ne s'en est pas caché : pendant ces années il multiplia les « coups de pouce ». En toute impunité.

On se souvient du plus visible à Paris : la promotion, en pleine campagne législative de 1993, du livre d'Alain Juppé, *La Tentation de Venise* (Grasset), sur une quinzaine de panneaux de mobilier urbain judicieusement installés aux Champs-Élysées. D'autres, comme Pierre Mauroy (PS) à Lille, André Labarrère (PS) à Pau, ou Georges Frèche (PS) à Montpellier, profitèrent aussi de ce type de « largesses ». Decaux n'est pas une exception, même si ses moyens lui permettaient d'être plus généreux que ses concurrents (à l'époque il est en situation de quasi-monopole pour l'affichage en centre-ville). Tous les afficheurs – Avenir, Dauphin, Giraudy – ont été mis à contribution. Le système servait ceux qui étaient élus et avaient vocation à le rester.

La donne change définitivement avec la loi du 15 janvier 1990[1], votée sous Rocard, complétée par celle du 19 janvier 1995 qui contrôle le financement des partis politiques, et des campagnes électorales dont elle limite le budget. Celui d'un candidat à l'Assemblée nationale est, par exemple, plafonné à deux cent cinquante mille francs par campagne plus un franc par habitant en agglomération urbaine. Un candidat à la pré-

---

1. Relative « à la limitation des dépenses électorales et à la clarification du financement des activités politiques ».

sidentielle peut dépenser quatre-vingt-dix millions de francs et, pour les deux candidats qui iront jusqu'au second tour, jusqu'à cent vingt millions de francs chacun. L'État en rembourse une partie.

Les conséquences en termes de communication ? Indirectement, ces deux lois ont supprimé l'affichage en s'attaquant à la corruption. Les « cadeaux » ne sont plus autorisés. Les contributions gratuites (ou à des tarifs préférentiels) des « personnes morales [1] » – entendez des afficheurs notamment qui faisaient jusqu'alors figurer leur « don » à la ligne « dépenses en relations publiques et communication » dans leur comptabilité – sont désormais interdites. Et le calendrier de communication est aussi restreint : pas de propagande trois mois avant un scrutin ; pas de bilan de gestion locale six mois avant une élection régionale, départementale ou communale. Le motif est vertueux, le résultat une aberration. « Imaginez que, pour le lancement d'une automobile, je sois sommé d'arrêter ma communication cent jours avant l'arrivée du nouveau modèle. Qui s'intéressera encore à lui au moment de sa sortie ? » demande Jacques Séguéla. Jean-Marie Cotteret, professeur au département de sciences politiques à la Sorbonne, ancien membre du Conseil supérieur de l'audiovisuel (CSA), observe que la « propagande [2] » fut ainsi interdite trente-sept mois sur cinquante-deux entre janvier 1991 et mai 1995 [3]. Cette situation engendre de nouveaux comportements pervers.

---

1. Article L 52-8 du Code électoral : « Les personnes morales, à l'exception des partis ou groupes politiques, ne peuvent participer au financement de la campagne électorale d'un candidat, ni en lui consentant des dons sous quelque forme que ce soit, ni en lui fournissant des biens, des services ou autres avantages directs ou indirects à des prix inférieurs à ceux qui sont habituellement pratiqués. »
2. C'est le terme utilisé par les textes de loi.
3. Jean-Marie Cotteret, *Gouverner c'est paraître*, PUF, 1997.

Officiellement, donc, la publicité politique n'est plus autorisée en France. Contrairement à l'Allemagne, la Grande-Bretagne ou l'Italie. Mais, ici comme ailleurs, les hommes politiques sont contraints de s'exprimer pour convaincre. Alors on parle désormais de « communication politique ». Le principe reste le même : faire connaître, faire aimer un candidat à l'élection. Seule différence : les actions ne passent plus par l'achat d'espaces publicitaires dans les médias.

Sur le papier, les hommes politiques en campagne sont cantonnés à serrer des mains sur les marchés pour aller rencontrer les électeurs, à figurer sur le mode « Photomaton » sur des affiches alignées les unes à côté des autres près des bureaux de vote [1]. Il est extrêmement difficile de respecter ces nouvelles règles d'un jeu très rigide.

Élections européennes de juin 1999 : Lionel Jospin est hors la loi depuis le 1er mars. Son visage qui accompagne celui de François Hollande, tête de liste du Parti socialiste pour ces élections européennes, est placardé sur les murs de la capitale. Si la loi du 15 janvier 1990 était appliquée, il aurait dû être condamné à soixante mille francs d'amende. Avant, l'affichage, pour les publicitaires, les militants aussi, c'était une fête. « Des militants collaient des affiches à tour de bras, de toutes les tailles et de toutes les couleurs, du petit autocollant à l'affichette, en passant par le bandeau en hauteur pour les poteaux télégraphiques [2] », se souvient le publicitaire Thierry Saussez. Aujourd'hui, c'est interdit. Conséquence : l'affichage sauvage est en forte hausse.

Les tracts distribués sur les marchés la veille du scrutin ? Officiellement interdits. La loi prévoit en effet qu'un unique

---

1. Michel Guerrin, *Le Monde* (22 avril 1995).
2. Thierry Saussez, *Le Temps des ventriloques*, Belfond, 1997.

tract (une feuille format 21 × 29,7 centimètres maximum) peut être envoyé aux électeurs. Il existe aussi des brochures de petit format conçue sur un mode quasi industriel par les équipes de Laurent Habib (Euro RSCG Corporate) pour une trentaine de candidats qui avaient choisi d'accepter leurs services aux municipales de mars 2001. D'autres initiatives, comme les « lettres d'entrée de campagne » ou les journaux photocopiés mènent aussi une existence discrète.

La règle tacite, c'est que les comptes de campagne n'explosent pas. Mésaventure vécue par Jack Lang (PS) qui perdit son siège à l'Assemblée nationale lorsqu'il était ministre de la Culture : il venait d'être privé de son mandat de député par le Conseil constitutionnel en décembre 1993 pour avoir dépassé le montant des dépenses autorisées aux législatives. Avant lui, Jean-Pierre Pierre-Bloch (UDF), député de Paris, avait été déclaré inéligible pour avoir dépassé son plafond de cinq cent mille francs : le coût d'une page de publicité dans le journal municipal signé du maire du XVIIIe arrondissement qui souhaitait ainsi apporter son soutien aux trois candidats de droite, dont M. Pierre-Bloch, le fit destituer[1].

Depuis cinq ans environ, des mots d'ordre sont donnés par les partis. L'heure est à l'usage modéré de la communication expurgée : « L'imagerie du candidat s'imposera par sa cohérence [...] plutôt que par la puissance des dépenses publicitaires », indiquait Jean-Pierre Raffarin (UDF) à ses troupes[2]. Vœu pieu, car chacun y va de sa petite innovation.

Aux législatives de 1993, Olivier Dassault (RPR, Oise) a distribué gratuitement un disque compact intitulé « Sincé-

---

1. *Le Monde* (10 décembre 1993).
2. Gilles Paris, *Le Monde* (15 mars 1993).

rité » censé accompagner ses interventions publiques. D'autres, comme Laurent Fabius (PS) ou Claude Evin (PS), ont préféré instaurer de nouveaux rituels sur les lieux traditionnels de campagne. Laurent Fabius fit ainsi la sortie des supermarchés. Claude Evin, lui, installa un système de permanence sur le marché « plutôt que de slalomer avec ostentation entre bottes de fleurs et bottes de poireaux ».

Aux municipales de mars 2001, à La Roche-sur-Yon, Jacques Auxiette – qui fut élu maire en mars 2001 avec 54 % des voix au premier tour – consacra un tiers de son compte de campagne à la tenue d'un débat public abrité chaque soir pendant dix jours sous une tente. « La campagne s'est résumée à une distribution d'invitations », explique, satisfait, Laurent Habib. Les moyens suffisent donc, dès que les idées sont là. Et qu'on autorise leur expression.

Désormais on cultive la discrétion feutrée au cours de réunions d'appartement. Ces réunions, inspirées des « réunions Tupperware » promues d'un bout à l'autre des États-Unis par les Américains dans les années 50, consistent à rassembler autour du candidat une vingtaine de personnes – relations, voisins – afin qu'ils puissent débattre dans un cadre intime. « C'est une technique que nous avons utilisée pour la première fois en 1989 », me précise-t-on chez Euro RSCG Corporate. Lors des dernières législatives, le député Thierry Mandon (PS), lui aussi adepte des réunions d'appartement comme Julien Dray (Essonne aussi), s'était mis en tête de voir près de dix mille personnes. Un pari difficile à tenir.

Même pour des élections municipales, il est utopique en ville d'espérer dans ces conditions rencontrer plus de 10 % de l'électorat. Alors il faut « cibler ». Comme Élisabeth Hubert (RPR) qui a visé spécifiquement les groupes de retraités, les jeunes de moins de vingt-deux ans n'ayant pas voté en 1988 et un panel d'électeurs entre vingt-cinq et quarante ans, connus pour leur extrême mobilité. Le but du jeu ? Que les gens se disent après avoir discuté avec elle : « Nom d'un chien, elle n'a pas la tête d'un député ».

Le téléphone est un nouvel outil... efficace, agressif et très intrusif. Des entreprises qui possèdent des plateformes téléphoniques (baptisées *call centers*) appellent les électeurs chez eux, en fonction des groupes sociodémographiques auxquels ils appartiennent. Les communicants utilisent de plus en plus, sur le mode américain, des bases de données qui permettent de disposer d'informations nominatives personnalisées. Ces informations coûtent cher : comment entrent-elles dans les comptes de campagne ? Elles ne sont pas franchement décomptées à ce jour. On peut aussi travailler à partir des listes électorales.

Ce fut le cas de Jean Tiberi, l'ancien maire de Paris, dans le Ve arrondissement, qui employa plusieurs militants, voire prit lui-même son téléphone, pour appeler des personnes triées sur le volet, à venir voter au second tour des municipales de mars 2001. Dans le camp adverse, celui de Lyne Cohen-Solal (PS), une soixantaine de coups de fil ont également été donnés, « mais on ne demandait pas de voter pour nous », m'explique un proche de l'adjointe au maire. Cette initiative fut prise pour contrer l'offensive téléphonique de Jean Tiberi.

Personne ne peut se contenter de la campagne de communication orchestrée par les services d'État. Mieux vaudrait d'ailleurs s'en passer ou en libérer l'expression. Car, dans ses contraintes actuelles – qui sont fixées par le CSA et le ministère de l'intérieur notamment –, la campagne officielle à la télévision et à la radio est nuisible. Elle fait passer pour de mauvais amateurs les « pros » de la politique – les hommes, les partis et nos gouvernements, en coûtant très cher à l'État.

Prenons la campagne officielle organisée pour les élections européennes de 1999. Le Conseil supérieur de l'audiovisuel (CSA), producteur de ces émissions officielles, a fixé un ordre de passage où se succèdent des formats longs (quatre minutes trente) et des formats courts (cinquante-six secondes ou une minute trente) – présentés comme une révolution aux législatives de 1993. Les listes candidates se rangèrent les unes à la suite des autres pour enregistrer leur spot avec la même équipe et des moyens identiques pour tous. En dépit des exigences de programmation du CSA qui avait demandé aux dirigeants de France 3 de placer les écrans officiels avant le « Soir 3 » et à ceux de France 2, après le JT de « 13 heures », notamment, l'audience ne fut pas au rendez-vous. Et pour cause.

On assista comme chaque fois à « une queue leu leu de candidats-troncs débitant sans effet ni attrait leur argumentation [qui] vous dégoûterait de la politique et de la publicité réunies », affirme Jacques Séguéla en fustigeant « la culture de l'incompétence »[1]. Côté production, on s'interdit tout débordement pour respecter le principe jusqu'au-boutiste de l'égalité des moyens. Résultat, défilent des spots plus appropriés à une campagne de « patronage » qu'à un appel à la mobilisation citoyenne. Personne ne les regarde avec sérieux.

Chaque liste ou candidat doit remplir le temps de diffusion qui lui est alloué – ce que refusèrent Charles Pasqua et Philippe de Villiers lors de ce scrutin européen. Depuis 1993, les communicants ont l'autorisation du CSA de produire la moitié des images en extérieur et de façon indépendante. Pour l'autre moitié du spot, il faut impérativement passer par la Société française de production (SFP) et les studios de la Maison de la radio. Pour ce palmarès de la « non-créativité », comme dirait Claire Brétécher, la palme reviendrait sans

---

1. *Le Monde* (18 juin 1998).

doute aux « micros-trottoirs » faussement naturels ou à quelques effets surprenants qu'explique l'utilisation tous azimuts de l'ordinateur pour créer des animations graphiques.

Bref, hommes politiques, du fait des « affaires », se sont bridés au point de devenir inexistants. On ne connaît que le visage de ceux dont parlent les journaux télévisés et des cinq députés les plus célèbres de l'Assemblée nationale... Et les autres ? « On avait un objectif légitime, celui de moraliser le financement des partis, mais on a provoqué des dommages collatéraux en voulant organiser et censurer la communication des hommes politiques », explique Stéphane Fouks.

Il ne reste plus aux hommes politiques qu'à essayer de passer dans les journaux, à la télévision et à la radio.

Puisque les communicants ont vu leur échapper leur matière première, le conseil en image, ils ont progressivement été contraints de se soumettre, avec leur client-candidat, au bon vouloir des rédactions politiques de la télévision, de la presse et de la radio. Il s'est opéré ce que certains ont appelé un « transfert de la légitimité du politique au médiatique ». Pour le patron d'Image et Stratégie, Thierry Saussez, ce n'est rien de moins qu'« une dérive de la démocratie », puisque l'homme politique « s'en remet aux médias – seuls entièrement libres – du soin d'organiser la communication politique »[1]. Il serait naïf de croire que les communicants ont abandonné la partie. Disons plutôt que les tentatives de manipulation se concentrent désormais sur les médias.

Les « vraies » campagnes, aujourd'hui, sont là, surtout à la télévision et dans la presse. La voix des hommes politiques est soumise au filtre des rédactions télévisées, radiophoniques et de la presse écrite. Presque exclusivement. C'est le seul

---

1. Thierry Saussez, *Le Temps des ventriloques, op. cit.*

moyen pour l'homme politique qui n'a plus la possibilité de personnaliser ailleurs son message de se faire connaître auprès de plusieurs millions d'électeurs. Pour s'adresser à la population le plus large possible. Le capital d'un homme politique, « c'est sa popularité », affirme Jean-Paul Gourévitch, enseignant à Paris XII et auteur de *L'Image en politique*[1].

Au départ, il y avait les émissions politiques. Elles n'existent pratiquement plus – finies les « Face à la une », « 7 sur 7 », « Heure de vérité », « Marche du siècle », etc. La raison ? Les débats rendus lénifiants par des candidats qui craignent le moindre faux pas lors de leur unique passage télévisé ont aseptisé la performance. Les téléspectateurs ont déserté le petit écran et les annonceurs ont délaissé les écrans publicitaires placés à proximité de ces émissions.

« Une émission politique à 20 h 40 sur notre chaîne ? Impossible, les services de publicité n'en veulent pas[2] », confiait, sous couvert d'anonymat, un patron de chaîne au *Canard enchaîné*. Corinne Bouygues, à l'époque présidente de TF1 Publicité, la régie qui vend les espaces publicitaires, confirme : même les soirées électorales « sont un manque à gagner[3] ». Résultat, les émissions politiques ont quasiment disparu des grilles de programmes. Seules survivent quelques grands-messes consacrées aux soirées électorales, de plus en plus courtes. Des figures imposées surtout aux chaînes de service public. Celles où la pub règne en maître n'hésitent plus à faire l'impasse.

Aussi les hommes politiques se sont-ils rabattus vers les plateaux d'émissions de variétés. Pour faire plus « vrai », plus

---

1. *L'Image en politique, de Luther à Internet et de l'affiche au clip*, Hachette Littératures, 1998.
2. *Le Canard enchaîné* (9 avril 1997).
3. *Le Monde* (27 mai 2001).

« proche ». Le conseil venait de leurs communicants qui y voyaient le moyen de « toucher d'autres publics », indiquait Manuel Valls, l'ancien conseiller de Jospin. Quitte à se ridiculiser publiquement. On se souvient de Valéry Giscard d'Estaing jouant de l'accordéon et de François Léotard ou Lionel Jospin poussant la chansonnette dans une émission de variétés. Ces exercices publicitaires font aujourd'hui figure de contre-exemples. En France, la classe politique est plutôt austère. Pas question de se prêter à des exercices à l'américaine : le spot « à la Bill Clinton »[1], ne suscita pas une once d'envie de ce côté-ci de l'Atlantique. Dommage, finalement, c'est peut-être aussi cette décontraction qui nous manque.

Si les émissions de divertissement sont encore courtisées, surtout en période de précampagne, ce n'est pas par envie, c'est par nécessité. Elles offrent la seule occasion d'être sur le petit écran. Mais la concurrence est devenue sévère : en 2001, Michel Drucker préfère inviter un Jean-Marie Messier, tout-puissant patron de Vivendi Universal, ou un François Pinault, patron de PPR, qu'un Laurent Fabius. C'est facile, les patrons d'entreprise ont le charisme travaillé à grands coups de dollars dépensés en communication. Il suffit de voir la victoire du magnat industriel Silvio Berlusconi en Italie. La communication qui hissa au pouvoir son parti, Forza Italia, fut un exemple réussi de marketing d'entreprise appliqué à la politique.

Que reste-t-il alors aux (vrais) politiques ? Les trente secondes d'images diffusées lors du journal télévisé, explique Serge Uzzan qui s'occupa de la campagne de Jean Tiberi lors

---

1. Puisqu'il n'allait plus « travailler », il a joué à l'homme d'intérieur, l'homme à tout faire, au service de son épouse Hillary Clinton, qui, elle, allait briguer le mandat de sénateur de l'État de New York. Bourré de clichés caricaturaux, ce film fut diffusé dans la salle de presse de la Maison-Blanche peu avant son départ.

tout est calculé
manipulé ?
créer attention/
évènemt

des municipales de mars 2001. Premier avantage : cela ne coûte rien. Deuxième avantage : ces journaux restent, comme les deux ou trois grands quotidiens nationaux, des espaces symboliques permettant de toucher une large part de l'électorat : « Il n'y a aucun pays au monde où le journal télévisé de 20 heures soit ritualisé comme en France, expliquait Jacques Pilhan. Un tiers des Français déjeunent devant le 13 heures, les deux tiers dînent en famille devant le 20 heures.[1] » Conséquence, les congrès des partis sont mis en scène, calculés dans l'espoir d'obtenir un bref passage au journal télévisé. Les militants ne sont plus que des figurants. Quel sens cela a-t-il ?

Comme il faut faire court et frapper fort, les communicants travaillent à placer la phrase à effet, à mettre en exergue une particularité folklorique du meeting. Serge Uzzan, directeur de l'agence Alice-Lowe, s'est ainsi félicité d'avoir créé le petit « événement-choc » susceptible de retenir l'attention lors des municipales parisiennes. Comment ? Par une chanson. Les images de « Vas-y, Titi, tiens bon, vas-y, Titi, tiens bon, bon, bon », que Frankie Vincent chanta lui-même au meeting du Palais des sports, le 8 février 2001, permirent la couverture du meeting par les télévisions. « Bien que cela paraisse prétentieux, écrit Thierry Saussez, organiser un meeting, c'est à chaque fois créer une œuvre, certes éphémère, écrire un scénario, construire un décor, mettre en scène des hommes, des mots, des messages et des images[2]. » Il faut, en plus, caler les horaires pour pouvoir passer au journal télévisé – parler à 18 heures permet un passage au journal télévisé de 20 heures, par exemple. L'ordre de passage des intervenants est une « foire d'empoigne ».

---

1. Jacques Pilhan, « L'écriture médiatique », *Le Débat* (novembre-décembre 1995).
2. Thierry Saussez, *Le Pouvoir des mentors, op. cit.*

Le conseiller en communication politique est aujourd'hui, en France, devenu maître en « écriture médiatique ». Jacques Pilhan[1] pensa le concept de la « force tranquille » lorsqu'il travaillait avec Jacques Séguéla.

De quoi s'agit-il ? D'une tentative pour reprendre le contrôle du « temps » médiatique. La mission principale des communicants politiques consiste aujourd'hui à chorégraphier le ballet médiatique de leurs clients. À charge pour les médias, ensuite, de déjouer les pièges de cette communication insidieuse... L'idée consiste, explique l'ancien conseiller de Mitterrand, à découper la présence de tel ou tel candidat en séquences de temps pour gérer avec précision sa présence dans les médias. Autrement dit, aux médias de « manger la soupe qu'on leur sert », quand c'est favorable au client-candidat, ou « de ronger leur frein », quand l'heure n'est plus à la prise de parole.

« Jusqu'à une date toute récente, les hommes politiques se contentaient de répondre au coup par coup à la demande des médias. Leurs attachés de presse répercutaient les sollicitations : un journal de 20 heures, une émission de radio, une interview dans un journal, écrit Jacques Pilhan. Ce que j'ai introduit là-dedans, c'est le concept du plan médias. » Et de poursuivre : « Plutôt que de répondre de manière pavlovienne aux propositions des journalistes, on préfère aller dans tel ou tel média – télé, radio ou presse écrite – selon l'effet que l'on veut obtenir. »

Il existe des règles spécifiques. Une fréquence rapide « diminue considérablement l'intensité du désir de

---

1. Son approche, sa technique de communication politique furent décrites dans le seul texte qu'il laissa de son vivant, un entretien accordé à la revue *Le Débat* en novembre-décembre 1995.

m'entendre et l'attention avec laquelle je suis écouté »,
explique Pilhan, un proche de Jean Glavany, actuel ministre
de l'Agriculture. « Si je me tais pendant un moment, le désir
de m'entendre [...] va s'aiguiser. » Et c'est ce rythme que les
conseillers en communication cherchent aujourd'hui à imposer aux médias. Jacques Pilhan, en 1995, était, lui, « arrivé à
la conclusion que l'image d'un homme public est autant
déterminée par son écriture médiatique que par le contenu de
ce qu'il dit ». La leçon a porté ses fruits. Stéphane Fouks, qui
s'occupait de la liste socialiste conduite par François Hollande lors de la campagne européenne de 1999, me confiait :
« La stratégie médias, c'est 80 % de la stratégie de communication. »

La réflexion est complétée par un peu de « média-trai-
ning ». On préfère désormais le terme de « coaching ». Pas de
couleur criarde pour que le regard du téléspectateur ne soit
pas détourné du visage, des phrases courtes, une posture doit
être dynamique. Laurent Habib, d'Euro RSCG Corporate,
recommande à ses clients de s'asseoir au bord du siège, de
façon à être en déséquilibre avant parce que « la télévision
absorbe l'énergie ». Dans la perspective d'un reportage, les
communicants conseillent à leurs clients de se contenter de
répéter un message unique et de « ne jamais se préoccuper de
la question posée » : « Le but n'est pas que le journaliste le
trouve sympathique, mais uniquement que son message
passe », explique M. Habib.

Qu'on ne s'y trompe pas, le métier de communicant politique est encore celui d'un « tireur de ficelles ». Simplement,
il s'est fait plus discret. Plus de paillettes : il préfère désormais l'ombre aux sunlights. L'action d'un publicitaire qui
coordonne une campagne de sa *war room* (« salle de guerre »
en anglais), ou celle plus distanciée d'un conseiller, fin stratège et rompu à la tactique médiatique, ne sont pas neutres.
Loin de là. Nos hommes politiques communiquent toujours.

De façon plus insidieuse. Et sans comparaison possible avec le marketing politique agressif « à l'américaine », également pratiqué par les Britanniques.

Le risque de la publicité politique pratiquée telle qu'elle l'est outre-Atlantique, c'est la publicité négative. « Lors des dernières élections présidentielles, les deux candidats ont chacun dépensé 1,5 milliard de francs pour détruire l'autre, indique Jacques Séguéla. On ne sort pas indemne de 1,5 milliard de francs de publicité négative. »

Pourtant, la pratique de la politique anglo-saxonne diffère largement de la culture politique française. Aux États-Unis, par exemple, des cabinets sont spécialisés dans la quête d'informations préjudiciables au candidat adverse, explique Jean-Gustave Padioleau, sociologue à la Maison des sciences de l'homme[1]. Il précise que là-bas le métier de consultant politique est très organisé : le secteur employait en 1997 sept mille consultants à temps plein, et trente mille lors des échéances électorales. Il a développé les fameux *push polls* (sondages qui poussent) américains, ces faux sondages réalisés aux États-Unis par des équipes spécialisées qui, sous couvert d'enquête d'opinion, font passer des messages agressifs, voire des attaques personnelles – « Au fait, vous savez qu'il est homosexuel ? » –, sur l'opposant. Je n'ai pas trouvé de spécialiste français, parmi ceux que j'ai rencontrés, qui se soit prononcé en faveur de la publicité négative. La résistance du cloisonnement entre vie professionnelle et vie privée est ici tenace.

Aux États-Unis, la communication politique est un vrai « business » parce que les partis n'assurent plus l'organisa-

---

1. J.-G. Padioleau, « De nouveaux mercenaires : les consultants politiques », *Sociétal*, n° 10 (juillet 1997).

tion des campagnes. Cette charge revient au candidat et à sa cellule de spécialistes. Comparativement, en France, le métier de conseil en communication politique relève encore de l'artisanat. Les professionnels américains, eux, se sont dotés d'une charte déontologique et d'un comité d'éthique qui a officiellement condamné en 1996 la pratique des *push polls*. En vain. Ils ont même précisé les règles qui gouvernent le bon consultant en communication politique pour tenter d'endiguer les débordements. On trouve parmi ces principes, assez amusants ou assez tristes, au choix : « protéger le candidat contre les idées fausses, transmettre au candidat la réalité des faits, fournir aux médias de la copie sur les clients, protéger le candidat de l'influence de ses proches, femme, amis, etc. », selon Jean-Gustave Padioleau. On mesure à quel point la machine communico-médiatique peut-être puissante.

En France, on cherche, on hésite. Peut-on trouver une publicité politique qui ne soit pas un masque, comme en Afrique, ni un gaspillage destructeur, comme aux États-Unis ?

2

Liberté de la presse : le chantage publicitaire

> « Il faut aujourd'hui de l'or, beaucoup
> d'or, pour avoir le droit de parler : nous
> ne sommes pas assez riches. Silence au
> pauvre ! »
>
> Félicité de LA MENNAIS,
> éditeur du journal
> *Le Peuple constituant,*
> qui mit la clé sous la porte en 1848
> par manque de recettes publicitaires.

Le Canard enchaîné est une exception en France. Cet hebdomadaire satirique qui s'est lancé dans le journalisme d'investigation dans les années 60 a choisi de ne pas accueillir de publicité dans ses colonnes. Avec ses huit pages – telle est la contrainte si on refuse la publicité –, il est devenu une sorte de bouée de sauvetage. C'est là qu'on apprend les pressions subies par les médias qui ne peuvent les décrire dans leurs propres pages. C'est là qu'on découvre de tristes histoires et qu'on mesure l'influence des pressions publicitaires sur la liberté d'information.

Dans son édition du 25 octobre 2000, sous le titre « Bernard Arnault prive de dessert *Le Nouvel Obs* », l'hebdomadaire affirme que le patron du groupe LVMH – sixième annonceur de la presse en 1998 avec 387 millions de francs de publicité – a fait annuler des campagnes prévues dans *Le Nouvel Observateur* parce que le magazine a critiqué sa stratégie. Cela faisait longtemps que ce type de micro-événement journalistique n'avait pas été mentionné dans la presse. On aurait presque cru qu'il n'en n'existait plus.

Un article consacré aux déboires de LVMH sur Internet aurait fortement mécontenté le patron du groupe de luxe. Que contenait-il donc ? Pas d'attaques personnelles, pas d'insulte. Un journaliste s'interrogeait simplement sur les raisons du report à répétition de l'ouverture de la banque virtuelle Ze Bank. Ze Bank, c'est le projet étendard de Bernard Arnault dans l'e-business[1]. Et voilà Bernard Arnault renouant avec des pratiques que l'on croyait oubliées. Voilà que son état-major, vengeur, punit par la suppression de la publicité le journal trouble-fête. Perte sèche pour le magazine : 1,5 million de francs. À ce moment *Le Nouvel Observateur* est fortement tributaire de sa pub. Le coup est dur.

L'anecdote a valeur de symbole. En France, troisième marché publicitaire d'Europe après l'Allemagne et la Grande-Bretagne, la publicité qui finance les médias pèse toujours plus sur la liberté d'information. Non seulement par le fait de campagnes publicitaires susceptibles d'être décommandées, mais aussi parce que les médias privés appartiennent désormais à des groupes industriels dépourvus de culture journalistique. Pour ces nouveaux actionnaires, les entreprises de presse, télévision, journaux ou radio, sont des entreprises comme les autres. Elles doivent dégager des profits (normal) et servir la cause économique de leur propriétaire (moins normal).

---

1. « Arnault bogue sur le Net », *Le Nouvel Observateur* (28 septembre 2000).

C'est une lutte de tous les instants pour les journalistes dont le travail est quotidiennement menacé par le chantage publicitaire, le chantage de l'actionnaire, comme ils l'étaient jadis par les pressions de la classe politique au pouvoir. En 2001 on ne prend plus de risques à critiquer les politiques. On en prend à commenter les marques ou à décrypter d'un œil critique les stratégies des états-majors d'entreprise. La menace a changé d'identité, elle est devenue plus puissante.

punition publicitaire

Au milieu des années 90, un système couramment utilisé par les patrons aux prises avec les affres de la justice est la punition publicitaire. Parmi les habitués de ce procédé, on trouve Jacques Calvet, ancien président du constructeur automobile PSA (Peugeot-Citroën), et Pierre Suard, ancien président d'Alcatel-CIT. *Le Canard enchaîné* a relaté dans les années 94-96 quelques-uns de leurs faits d'armes les plus emblématiques.

Jacques Calvet a instauré la punition publicitaire comme stratégie d'entreprise à partir de 1989. Le premier à en subir les conséquences, c'est le magazine *L'Expansion*, à l'époque dirigé par Jean-Louis Servan-Schreiber[1]. Le patron de Peugeot veut punir le journal d'avoir co-organisé avec Antenne 2 l'émission « La Nuit des entreprises » (le 27 juin 1989), qui a « involontairement ridiculisé les patrons », lit-on dans le *Canard*. M. Calvet a l'épiderme sensible, il menace aussitôt de supprimer « toute sa pub au groupe de presse ». Le directeur de *L'Expansion* sauvera cinq millions de francs de recettes publicitaires par un acrobatique « numéro de charme ».

Deux mois passent, et de nouveau les pratiques de M. Calvet font l'objet d'un encart dans l'hebdomadaire satirique. Cette fois, c'est *L'Événement du jeudi* qui est châtié pour

---

1. *Le Canard enchaîné* (2 août 1989).

mauvaise conduite[1]. La campagne à la gloire de la Peugeot 605 qui passe dans les pages s'achèvera plus rapidement que prévu : les dix pages encore à venir sont annulées. Motif ? Le 21 septembre, un article critique la politique sociale du groupe Peugeot. Le magazine voit cinq cent mille francs lui passer sous le nez. Sept ans plus tard, le patron de PSA fait de nouveau parler de lui. Mécontent d'avoir été débouté de sa plainte déposée pour « dénigrement commercial » contre « Les Guignols », l'émission satirique de Canal Plus, il retire à la chaîne cryptée la publicité du groupe PSA. Cette fois, c'est un coup d'épée dans l'eau : la punition ne fait pas grand mal à Canal Plus, qui ne vit pas de la publicité mais de ses abonnements.

En 1994, les rétorsions publicitaires sont également un instrument privilégié du groupe Alcatel. Pierre Suard, président de la société, qui possède les hebdomadaires *L'Express*, *Le Point* et *L'Expansion*, est un étrange patron de presse. C'est sans doute au nom de la liberté de la presse qu'il fait arrêter net, en mai 1994, une campagne de publicité commencée dans *Le Monde*[2], auquel il reproche d'avoir couvert avec trop de zèle ses déboires judiciaires. Ce sont trois millions de francs de budget publicitaire que le journal voit s'envoler. Le quotidien n'a pas été le seul à faire les frais de ce mouvement d'humeur qui achève de le fragiliser financièrement. En octobre de la même année, *Le Nouvel Économiste* se voit retirer à son tour sept pages de publicité pour une valeur de trois cent cinquante mille francs.

Quelques mois plus tard, *Le Canard enchaîné*, qui reprend une information parue dans *Libération*, relate une autre opération punitive signée, cette fois, de la garde rapprochée de Pierre Suard. Françoise Sampermans[3], qui dirige à l'époque

---

1. *Le Canard enchaîné* (4 octobre 1989).
2. *Le Canard enchaîné* (1ᵉʳ juin 1994).
3. *Le Canard enchaîné* (18 janvier 1995).

la filiale presse du groupe Alcatel, ouvre le feu sur *L'Expansion*, l'un des magazines dont le groupe possède indirectement 30 %, qui vient de publier en couverture une enquête titrée « Pourquoi Alcatel vacille ». « Le 9 janvier, le directeur de ce bimensuel, Christian Brégou, reçoit un coup de téléphone de Françoise Sampermans [qui] se met à hurler à propos de l'article iconoclaste, d'autant plus malvenu que *L'Expansion* organise justement cette semaine-là son forum à grand tralala avec la participation de Balladur », raconte le *Canard*. « Vous ne savez pas tenir vos journalistes ! » se serait exclamée Mme Sampermans. Dans la foulée, les contrats publicitaires programmés sont supprimés (deux millions de francs) et la publication ne peut plus utiliser les services techniques (affichettes, réglage des ventes...) d'Alcatel.

D'autres bras de fer ont régulièrement lieu dans ces années-là. Car la punition journalistique par la publicité s'est fortement développée au fur et à mesure que les budgets publicitaires alloués à la presse augmentaient.

En 1995, selon des chiffres cités par le Service juridique et technique de l'information (SJTI) qui dépend du gouvernement, les recettes publicitaires représentaient en moyenne 40 % du chiffre d'affaires global de la presse écrite. Avec d'importantes variations selon les familles de journaux. Si, dans la presse professionnelle, il n'est pas rare que la pub génère plus de 60 % des ressources des titres, dans la presse quotidienne nationale, il existe aussi de grandes variations : en 2000, *Le Monde* dépendait de ses pubs à hauteur de 40 % environ, *Le Figaro* serait tributaire des annonceurs pour plus de 70 % de ses ressources[1].

Ce sont les plus gros annonceurs publicitaires qui sont les plus tentés d'utiliser la publicité comme moyen de pression,

---

1. La Socpresse, le groupe qui comprend *Le Figaro*, ne rend pas publics ses chiffres.

ou plutôt de répression. Prenons le cas de PSA : en 2000, Peugeot était toujours le quatrième plus gros annonceur publicitaire en France, tous médias confondus, et Citroën, le sixième. Le nombre de médias dans lesquels les marques du groupe de Jacques Calvet sont présentes l'autorise à avoir l'humeur chatouilleuse. Un journal boycotté ? Les acheteurs de ses voitures seront soumis à des slogans séducteurs, ailleurs...

Pas facile, non plus, de critiquer à la télévision la pub (télévisée) – pourtant bien pauvre ! – des chocolats Mon chéri, « les chocolats préférés de M. l'ambassadeur ». Les journalistes de l'émission « Culture Pub » diffusée sur M6 depuis 1989 en savent quelque chose. Ce fut même l'unique cas de censure autoritaire dont ils furent l'objet en douze années de production. Chez M6, c'est clair, on ne touche pas à l'entreprise italienne Ferrero, un annonceur omniprésent[1] avec ses spots pour les œufs en chocolat Kinder, les chocolats Mon chéri, ou la pâte à tartiner Nutella.

Que s'est-il passé ? En 1994, quelques jours avant la diffusion du « Culture Pub » hebdomadaire, la régie publicitaire de M6 appelle, ennuyée, la société CB News TV qui produit l'émission. L'objet de son inquiétude : une chronique consacrée à l'un des spots de la société Ferrero. Rien de bien méchant. Les journalistes décryptent avec ironie le mécanisme psychologique utilisé par les publicitaires allemands concepteurs des campagnes européennes de Ferrero. « On nous demande, de façon très sympathique d'ailleurs, de bien vouloir surseoir à la diffusion parce que la régie négocie

---

1. En 2000, Ferrero est, tous médias confondus, le troisième annonceur publicitaire en Allemagne et le cinquième en Italie, selon la régie IP.

soixante millions de francs de publicité avec la société italienne », m'explique un journaliste de l'équipe, qui pèse le
pour, qui pèse le contre, et finit par décider d'accepter de
reporter la diffusion de cette chronique d'un mois et demi :
soixante millions de francs, c'est une grosse somme pour M6
à l'époque.

Peu de temps après, le 23 janvier 1995 exactement, mais
sans lien apparent, Christian Blachas, patron de CB News TV
et directeur de la rédaction de l'hebdomadaire spécialisé *CB
News*, signe un éditorial consacré à l'entreprise Ferrero dans
son magazine papier. Il déplore ces pubs qui « ne sont même
pas nulles. Elles sont ringardes, totalement déphasées. Il y a
vingt ans, on n'osait même plus en faire des comme ça »,
écrit-il. Ces pubs pour « Mon chéri ou Roche d'or » auraient
pour seule vertu de nous faire « ronronner quelques instants
comme on le fait devant certains feuilletons, certaines émissions, certains bouquins, certaines musiques. Histoire
d'échapper à la dure réalité quotidienne. De laisser aller sa
rétine et son cerveau au spectacle lénifiant et bébête. Ça fait
du bien parfois. Ça peut remplacer un Lexomil ».

Comme cela arrive souvent, Ferrero réagit en adressant à
Christian Blachas un courrier lui faisant part de son « étonne-
ment »... On en reste là, fin de l'épisode. Un an et demi passe,
la chronique consacrée aux chocolats de l'ambassadeur n'a
toujours pas été diffusée, mais Ferrero est de nouveau au
menu. Cette fois, les journalistes de « Culture Pub » ont réalisé une lecture « psychanalytique » d'un certain nombre de
spots télévisés[1]. L'un d'eux concerne les chocolats Mon
chéri. Cette fois, c'est de la direction des programmes de M6
que vient le coup !

« On apprend à cette occasion que les responsables de Ferrero s'étaient fendus, en 1994, d'un autre courrier adressé à la

---

1. « Culture Pub » (12 mai 1996).

chaîne à la suite de l'édito de Christian Blachas, m'explique un journaliste. Dans ce courrier, l'entreprise demandait de façon autoritaire à ce qu'aucun programme de M6 ne mentionne jamais Ferrero de quelque manière que ce soit, sinon l'entreprise en tirerait les conséquences en termes budgétaires. » Cette fois, l'équipe de CB News TV qui conçoit « Culture Pub » oppose à la chaîne une fin de non-recevoir. « Il n'y avait absolument rien de diffamatoire, me raconte-t-on. Il n'était pas question de couper dans l'enquête qui, en plus, n'était pas consacrée à Ferrero mais à "Psychanalyse et publicités". » Et la production rend son émission avec le passage contesté.

C'est à la diffusion que les journalistes découvriront que ce numéro de « Culture Pub » a été amputé d'une minute. « En haut lieu », apprendront-ils ensuite. Trop tard pour faire quoi que ce soit.

Si l'argent publicitaire peut parfois être objet de chantage, il a aussi la réputation d'adoucir les mœurs. En effet, la technique répressive de la « punition publicitaire »a son contraire : l'« arrosage publicitaire » destiné à créer « un terrain médiatique favorable », comme disent les professionnels de la communication. Certains estiment que ce système permet d'éviter un traitement journalistique « dur » de l'actualité concernant les commanditaires publicitaires.

Le procédé n'est pas nouveau. Il fut employé par Ferdinand de Lesseps pour inciter les Français à mettre la main au portefeuille et financer le creusement de canal de Panamá[1]. « Pendant huit ans, de 1880 à 1888, l'ensemble ou presque de la presse, toutes tendances confondues, s'employa à faire

---

1. Daniel Junqua, *La Presse, le Citoyen et l'Argent*, Le Monde-Folio Actuel, 1999.

l'apologie du creusement de l'isthme de Panamá et des fabuleux bénéfices qui en résulteraient en masquant les difficultés matérielles de Ferdinand de Lesseps sur le terrain et la situation financière de l'entreprise qui fit finalement faillite en 1890. » La raison ? « Sur les vingt-deux millions de francs-or consacrés par la Compagnie du canal à la publicité, plus de la moitié allèrent à la presse. »

Souscrire à cet emprunt est « une manifestation patriotique [...] le gain légitime n'excluant pas le dévouement de l'intérêt national », lit-on sous la plume d'un journaliste dans un article paru à la une du *Figaro* le 1ᵉʳ août 1886, soit deux jours avant l'émission de l'emprunt. Le journaliste se serait fait rémunérer deux mille cinq cents francs et son journal aurait obtenu pour sa ferveur six mille francs en plus des vingt mille francs déjà alloués à la publicité officielle. L'ancien journaliste au *Monde*, Daniel Junqua, fait état d'un rapport sur les mécanismes de corruption mis en œuvre dans l'affaire de Panamá, publié à la fin du xɪxᵉ siècle par un député.

Aujourd'hui, les annonceurs ne rémunèrent plus les journalistes. Les pratiques sont plus perverses. On peut parfois leur proposer de « faire le nègre » pour écrire des ouvrages autobiographiques. Plus fréquemment on les cajole en leur réservant des entretiens en « avant-première ». Certains parviennent aussi à calmer leurs ardeurs critiques en tenant les patrons de leurs publications par les cordons de la bourse. La publicité reste un moyen de pression « doux ».

La publicité, Jean-Marie Messier y croit. Il devait convaincre les Français de souscrire une augmentation du capital de son entreprise cotée en bourse. Il fallait qu'il trouve vingt milliards de francs. L'opération financière était de la plus haute importance : c'est avec ce pactole que Vivendi put ensuite s'offrir un mariage avec Seagram et récupérer Universal. Le pilonnage publicitaire fut ininterrompu dans tout ce que la France compte de médias : des quotidiens nationaux, régionaux, en passant par les hebdomadaires, les magazines, les télévisions, les radios. « J2M » aurait dépensé pour cette campagne quatre-vingts millions de francs, soit le budget consacré à des campagnes de privatisation type Crédit Lyonnais ou Aérospatiale-Matra. La presse qui traversait une période de crise financière trouva son salut dans cette manne publicitaire providentielle. « Nombre de journaux auraient plongé dans le rouge », indique le *Canard*.

L'état-major de Vivendi y a certainement vu une façon d'essayer de se mettre les médias dans la poche. Mais croire à un « complot organisé » entre les journalistes et les annonceurs publicitaires serait une erreur. Le plus souvent, les connivences se nouent « naturellement », souvent « de bonne foi », sans que les parties pensent à mal. C'est probablement ce type de relations « privilégiées » – savamment entretenues par des bataillons de professionnels de la communication – qui expliquent en partie la délicatesse avec laquelle le tout-puissant patron de Vivendi Universal fut traité. Il obtint une couverture inenvisageable quelques mois plus tôt grâce à de longs portraits et entretiens qui lui furent consacrés, des photos à la chaussette trouée de *Paris Match* jusqu'au face à face avec José Bové organisé par Michel Field dans l'émission « Ce qui fait débat », le 25 avril 2001 sur France 2.

Ce constat n'implique pas un lien direct de cause à effet. Mais au même moment, le patron de Vivendi est l'un des premiers donneurs d'ordres publicitaires en France. En 1998, Jean-Marie Messier, a dépensé deux milliards de francs en publicité dans les médias pour la promotion de son entreprise[1].

---

1. En 1998, Vivendi, géant dans l'eau, la téléphonie, le BTP et l'énergie, possède aussi *L'Express*, *L'Expansion*, *Courrier international*, *Le Quotidien du médecin*, *L'Usine nouvelle*, plusieurs sociétés d'édition (Larousse, Nathan, Plon, Bordas, Laffont...), presque la moitié de Canal

Si l'on se réfère aux ratios d'usage, ces dépenses publicitaires étaient anormalement élevées pour un groupe de ce type[1]. En trois ans, il est devenu l'un des porte-drapeaux quasi institutionnels du patronat français, alors que de nombreux entrepreneurs ne l'ont jamais reconnu comme modèle.

Jean-Marie Messier, à l'occasion, n'a pas manqué non plus de rappeler qu'il avait « créé une dizaine de nouveaux magazines » en un an. Ces magazines spécialisés dans l'Internet et les nouvelles technologies, en général fort sérieux du reste, couvrent uniquement des secteurs d'activité de Vivendi Universal.

En 2001, le recours au chantage publicitaire se fait plus rare. Les Suard et Calvet ont passé le relais. « La société a mûri, les canards aussi, la justice n'hésite plus à convoquer des ministres, à mettre en examen des chefs d'entreprise », constate-t-on chez un éditeur de presse. Le temps de la docilité feutrée, encore fort tenace sous de Gaulle et Pompidou, quand « la France était un pays interconnecté entre les hauts fonctionnaires, quelques ténors de l'industrie et les responsables politiques et où tout se décidait dans les dîners en ville », aurait ainsi volé en éclats avec l'alternance politique de 1981.

Pas au nom d'une vertu morale nouvelle ou particulière, non. Tout bonnement parce qu'il se trouve, pour la première fois, des gens prêts à critiquer publiquement leurs prédécesseurs. Les langues se délient, les juges instruisent, la presse

---

Plus (49 %), le distributeur de cinéma UGC et 30 % du premier groupe européen de publicité, Havas Advertising.

1. Les métiers de la communication, cette année-là, représentaient 39 milliards de francs de chiffre d'affaires du groupe Vivendi. Il en dépense 8 % en publicité.

raconte. Conséquence : les médias ont progressivement appris la liberté de ton. Les dirigeants politiques en ont, les premiers, fait les frais au fur et à mesure que sont sorties les « affaires ». Désormais, la presse critique les marques ou tente de décrypter les manœuvres des états-majors des entreprises. Un exemple : celui du mensuel *Capital*, magazine grand public consacré au monde des entreprises, qui vit depuis ses débuts en 1992 au rythme des spasmes irrités des annonceurs publicitaires. Ce qui le sauve : sa diffusion en forte hausse.

C'est au terme de trois ans d'études que ce titre du groupe Prisma Presse (Bertelsmann) démarre. Très vite il totalise une diffusion importante (environ deux cent vingt mille exemplaires) et ne cesse de progresser, pour atteindre une diffusion moyenne d'environ quatre cent mille exemplaires par mois en 2000. Sa rubrique « Succès et dérapages » épingle pourtant un certain nombre de marques et d'annonceurs, le Crédit Lyonnais ou Intermarché en savent quelque chose notamment. Mais, en dépit des campagnes de pub décommandées et des procès en cascade – quatre ans de procédure avec Intermarché –, le journal résiste. Pourquoi ? Simplement parce qu'il est rapidement devenu « incontournable sur sa cible », explique Marc Rassa, le porte-parole du groupe Prisma Presse en France. Une fois la sanction exécutée, les annonceurs reviennent.

On estime qu'il existe *grosso modo* trois options quand un sujet « embêtant » pour un annonceur devient un fait d'actualité : « Vous pouvez soit choisir la flatterie, soit oublier de parler du sujet qui fâche, ce que la plupart des féminins font, ou alors décider de traiter l'information négativement, et vous allez à la confrontation. » La France serait entrée dans une période de capitalisme à l'anglo-saxonne : « Il y a aujourd'hui une exigence de transparence [...] les journaux n'ont plus l'habitude de se retenir. » À condition d'avoir les moyens d'assumer quelques risques financiers.

Le plus souvent, c'est la prudence qui est de mise. Quelques anecdotes. En mars 1996, *Le Canard enchaîné*[1] fait état d'une altercation entre le directeur du *Nouvel Observateur*, Jean Daniel, et Laurent Joffrin, alors codirecteur de la rédaction. Au cœur du débat, une longue enquête sur les contrats faramineux accordés aux animateurs-producteurs par l'état-major des chaînes de télévision du service public. Cet article titré « L'argent fou de la télé » a failli passer à la trappe. La raison? Le directeur aurait considéré que la publication de ce document était un acte « irresponsable »... car des mesures de rétorsion étaient, selon lui, prévisibles. « Un million de francs de pub en moins au bas mot », lit-on dans le *Canard*.

Cette enquête a finalement survécu malgré la menace des représailles commerciales. Beaucoup d'autres ont sauté, ont été « trappées » comme on dit dans le jargon, ont été adoucies ou lissées. C'est vrai dans les journaux, à la radio, mais sûrement davantage encore à la télévision qui subit le plus violemment le diktat de l'Audimat et les pressions des annonceurs. La raison? Les volumes financiers brassés y sont plus importants et les éléments de mesure marketing plus diversifiés. Seuls les médias indépendants financièrement, c'est-à-dire dont les actionnaires n'ont pas les pleins pouvoirs, ou qui ne vivent pas dans une proportion importante des recettes publicitaires, se permettent de couvrir des sujets dont aucun média n'ose parler.

Qui d'autre que Canal Plus, qui vit principalement de ses abonnements, se permet de décrypter la manipulation des laboratoires pharmaceutiques dans l'affaire de l'hépatite B[2]?

---

1. *Le Canard enchaîné* (13 mars 1996).
2. La rédaction de Canal Plus est modeste, mais compte une importante cellule d'investigation qui réalise notamment l'émission « 90 minutes ».

repésailles financières

Le livre noir de la pub

Qui d'autre que France 2 – chaîne de service public qui se souvient parfois de sa mission première – reprend un sujet sur le groupe Besnier-Lactalis (Lactel, Roquefort Société, Président, Bridel, Lepetit) soupçonné de mélanger de l'eau à son lait?

La peur des représailles financières existe bel et bien. Le groupe Besnier dépense environ deux cents millions de francs par an en campagnes publicitaires télévisées. Ce qui vaut pour la télévision vaut dans une certaine autre mesure pour la presse écrite. « Cette manne publicitaire peut expliquer certaines timidités. Ainsi certains journaux et télés se sont contentés d'évoquer la mise en examen du directeur général de Lactalis, la très discrète raison sociale que le groupe Besnier s'est donnée en 1999, mais se sont bien gardés d'évoquer les grandes marques du groupe[1]. » Un portrait qui dérange, une marque un peu trop égratignée... un journaliste de l'audiovisuel avoue en aparté « avoir souvent pratiqué l'auto-censure sur la pression de [sa] chaîne, comme d'autres ».

Pire, dans un bon nombre de cas, « les pressions sont inutiles parce que nombre d'éditeurs, prudents, s'efforcent d'aller au-devant des désirs de leurs annonceurs et de ne les chagriner en rien, écrit Daniel Junqua, également délégué international de l'association Reporters sans frontières (RSF). La plupart du temps, s'ils oublient leurs devoirs, de simples et amicaux rappels à l'ordre les remettent dans le droit chemin. C'est particulièrement vrai pour la presse spécialisée professionnelle et pour la presse locale d'information générale et politique surtout lorsqu'elle parle des entreprises implantées dans sa zone de diffusion[2]. »

_____

1. *(Le roi du lait mouillé est aussi un roi de la pub.) Le Canard enchaîné* (19 avril 2000).
2. Daniel Junqua, *La Presse, le Citoyen et l'Argent, op. cit.*

D'autres méthodes beaucoup plus cavalières, pour ne pas dire musclées, sont encore parfois employées pour museler d'« insolents » journalistes. Les cas sont rares, ce qui ne les empêche pas d'être possibles. Citons l'un des plus récents et des plus médiatisés, qui concerne l'affaire dont fut accusé Maurice Lévy, patron de Publicis, cinquième groupe mondial de publicité : celui-ci aurait obtenu de faire licencier une journaliste du *Figaro* à la suite d'une série d'articles qu'elle avait écrits début 1998 sur son groupe et qui l'auraient particulièrement irrité.

Maurice Lévy dément avec véhémence : « Je n'ai fait que lui envoyer une lettre avec une copie à son président pour manifester mon profond mécontentement, car moi, en ce qui me concerne, quand j'ai des opinions, je les dis. » Cette lettre, la journaliste ne l'a jamais reçue. De là à demander sa tête... « C'est indigne, c'est la plus grosse connerie que peut faire un patron de publicité que d'appeler un patron de journal en demandant de virer un journaliste », argumente-t-il. Avant d'affirmer : « Chaisemartin ne m'aurait jamais fait ce plaisir. »

De quoi est-il question ? Voici les faits. Véronique Richebois était une journaliste affectée à la rubrique « publicité » du supplément économie – cahier saumon – du *Figaro*. Elle a collaboré au quotidien *Les Échos*, à l'hebdomadaire *Le Nouvel Économiste*, et à *Télé Obs* notamment. Ce n'est pas une débutante. Arrivée au *Figaro* le 1er septembre 1997, elle aurait été « virée du premier quotidien national sur vives pressions du patron de Publicis, Maurice Lévy », écrit *Le Canard enchaîné*, le 4 mars 1998. Évidemment, les motifs invoqués par la direction de ce quotidien sont d'un autre ordre : « Inaptitude à [se] plier aux exigences rédactionnelles d'un quotidien grand public et à sa structure hiérarchique », « retard dans la remise [des] papiers »...

Les observateurs sont restés sceptiques. Ce licenciement a présenté une « triple anomalie », selon François de Boissarie, délégué syndical (SNJ) de la rédaction du *Figaro* depuis trente ans, par « la violence de la mesure », « l'absence d'avertissement préalable » qui « établit la légèreté » de cette décision pour le moins inattendue. Enfin et surtout, par le fait que la « direction de la rédaction [ait été] tenue à l'écart ». Cette mesure aurait été décidée, non pas par le directeur de la rédaction – Franz-Olivier Giesbert, responsable hiérarchique de l'ensemble des journalistes –, mais par la seule direction du journal[1].

Véronique Richebois, elle, a toujours affirmé que les motifs officiels de son débarquement étaient « fallacieux ». Elle maintient avoir été licenciée à la suite de pressions exercées par le patron de Publicis l'un des « principaux annonceurs du quotidien ». Emmanuel Schwartzenberg, son responsable de service, l'aurait oralement reconnu, selon la journaliste qui le lui rappelle dans une lettre fort précise qu'elle lui a adressée le 25 février 1998.

À cette époque, le patron de Publicis est au milieu de luttes entre actionnaires familiaux avec sa tentative d'OPA sur son rival américain, True North. Il n'aurait pas supporté des articles qui dévoilaient ses ambitions. Il les a jugés « faux » et « diffamatoires ». En dépit de l'« inexactitude » supposée des informations écrites par la journaliste, Publicis n'a « jamais cru bon de demander au *Figaro* la publication d'un rectificatif sur cet article », comme l'y autorise la loi, explique-t-elle.

L'Association des journalistes des médias et de la communication s'est emparée de l'affaire. Dans un communiqué publié le 25 février 1998, elle s'étonne « de la brutalité avec

_____

1. Selon un courrier daté du 8 avril 1998, produit devant le conseil des prud'hommes. Les journalistes sont soumis, normalement, à la seule autorité hiérarchique de la direction de la rédaction.

laquelle cette mesure a été prise et s'interroge sur les raisons avancées pour la justifier ». « L'association est d'autant plus inquiète que les journalistes chargés de suivre le secteur des médias et notamment celui de la publicité sont particulièrement exposés. »

La prétendue exigence du puissant patron de Publicis n'a jamais été prouvée. Le conseil des prud'hommes a, en revanche, condamné définitivement *Le Figaro*, le 9 janvier 1999, pour le licenciement « abusif » de cette journaliste. De son côté, Maurice Lévy n'a eu de cesse de démentir aussi fermement qu'il le pouvait ces accusations, arguant même dans un courrier dont il a adressé copie à de nombreux journalistes à Paris, mi-mars 1998 : « Cette personne se fait licencier. Pour quelles raisons ? Je n'en sais rien et n'en veux rien savoir. Cela ne me concerne pas et on tente de me faire porter le chapeau. De qui se moque-t-on ? ». Les informations du *Canard* émaneraient pourtant du *Figaro* lui-même.

La sélection des titres de presse ou des chaînes de télévision dans le cadre des plans médias se faisait selon des critères de cible. C'est ce qu'affirment les publicitaires et les annonceurs quand on les interroge sur la logique qui conduit à choisir tel ou tel média pour y placer une campagne publicitaire. Autrement dit, les acheteurs d'espaces publicitaires ne s'intéresseraient qu'au nombre et à la qualité des lecteurs, au type de téléspectateurs qu'ils veulent atteindre pour faire connaître leurs produits ou leurs marques. Je crois que ce principe s'applique en général. Je vois aussi que les exceptions flagrantes existent.

Les médias français doivent désormais aussi compter avec les critères « idéologiques ». En d'autres termes, mieux vaut partager les mêmes valeurs de libéralisme que les annonceurs si l'on veut voir la couleur de l'argent publicitaire. Sinon, il faudra se débrouiller sans pub. Pour ceux qui en doutaient encore, la publicité n'est pas qu'une affaire de business.

La situation dans laquelle l'hebdomadaire *Marianne* se trouve est grave. Après quatre années d'existence, ce magazine créé par Jean-François Kahn en avril 1997 reste le mouton noir de la presse généraliste française. Pour son lancement, la régie publicitaire PLS obtient une dizaine de pages de publicité sur les deux ou trois premiers numéros. La diffusion se stabilise autours de deux cent mille exemplaires, avec une très large majorité de numéros achetés dans les kiosques. Pas mal pour un news magazine né de rien.

« Et puis cela a été la dégringolade, m'explique Jean-François Kahn. Au bout d'un an, nous parvenions péniblement à avoir cinq, six pages de pub par numéro. Il nous en faudrait huit pour ne plus perdre d'argent, ce qui n'est rien par rapport aux autres news magazines, mais, même ça, on ne l'a pas. » Quelques couvertures qui critiquent vertement le groupe Dassault ou les restaurants McDonald's ont tout simplement rayé des plans médias ce magazine incarné par un patron qui se définit comme l'apôtre de l'antipensée unique. Depuis, le magazine semble devoir rester sur la touche pour avoir été « mal-pensant ».

Jean-François Kahn paraît fatigué de son isolement. « Je me suis trompé. Je suis un grand naïf. Je pensais qu'on pouvait faire un journal différent en attirant la publicité[1]. » Il avait pourtant eu recours aux grands moyens. Il demande à l'ancien bras droit de Suard pour la presse, Françoise Sampermans, de présider sa publication. Un an et demi après le lancement, le magazine passe en régie chez Publicis. Maurice Lévy, connu pour son épais carnet d'adresses, va prendre les choses en main. Il commence par faire réaliser une étude par

---

1. Michel Delberghe, « *Marianne* fait appel à ses lecteurs pour financer sa différence », *Le Monde* (6 juin 2000).

sa filiale Médias et Régies Europe. Cinquante annonceurs sont interrogés. Les réponses sont globalement négatives. Deux cents pages pour énumérer les raisons de cette mise à l'écart. Conclusion ? « Vous critiquez le système économique, eh bien ! vous n'avez qu'à vous passer de la pub », me rapporte J-FK. En effet, les réticences de fond représentent 70 % des arguments objectés. La situation ne peut plus durer.

En juin 2000, l'équipe de *Marianne* décide « de mettre de l'eau dans [son] vin ». « Depuis son lancement, Marianne n'a cessé de perdre de l'argent. Peu, sans doute, au regard des masses financières brassées par la presse à l'heure d'Internet ; mais beaucoup pour un actionnariat composé, outre de ses principaux dirigeants, d'amis et de soutiens. À deux reprises, le journal a déjà dû être recapitalisé », écrit Michel Delberghe dans *Le Monde*. Le lectorat est fidèle, plutôt des patrons de PME, des ouvriers, des artisans, et des intellectuels non conformistes..., cibles potentiellement intéressantes pour les publicitaires.

Un petit effort dans le sens du marché publicitaire devrait suffire : la maquette est aérée, une rubrique « coup de cœur », pour nourrir un discours plus positif, est créée... « On a fait attention pendant deux ou trois mois. On a eu tort, constate Jean-François Kahn. Cela n'a rien changé. » Son second souffle, ce n'est pas dans une arrivée opportune de recettes publicitaires que *Marianne* le trouve. C'est dans l'augmentation de son prix de vente : il passe de dix francs à quinze francs au numéro. Les lecteurs suivent, ils acceptent de rester fidèles après avoir été à plusieurs reprises pris à témoin dans les colonnes du magazine. Malgré cette décision, en avril 2001, *Marianne* restait dans une situation « très difficile ».

Après avoir fait des émules dans les télévisions et au sein des stations de radio, le conseil marketing appliqué au traitement de l'information fait aujourd'hui l'objet de débats dans les rédactions de la presse écrite. Jusqu'où faut-il prendre en compte les avis, souvent définitifs, des agences médias censées décortiquer les attentes des « consommateurs de presse » ?

D'après Jean-François Kahn, la famille des news magazines a déjà bien intégré certains de ces principes : *L'Express, Le Nouvel Observateur* accordent moins de place aux sujets politiques « parce que les publicitaires n'aiment pas que l'on parle de politique, Chirac, Jospin, la droite, la gauche, c'est vulgaire ». Les sujets porteurs, ce sont les enquêtes « conso », les sujets de société transversaux qui plaisent au plus grand nombre.

En avril 1997, *Le Canard enchaîné* (toujours lui) consacrait une large enquête à la façon dont cette logique s'applique aux journaux télévisés[1]. Description : « [...] on a pu voir courant mars un "13 heures" de France 2 démarrer sur les déclarations effrayées d'un maraîcher d'Île-de-France : trop printanier, le soleil faisait lever ses asperges plus tôt que prévu. » Le jeudi 27 mars, TF1 et France 2 « se bousculent sur la crête de l'information chaude ». À 13 h 15, « La Une se lamentait sur les retards des autorails de province, tandis que France 2 s'enthousiasmait pour une chasse au trésor en forêt organisée par un marchand de logiciels. *Idem*, le soir à 20 h 20, TF1 compatissait aux malheurs d'une famille nantaise en proie à une invasion de termites, alors que la 2, elle, s'émerveillait de l'augmentation du nombre de baptêmes chrétiens chez les adultes. »

Exit l'actualité politique intérieure et étrangère, réduite à la portion congrue. La raison ? « De ramasseuses de spots, les régies publicitaires des chaînes sont devenues prescriptrices

---

1. « La guerre de l'information bêtifiante bat son plein entre les chaînes », *Le Canard enchaîné* (9 avril 1997).

et même directrices de programmes », affirme le *Canard*. Tout repose sur l'analyse de l'audience. À cette heure de la journée, dans les grandes villes, seules se trouvent devant leurs postes « des ménagères dont on ne dira jamais assez l'importance consommatrice ». On débourse pour les programmes qui jouent la carte de l'émotion dans une sorte de « course effrénée à l'insignifiance ». Nous sommes au démarrage de l'époque de l'« infoternment » – contraction de information et *entertainement* (divertissement) : tous les programmes doivent divertir, distraire en faisant peur ou rire. Ce n'est pas l'importance de l'information qui compte, surtout si elle est trop grave ou trop sérieuse.

Ces nouvelles règles marketing racoleuses régissent souvent les journaux télévisés dans un monde médiatique qui doit plaire à ses annonceurs. Conséquence : « Entre 1990 et 1998, la couverture des événements internationaux a reculé de 45 % à 13 % de l'ensemble des sujets abordés par les journaux des grandes chaînes. Le temps consacré aux loisirs, désastres, accidents et crimes a doublé », selon Lance Bennett, un professeur de communication à l'université de Washington, qui intervenait lors d'un colloque consacré par l'Unesco à ce sujet en novembre 2000[1]. Les magazines et quotidiens américains n'échappent pas à l'établissement de ces nouvelles priorités « commerciales ». Dans le même temps, sur les télévisions NBC, CBS et ABC, « la couverture des meurtres a augmenté de 700 % entre 1993 et 1996... alors que le taux de criminalité, dans la même période, déclinait, lui, de 20 % ».

Démissionnaire, Françoise Laborde, chef du service économique de TF1 entre 1990 et 1992, a livré à ce moment-là

---

1. *Le Monde* (24 novembre 2000).

quelques secrets de cuisine à propos de la chaîne à un confrère de *L'Événement du jeudi*. La rédaction de la chaîne de télévision s'apparente, selon elle, à une zone de turbulence secouée par des pressions publicitaires multiples. Elle raconte, en décembre 1992, le poids que font peser sur les journalistes certains annonceurs de TF1 et des clients du groupe Bouygues (propriétaire de TF1) : « Ces gens-là sont bien plus importants dans le chiffre d'affaires consolidé [du groupe] que l'UDF, le RPR et les états d'âme des centristes », justifie-t-elle. La pub, pour TF1, c'est le nerf de la guerre. En hausse de façon ininterrompue depuis plusieurs années, elle contribuait encore à près de 69 % du chiffre d'affaires[1] de la chaîne au premier trimestre 2001 !

Ces confusions entre publicité et information ne sont pas l'apanage de TF1. Dans un livre blanc, sorte de code de bonne conduite, rédigé en 1992 par des journalistes (FO et CGC) du *Figaro*, les auteurs « [dénonçaient] une confusion entre rédaction et publicité qui contraint des confrères à citer dans des articles des annonceurs du journal et à signer des portraits-interviews entièrement réalisés par les commanditaires avec l'accord du gestionnaire du journal[2] ».

Tous les journaux n'ont pas les mêmes dérives. Les suppléments « pays » distribués dans leur forme actuelle depuis 1997, en sont un exemple. Ils sont conçus par une société de communication extérieure, InterFrance Media[3], qui travaille exclusivement pour *Le Monde*. Ces produits publicitaires réalisés dans la forme de publireportages (qui n'ont pas toujours

---

1. Le chiffre d'affaires de TF1 pour le premier trimestre 2001 s'est élevé à 577,5 millions d'euros (3,8 milliards de francs), dont 396,8 millions d'euros de publicité (2,6 milliards de francs). Source : *toutsurlacom.fr* (5 mai 2001).
2. *Le Canard enchaîné* (22 avril 1992).
3. Interfrance Media est une société spécialement créée par la société Noa, basée en Espagne. Ses propriétaires seraient argentins.

été mentionnés comme tels) forment un cahier distinct du journal qui les distribue au rythme d'un par mois en moyenne. Le parti pris de ces publireportages est forcément enthousiaste, puisqu'il s'agit de pub. Mis à part des numéros consacrés par exemple au Brésil et à la Pologne, on y lit l'éloge de pays comme le Togo, un régime dur, ou la Sierra Leone, balayée par ses luttes ethniques fratricides. Les produits d'InterFrance Media provoquent souvent la gêne et parfois même la colère des journalistes du quotidien.

Non seulement le traitement élogieux et ambigu dans sa présentation peut atténuer des couvertures réalisées, parfois dans des conditions difficiles, par les journalistes du *Monde.* Mais, en plus, certains d'entre nous ont même vu débouler sur les lieux mêmes de leurs reportages ces gens qui se présentaient comme des « employés du *Monde* » alors qu'en fait ils travaillent pour InterFrance Media. Les « vrais » journalistes du *Monde* se sont ainsi vu, à deux reprises au moins, couper l'herbe sous le pied par ces VRP de la pub qui venaient « interviewer », sous un angle évidemment plus flatteur, les personnalités de tel ou tel pays.

Un exemple, en mars 1998 : deux journalistes du service international, Henri de Bresson et Natalie Nougayrède, arrivent au secrétariat du ministre polonais du Trésor, Émile Wasacz, avec lequel ils ont rendez-vous, et s'entendent dire : « Le ministre est déjà en entretien avec *Le Monde.* » Une jeune femme employée par InterFrance Media était en conversation avec le ministre.

À plusieurs reprises, la Société des rédacteurs fut saisie par les journalistes. Elle alerta la direction du *Monde* sur ces pratiques. De nouvelles consignes ont été données au prestataire. Plusieurs mentions furent ajoutées pour rappeler aux lecteurs que la rédaction du *Monde* n'était pas impliquée dans les propos publiés dans ce cahier spécial.

Au sein de la régie publicitaire, on estime aujourd'hui

qu'« on a réussi à border [ce prestataire] au fil des années ».
La liste des pays qui bénéficieront de cette opération publicitaire est soumise chaque année à la direction de la rédaction
et au rédacteur en chef du service international. Pour cette
raison, environ trois quarts des pays suggérés par la société de
communication sont rejetés par le journal.

Mais la situation n'est toujours pas idéale. Certes, les
lettres de recommandation utilisées par les employés du prestataire sont désormais faites sur le papier à en-tête de la régie
publicitaire et non plus sur celui du journal. Mais, au printemps 2001, on demandait toujours aux interlocuteurs d'Inter-
France Media de réserver le meilleur accueil « à cette agence
indépendante autorisée par *Le Monde* à préparer un dossier
spécial sur [...] qui sera distribué avec le journal ». La confusion reste entretenue au grand dam de la rédaction.

Les journalistes du quotidien continuent de fustiger l'initiative commerciale qui discrédite, selon eux, leur travail.
Problème : ce produit publicitaire rapporte entre cinq et six
millions de francs par an[1]. La régie le voit comme un « amortisseur de conjoncture » et, quand la publicité traditionnelle
vient à manquer, c'est une manne d'argent providentielle.

Le pouvoir des centrales d'achat d'espaces publicitaires qui
décortiquent les attentes des téléspectateurs, auditeurs, lecteurs, pour émettre des avis sur ce qu'il est bon de programmer, est énorme. Ce sont d'incontournables grossistes
publicitaires.

En 1999-2000, ce tout petit milieu qui compte vingt et une
agences a distribué 81,8 milliards de francs aux médias[2].

---

1. Sur un total de 645 millions de francs de chiffre d'affaires publicitaire pour le quotidien en 2000.
2. Selon une étude confidentielle de l'institut RECMA (Rapports

Plus important encore, 62 % de cet argent, soit à peu près 50 milliards de francs, se sont trouvés entre les mains des responsables de seulement trois entreprises : Carat (25,5 milliards de francs), société fondée en 1969 par les frères Gross ; MPG France, filiale du quatrième groupe mondial Havas Advertising (15,7 milliards) ; et OMD, qui regroupe les mandats d'achat d'espaces des agences françaises du géant américain Omnicom (9,9 milliards de francs).

Pour les télévisions, les radios et les journaux, inutile sans doute de le préciser, mais l'avis de ces « experts médias » vaut de l'or. Leur mission ? Choisir pour le compte de leurs clients annonceurs et agences de publicité les « supports » les plus à même de porter le message publicitaire vers les « cibles » de consommateurs qui ont été identifiées. Il suffit de voir les efforts déployés par les uns et les autres pour tenter de convaincre ces banquiers de la pub de bien vouloir placer leurs campagnes.

Denis Boutelier et Dilip Subramanian, deux journalistes qui ont longuement enquêté sur les pratiques financières liées à l'achat d'espaces publicitaires entre 1989 et 1990[1], ont décrit le système que ces grossistes publicitaires avaient mis en place dans les années 70 pour verrouiller leur marché. À l'époque la mode était à la « surcommission » tous azimuts. De quoi s'agissait-il ? D'« une ristourne discrète » demandée aux journaux « compte tenu de l'importance des achats ». Ce racket a laissé exsangues bon nombre de médias qui devaient, sous peine d'être exclus des fameux « plans médias », se soumettre à ces règles contestables. Dans le groupe Havas, un certain Georges Roquette aurait même établi des sortes de

d'expertises sur les agences-conseils, les médias et les annonceurs) réalisée en juin 2000.

1. Dilip Subramanian et Denis Boutelier, *Le Grand Bluff*, Denoël, 1991.

chantage à la pub

feuilles de route renouvelables chaque année. Chaque journal, chaque station de radio, chaque chaîne de télévision était notée selon sa capacité à fournir ces surcommissions. Plusieurs mentions existaient : « à proscrire » , « sans problème » ou « éventuellement » [1].

Ces occultes tractations se sont, à cette époque, amplifiées au fur et à mesure que le gâteau publicitaire gonflait. C'est un rapport du Conseil de la concurrence qui a alerté en 1992 les pouvoirs publics. Les deux rapporteurs ont relevé soixante-dix infractions et entraves au libre commerce. Selon eux, entre trois et cinq milliards de francs étaient extorqués chaque année aux annonceurs et aux médias, une somme qui allait dans la poche des intermédiaires publicitaires. Ces grossistes en publicité, devenus créanciers des médias, assuraient en plus leur ascendant en payant comptant et d'avance l'espace qu'ils réservaient pour une année. En janvier 1992, par exemple, le groupe Hersant (propriétaire notamment du *Figaro* et de nombreux journaux en région) aurait reçu un chèque d'environ 150 millions de francs de la Carat, la plus grosse centrale d'achat.

Bref, à partir de ce texte – qui fait à l'époque l'effet d'une bombe –, les députés voteront la loi Sapin dont la vocation première était de rendre transparente l'attribution des marchés publicitaires. Quels ont été les effets de cette loi sur ces pratiques d'un autre âge ? A-t-elle permis de mettre fin au chantage à la pub subi par les médias ?

En 1992, les pouvoirs publics ont constaté que ces quelques « agences de conseils médias » organisées en oligopole plaçaient les « supports », selon le terme utilisé pour qualifier les médias, en état de dépendance économique. C'est encore le cas aujourd'hui. Peut-être plus encore qu'avant. À l'épo-

---

1. Selon des informations publiées dans le *Grand Bluff, op. cit.* (p. 131).

que, le Conseil reprochait à Carat d'acheter à elle seule plus de 27 % de l'espace publicitaire à la télévision et 23 % dans les magazines. Aujourd'hui, Carat a encore accru son pouvoir. Seule, elle a alloué 9,3 milliards de francs, soit près de la moitié (38 %) de l'argent qui est allé à la télé en 1999[1].

En cinq ans, la concentration des opérateurs a augmenté. Ils sont moins nombreux à allouer plus d'argent. Aussi, pour lutter contre la dépendance à laquelle ils sont contraints, de nombreux journaux ont ressenti le besoin de s'allier afin de présenter un front commun publicitaire. Ils ont créé des « couplages », sortes d'alliances ponctuelles qui permettent de vendre aux annonceurs des pages publicitaires réparties dans plusieurs titres, via une unique transaction. Moins chère.

Ce sont les quotidiens régionaux qui, les premiers, ouvrirent le feu en 1991 avec un mariage publicitaire qui réunissait soixante-six d'entre eux[2]. Puis, en octobre 1996, trois quotidiens nationaux s'allient (*Le Monde*, *L'Équipe* et *La Tribune*) pour créer un autre produit publicitaire qui cible les « cadres ». Deux ans plus tard, ce sont cinq quotidiens qui proposent un produit commun. En 2001, une nouvelle fois une réponse collective est apportée par les ténors de la presse qui cherchent à embarquer avec eux les quotidiens à faible ressources publicitaires (comme *La Croix* ou *L'Humanité*) : PQN 11 regroupe onze quotidiens. Ce qui n'a pas pour l'instant réussi à leur garantir un important pouvoir de négociation face aux autres médias comme la télévision et la radio.

Si la loi Sapin a stoppé net les pratiques frauduleuses qui concernent la publicité classique, pour le reste, les petites annonces notamment, il semble que les vieilles habitudes perdurent.

---

1. Selon l'institut Recma (juin 2000).
2. Trois insertions publicitaires passées trois fois dans chacun des soixante-six quotidiens régionaux.

Grâce au lobby efficace des syndicats professionnels concernés[1], les publicitaires avaient à l'époque convaincu les pouvoirs publics de ne pas réglementer trop strictement les petites annonces, qui peuvent représenter entre 20 % et 50 % des recettes publicitaires des journaux. Leur argument massue ? « Si le gouvernement cherchait à contrôler les petites annonces, leur diffusion diminuerait et ça pouvait avoir des répercussions négatives en termes d'emplois », me confie un professionnel. Comme au bon vieux temps, les agences médias qui placent des petites annonces bénéficient donc, chaque fin d'année, d'un versement de *cash* émanant des journaux, pour des montants qui peuvent aller de « 2 % à 10 % du chiffre d'affaires réalisé dans l'année dans le support », m'explique-t-on.

Les contrôles, depuis l'entrée en application de la loi Sapin, se font rares et diverses pratiques douteuses ont refait surface. Afin de s'octroyer les faveurs de ces bailleurs de fonds, on me parle, par exemple, d'agences qui conservent une partie des ristournes obtenues auprès des médias pour leur propre compte. Ou des médias qui répartissent leurs campagnes de communication entre plusieurs agences afin de se faire bien voir par l'ensemble de la profession. D'autres garantiraient aux agences d'achat d'espaces publicitaires un dédommagement financier pour « services rendus » en achetant, par exemple, des pages de publicité dans d'obscures publications professionnelles.

Certaines régies publicitaires joueraient même les agences de voyages en payant des « séminaires de travail » aux salariés des agences médias qui souhaitent travailler au soleil ou à la montagne. « Ce n'est jamais écrit, mais lors d'un rendez-vous avec le patron d'une grande centrale, on peut dire, par exemple, que l'on reversera cent mille francs par ces canaux

---

1. L'AACC et le Syntec notamment.

s'il réalise cinquante millions de francs de chiffre d'affaires chez nous », me confie un proche de ces pratiques. Anonymement.

Ces procédés sont illégaux. Disparus en période d'euphorie publicitaire, ils ont tendance à se développer de nouveau. Quand la manne publicitaire se tarit soudain, comme au deuxième trimestre 2001, les comportements déviants réapparaissent.

Les journalistes observent d'un œil inquiet les récentes aventures d'un journal américain prestigieux, le *Los Angeles Times*. Ce titre, l'un des principaux quotidiens de la côte Ouest, vit depuis 1997 des heures difficiles. La baisse de la diffusion des journaux aux États-Unis[1] a entraîné des mouvements de concentration pour tenter de résister financièrement, et le *Los Angeles Times* a été racheté par le *Chicago Tribune*. Affublé de nouveaux patrons, dont l'un tout droit venu de l'industrie agroalimentaire, le journal est régi par une nouvelle logique marchande, une sorte de troïka composée du marketing, de la publicité et de la rédaction.

Comment cela fonctionne-t-il ? C'est ce qu'ont découvert les journalistes en décembre 1999 à l'occasion d'un supplément qu'ils consacraient au Staples Center, un complexe sportif installé en plein Los Angeles. « À l'insu des lecteurs comme de la rédaction, la direction de la publication avait décidé de partager les revenus publicitaires de cette édition, soit deux millions de dollars (environ quatorze millions de francs) avec le Staples Center dont le *LA Times* est l'un des

---

1. En 1964, 81 % des Américains adultes lisaient un journal quotidien, en 1997 ils n'étaient plus que 58 %. En France seulement 49,2 % des Français ouvrent un journal tous les jours (selon le guide Médiapoche, édité par MPG).

partenaires financiers[1] », écrit Claudine Mulard dans *Le Monde*. La rédaction prisonnière d'un conflit d'intérêts insoupçonné n'a pas été informée. Ce fut une levée de boucliers. L'affaire fit grand bruit et obligea la nouvelle direction du journal à des excuses publiques : Kathryn Downing, la directrice, a regretté son « erreur de jugement » provenant, selon elle, « d'une incompréhension fondamentale des principes rédactionnels des entreprises de presse ».

La séparation entre la mission d'information du journal et les intérêts commerciaux de l'entreprise n'existe plus. Ou de moins en moins nettement. Deux ans auparavant, lors d'une grande enquête sur la déontologie des médias, on pouvait lire sous la plume de David Shaw, journaliste au *LA Times*, à propos de son nouveau patron Mark Willes : « Les reporters et rédacteurs du *LA Times* et d'ailleurs se demandent s'il comprend vraiment que les journaux ont une responsabilité vis-à-vis du public et ne sont pas une entreprise comme les autres destinées à rapporter de l'argent », écrivait-il dans son propre journal.

La crédibilité du *LA Times* est fortement menacée et cette rédaction prestigieuse craint d'être soumise au même régime que ses confrères du Chicago Tribune Group. Au *Sun Times*, autre titre du groupe, la loyauté à l'égard de l'argent publicitaire est sans égale ! Dans ses colonnes on « cite les annonceurs maison de préférence à d'autres » pour remercier les acheteurs réguliers de publicité. C'est ainsi qu'« une référence au magasin de luxe Neiman Marcus [a été] censurée dans un article consacré à la mort de Gianni Versace car la société n'achetait pas d'espaces publicitaires dans le quotidien », lit-on.

Les journalistes californiens sont contraints à subir ce que la direction très entrepreneuriale du groupe de Chicago

---

1. 8 décembre 1999.

appelle prudemment les « nouvelles synergies » : chaque équipe de journalistes est « gérée » financièrement de façon autonome. Chaque rédacteur en chef doit faire les comptes de ses « charges » et de ses « profits ». À la fin de l'année, la maison, bonne mère, promet bonus et primes aux rédacteurs en chef les plus méritants ainsi qu'aux rubriques les plus « rentables ». La nouvelle règle ? Seront considérés comme des journalistes « performants », ceux qui auront attiré le plus d'annonceurs publicitaires dans leurs pages et auront réduit leurs frais courants. Pas de doute, cette pression encouragera les lecteurs à rendre toute la confiance qu'il mérite à ce journal à la dérive.

Pour ne pas avoir suffisamment respecté ces règles, la presse est menacée. Les Français doutent de plus en plus des médias. En 2000, seulement 71 % des Français s'intéressaient aux informations publiées par les médias – affichant une grande méfiance, surtout dans l'électorat de droite. Ils n'étaient que 55 % à juger les informations radiophoniques crédibles, que 50 % à accorder de la crédibilité à la presse écrite, et seulement 47 % à trouver les infos télévisées fiables[1].

En France règne la confusion entre information et communication. Et encore plus qu'ailleurs, à en croire un sondage réalisé auprès de quatre mille personnes, en France, en Allemagne, en Italie eu au Royaume-Uni. Les Français, qui ne décryptent plus les manipulations liées aux stratégies de communication des entreprises, feraient davantage confiance aux entreprises pour les informer (!) qu'aux journalistes. Les informations diffusées par les organisations non gouvernementales (ONG) seraient de très loin jugées les plus fiables

---

1. Selon le baromètre annuel *Télérama-La Croix* pour l'année 2000.

(car non régies par la loi marchande). Les femmes françaises, encore plus sceptiques, ne seraient que neuf sur cent à considérer que la « presse est une source fiable d'information ». En Grande-Bretagne, la situation est encore plus terrible. Dans ce contexte, l'Allemagne apparaît comme une oasis. C'est le seul pays en Europe où les médias sont considérés comme une source crédible d'information.

Les journalistes ont leur part de responsabilité dans ce constat alarmant. « Souvent mal rémunérés, surchargés de travail, disposant en matière économique d'un niveau insuffisant de formation, les journalistes constituent des proies faciles pour les services de communication des entreprises, qui, eux, mettent en œuvre d'importants moyens financiers et humains », constate Daniel Junqua qui fut directeur du Centre de formation et de perfectionnement des journalistes (CFPJ). La preuve ? En 1998, l'Union des annonceurs (UDA) publie les résultats d'une consternante enquête réalisée auprès des directeurs de communication d'entreprise : 84 % de leurs services se disent « satisfaits » de la place consacrée à leurs communiqués, 91 % d'entre eux affirmant même retrouver leur communication en l'état dans les médias. Seulement 6 % d'entre eux affirment que la publicité et la politique rédactionnelle n'ont aucun lien. Au contraire, ils sont persuadés que « l'achat d'espaces publicitaires influence toujours ou souvent la ligne éditoriale » des médias.

L'allégeance réelle ou supposée aux grands groupes industriels alimente cette vague de dénigrement. L'opinion publique, qui ne suit pas la chronique quotidienne des méga-fusions-acquisitions régissant le monde contemporaion des médias, n'en retient qu'une leçon : comme les autres entreprises, les médias sont soumis à la loi de l'argent et du profit. Ce n'est pas nouveau. Au XIXe siècle, déjà, lorsque éclate le scandale de l'affaire du Panamá, « la presse était déjà aux mains des brasseurs d'affaires [1] ». Aujourd'hui, seulement, ces hommes sont plus puissants, plus riches et leurs empires sont tentaculaires. Voici venu le temps des titans.

Dans ce grand maelström capitalistique en permanente évolution, il est difficile d'y voir clair. Le groupe de Jean-Marie Messier, Vivendi Universal, possède plusieurs journaux dont *L'Express*; il est aussi présent dans l'édition (Larousse, Nathan, Plon, Bordas, Laffont, etc.), la télévision avec Canal Plus, Canal Satellite et le cinéma avec UGC, etc. Le groupe Bouygues, lui, possède près de 40 % de TF1 (LCI, Odyssée, etc.), 25 % de TPS et 30 % d'Eurosport. Le groupe de Bernard Arnault, LVMH, est propriétaire de *La Tribune, Investir*, Radio-Classique, etc. Le groupe Suez est présent dans M6 et TPS, la Lyonnaise Câble et les chaînes de télévision Paris Première, Téva, Série Club. Dassault détient 10 % de BFM, une part dans Gaumont, *Valeurs actuelles, Le Journal des finances*, et *France Antilles*... Et le groupe Lagardère, réalise près de la moitié de son chiffre d'affaires dans les médias. Son groupe possède de nombreuses participations dans l'édition (Hachette, Fayard, Stock, Grasset...) et la presse à travers Hachette Filipacchi Média *(Paris Match, Elle, Parents, Le Journal du dimanche, Nice Matin*, etc.).

« Nous sommes pris dans un engrenage dont nous ne savons pas s'il va se desserrer, avait déclaré François-Régis Hutin, l'ancien P-DG d'*Ouest-France*, un homme de presse s'il en était. Nous sommes menacés. Nous n'avons plus de défenses vis-à-vis des grands groupes financiers français ou mondiaux qui peuvent s'emparer d'un certain nombre d'entreprises de presse [2]. » Les rédactions veulent contrer

---

1. Daniel Junqua, *La Presse, le Citoyen et l'Argent, op. cit.*
2. *Ibid.*

cette lame de fond que certains considèrent comme inéluctable. Pour la plupart des journalistes, l'honneur du métier et sa noblesse ne sont pas de vains mots.

Les tiraillements se multiplient entre les salariés journalistes et les actionnaires du journal. Un exemple récent au *Nouvel Économiste* illustre (tristement) ce nouveau rapport de force.

Le nouveau propriétaire du bimensuel, Paul Dubrule, n'était, à la fin de l'année dernière, « pas content du *Nouvel Économiste* [1] ». Il l'a raconté le 24 novembre 2000 dans les colonnes qui lui avaient été ouvertes par *Le Figaro*, dans des termes inhabituels pour un chef d'entreprise parlant publiquement de son organisation. « J'ai pu lire des articles d'une médiocrité affligeante, écrit-il. Actuellement je n'en suis pas assez fier pour me prévaloir d'en être le propriétaire. » Cette opération « inédite de dénigrement et de déstabilisation » a choqué les journalistes du *Nouvel Économiste* qui n'ont pas vu venir le coup porté publiquement.

M. Dubrule, ancien cofondateur du géant de l'hôtellerie Accor, sénateur (apparenté RPR) et maire de Fontainebleau, a acheté ce magazine « à titre personnel » en décembre 1998, avec son associé de toujours Gérard Pélisson. La raison ? « [...] Nous souhaitions qu'il nous apporte un certain plaisir », indiquait Paul Dubrule. Les journalistes réunis en comité d'entreprise extraordinaire ont fait jouer la « clause de conscience » et sont partis. La rédactrice en chef, Valérie Lescable, a été licenciée.

---

1. *Le Monde* (29 novembre 2000).

Jeudi 17 mai 2001. Le journal *L'Humanité*, fondé par Jean Jaurès, qui fut pendant des décennies le bras armé rassembleur et militant du Parti communiste français, est à l'article de la mort. C'est en tout cas l'opinion d'un certain nombre de sympathisants communistes invités à s'exprimer dans l'émission de Stéphane Paoli sur France Inter. « *L'Humanité* vient de signer son arrêt de mort », « Je ne le vendrai plus, ce serait mentir aux lecteurs », affirme un vendeur militant... La raison de tant d'indignation? Le directeur du journal, Richard Béninger, vient d'annoncer que Lagardère, déjà dans la presse mais plutôt connu pour être un marchand d'armes, et Bouygues, propriétaire de TF1 et dont on sait l'affiliation à la droite française, viennent d'entrer dans le capital de *L'Humanité*. Un comble pour ceux qui continuent de se battre contre les plans sociaux et le « grand capital » !

Car c'est un secret de Polichinelle : les nouveaux investisseurs présentés par le directeur de *L'Huma* comme des sauveteurs « ont beau jurer leurs grands dieux qu'ils n'interviendraient pas dans la ligne éditoriale, il y a un risque », souligne, avec le ton de l'évidence, Stéphane Paoli. Non, répond M. Béninger avec ferveur, ils sont là pour « soutenir le pluralisme de la presse française ». Au fil des échanges, on apprendra que cette décision se résumait à maintenir en vie le journal plutôt que de se résigner à sa mort.

L'Humanité est plombée par cinquante millions de francs de déficit : malgré ses quarante-cinq mille exemplaires quotidiens et ses soixante-quinze mille exemplaires le samedi, les dirigeants n'ont jamais réussi à attirer l'argent publicitaire.

3

Les publicitaires sont des hommes
de réseaux

« Nos vies sont faites de tout un
réseau de voies inextricables, parmi lesquelles un instinct fragile nous guide,
équilibre toujours précaire entre le cœur
et la raison. »

Georges Dor,
poète et chansonnier québécois.

petit
groupe, pouvoir
énorme

Les publicitaires français forment un petit groupe au sein
duquel à peine une centaine de personnes se partagent un
pouvoir énorme. Par leur métier, leur entregent, les fantasmes
de pouvoir et d'argent qu'ils suscitent, leur influence est bien
plus grande que le poids économique de leur secteur. Parfois
ils intriguent, le plus souvent ils se contentent de jouer de
leurs relations pour... aider ou contrer.

Construite en à peine trente ans, la puissance des publicitaires français étonne. Les saltimbanques un peu déjantés
d'autrefois ont cédé la place à des hommes d'affaires ambitieux qui ont réussi à gagner leur titre de noblesse au sein des
élites traditionnelles. Aujourd'hui, certains publicitaires sont
appelés à accompagner la plupart des décisions politiques et

économiques. Même s'ils sont culturellement divisés, les patrons de Publicis ou d'Havas Advertising redoublent d'effort pour consolider leur pouvoir.

Pour comprendre, reprenons les choses à la base. Le métier de publicitaire requiert de savoir séduire durablement un annonceur client, et d'être capable de décrocher de nouveaux « budgets » en devançant, si possible, la concurrence. Pour cela, une nécessité impérieuse s'impose au publicitaire ambitieux : il lui faut connaître ceux qui décident et faire partie de leur cercle le plus proche.

Qui sont ces publicitaires ? Quelles règles régissent leur communauté ? Où sont leurs réseaux ?

Au cœur du système publicitaire français, on trouve les dîners d'un club fermé (Le Siècle), la proximité plus ou moins franche avec des réseaux comme la franc-maçonnerie et... un étrange club de foot.

On voit d'abord les chaussettes rouges, propres et bien tirées. Puis les jambes qui sautillent ou courent plus ou moins vite, plus ou moins loin sur la surface verte synthétique. Enfin, les maillots bleu et blanc, impeccables. On n'a pas l'habitude de voir des maillots de foot portés de cette façon. À quelques exceptions près, ils enveloppent des corps un peu lourds. Normal, la majorité des joueurs accuse plutôt la soixantaine que la trentaine. Nous sommes un lundi soir comme un autre. Il est 21 heures, et France Pub, « l'équipe de France de la pub », s'entraîne au football sur un terrain municipal d'Issy-les-Moulineaux.

Il est utile de savoir tâter du ballon rond quand on espère faire partie de la très sélective et restreinte petite famille de la pub. Pourquoi ? Tout simplement parce que, depuis vingt ans, les puissants du métier jouent au football ensemble : Alain de Pouzilhac, le président d'Havas Advertising, quatrième groupe mondial, premier groupe européen et français ; Bernard Brochand, désormais maire (RPR) de Cannes et conseiller général des Alpes-Maritimes mais qui était, jusqu'à la fin de l'année 2000, président international du groupe DDB ; Jean-Michel Goudard, le « G » d'Euro RSCG devenu président du réseau américain BBDO ; Alain Cayzac, le « C » d'Euro RSCG, actuel vice-président d'Havas Advertising, et président de l'Association des agences-conseils en communication (AACC[1]), ...

Les stars d'hier ont déserté le terrain d'entraînement, mais bon nombre d'entre elles restent membres de France Pub. Président, vice-présidents, directeurs généraux, ils décident, gouvernent, choisissent de se soutenir mutuellement. Ce sont eux qu'on appelle les ténors de la pub. Quand les patrons footballeurs de France Pub s'entraînent, ce sont les deux tiers du secteur de la pub qui se retrouvent concentrés sur un terrain. Leurs agences ont engrangé, en 2000, sept milliards de francs de revenus[2], soit 67 % du poids financier du marché publicitaire hexagonal.

Cette brochette de patrons forme une fratrie peu usuelle dans le monde des affaires. S'agit-il d'une amicale de collègues comme tant d'autres ? Bien plus. France Pub est un cercle confidentiel, relativement fermé et influent. L'incubateur de tout ce qui se fait d'important sur la scène publicitaire française depuis vingt ans. Son fief, c'est le triangle de l'Ouest parisien et sa proche périphérie, Levallois-Perret et surtout Boulogne.

Leurs rencontres discrètes suscitent les rumeurs et les fantasmes les plus fous. Du coup, ils se font discrets, répondent aux questions du bout des lèvres. Frères de sueur, ils sont

---

1. L'AACC est, en fait, une sorte de fédération patronale qui regroupe tous les métiers de la publicité.
2. Source AACC : « Les revenus 2000 des agences ».

étrangement soudés et solidaires. Plongée dans un réseau hors norme.

Tout a commencé à la suite de la croisière « folle » organisée en mars 1978 par le groupe Hersant. Tout ce qui compte à l'époque de patrons de l'industrie et de publicitaires est emmené de Paris en avion pour une croisière qui durera dix jours. Mexique, Jamaïque, Saint-Domingue, Haïti... comptent parmi les quelques étapes de ce voyage « d'une organisation et d'un luxe inouïs », me raconte un participant qui se souvient d'une soirée « animée » par... des chanteurs de l'Opéra de Paris embarqués sur le bateau.

Mais certains participants voudraient bien se dégourdir un peu les jambes sur un morceau de terre ferme. La bouche en cœur et le regard charmeur, ils demandent à Florence Hersant, la fille du magnat, de bien vouloir organiser un match de foot. Pourquoi pas contre une équipe locale, se demandent-ils, alors que leur paquebot croise au large de Haïti ? Le problème est vite réglé.

Comme par magie, une magie que seul octroie l'argent qui coule à flots, quelques types, principalement des publicitaires, se font donc déposer à terre, en moins de temps qu'il ne faut pour le dire, juste pour les quatre-vingt-dix minutes réglementaires. « On n'avait qu'une seul idée, c'était d'aller jouer au foot », raconte Alain Cayzac, qui deviendra plus tard le monsieur foot de la pub. Il y avait Bernard Brochand, Alain Cayzac. Même Jacques Séguéla s'est laissé entraîner dans l'équipée. Les publicitaires et quelques annonceurs jouent leur match, puis remontent sur le bateau. Cette bande de copains, dont certains se sont connus à HEC, dont d'autres habitent le même quartier à Saint-Cloud (Hauts-de-Seine), a conservé une de ses habitudes de jeunesse : tous les dimanches matin, elle organise des matches de foot dans le parc de Saint-Cloud, à quatre contre quatre.

Cette expédition sportivo-paradisiaque, caractéristique du dispendieux train de vie auquel sont habitués au début des années 80 ces maîtres de l'argent publicitaire (annonceurs, publicitaires et régies de médias), laisse des traces dans les mémoires, et donne quelques idées à ces jeunes publicitaires qui ont le vent en poupe.

En 1982, la régie Médiavision – qui s'occupe, avec sa régie sœur Métrobus, de vendre de la publicité dans le métro parisien, sur les bus et au cinéma – vient voir ces mêmes publicitaires (ils dirigent les agences les plus puissantes) et leur propose une autre « opération de relations publiques », un voyage en Tunisie cette fois. Bernard Brochand, qui joua dans l'équipe de l'AS Cannes, et son copain qu'il a connu à HEC, Alain Cayzac, sont unanimes : « OK, mais proposez-nous de faire ce que nous aimons. On vient avec vous à condition qu'on joue au foot. » Et le souhait fantaisiste est une nouvelle fois exaucé.

Invités à l'hôtel Sango de Zarzis, en Tunisie, les stars de la pub se retrouvent avec leurs épouses pendant trois jours. Alain de Pouzilhac, Philippe Gaumont, président du groupe FCB, Bernard Brochand, Jean-Michel Goudard, Jean-Claude Rassat, devenu le président du Football Club d'Issy-les-Moulineaux, et Christian Blachas, à l'époque directeur du magazine professionnel *Stratégies*, jouent au foot. C'est sous les palmiers, c'est contre une équipe locale et dans un luxe habituel. « On s'est bien marrés, on a déconné », lâche, nostalgique, l'un des invités. L'équipe tunisienne se joint aux publicitaires lors d'un cocktail. Tout est parfaitement organisé, huilé : « C'est important, il faut un bon terrain, un bon équipement », me dit-on. Dans la pub, « on ne déconne pas avec le foot ».

À l'époque, le club France Pub, ou « équipe de France de la pub » selon les publics auxquels on le présente, n'est pas encore constitué. Mais les médias engagés dans des opérations de séduction tous azimuts pour faire rentrer les recettes publicitaires commencent à trouver le filon intéressant. Du foot, du soleil, un accueil très confortable, et le responsable de la régie publicitaire est assuré d'avoir sous la main pendant quelques jours tout ce que le milieu publicitaire compte de décideurs. Et donc d'argent potentiel pour les médias. La mayonnaise prend progressivement.

Un an plus tard, c'est au tour de *France-soir* et de son régisseur publicitaire Louis Gillet (ancien de la croisière Hersant) d'organiser le même type d'opération. En novembre 1983, il invite les publicitaires, tous frais payés, à Agadir (Maroc). « À ce moment-là, on était les rois du monde, et les médias "amis" avaient senti que c'était un bon créneau de relations publiques », explique, l'air rêveur, Alain Cayzac. C'est là, lors d'une séance de sauna qui réunit Bernard Brochand, Alain Cayzac et Louis Gillet, que l'avenir de France Pub va se jouer. Et les règles internes au milieu vont s'imposer.

Alain Cayzac, à l'époque cofondateur de l'agence « star » RSCG, est administrateur du groupe Amaury, propriétaire des journaux *L'Équipe* et *Le Parisien*. Il sait que l'entreprise de presse cherche un patron pour sa régie publicitaire. Les deux publicitaires parlent du poste à Louis Gillet : « Ce serait formidable que tu viennes t'occuper de ces titres », lui disent-ils. En rentrant, Alain Cayzac introduit Louis Gillet auprès du groupe Amaury. Gillet « fait un tabac », devient patron de la régie Manchette. Le parrain est trouvé.

À partir de ce moment, France Pub est officialisée via la création d'une association loi 1901, dont le président est

Alain Cayzac. Trois niveaux de rencontres, immuables, sont institués à partir de cette époque : le premier consiste en un entraînement sur le terrain municipal d'Issy-les-Moulineaux, tous les quinze jours, le lundi, « en tenue » ; le deuxième est le voyage annuel au soleil organisé et financé par le groupe Amaury ; enfin, le troisième consiste en une fête annuelle, généralement, organisée « pour remercier les sponsors ». Smokings et robes longues étaient de rigueur.

Ces habitudes, qui constituent une sorte de rituel bien rodé et jamais remis en cause, ont sculpté dans un même moule une génération de publicitaires. En deux décennies, elles ont peu changé. Seul le faste, peut-être, est devenu plus discret. Disons que les escortes de motards pour aller jouer dans les plus prestigieux stades de foot du Brésil ou de l'île Maurice ne sont plus systématiques. L'organisation, elle, est toujours millimétrée.

Deux personnes de la régie du groupe Amaury partent en repérage « sélectionner » l'équipe locale et trouver le terrain de foot... qui sera forcément de standing. Le minimum requis : herbe verte, trous rebouchés, filets neufs et lignes proprement tracées. Les invités, une cinquantaine de personnes – publicitaires plus épouses, c'est un principe du groupe –, se voient remettre à chaque voyage un sac bourré d'équipements Adidas (le fournisseur de la vraie équipe de France), un survêtement, plusieurs jeux de maillots, et même un costume de ville...

Les publicitaires de France Pub en 2001 sont, et seront, aussi puissants que leurs aînés dans les années 80. Ils attendent leur tour, leur intronisation dans le « cercle sacré », en suant sur la scène de cette sorte de théâtre cruellement humain. Pour y entrer, il faut déjà posséder statut et responsabilité. Pas question d'espérer aller plus loin que le test du dîner de La Scala si l'ambition passe avant le plaisir du ballon rond. Selon le président-sélectionneur-entraîneur Alain Cayzac, on n'entre pas dans France Pub « pour y trouver quelque chose, le type serait repoussé à la minute ». Ne seront acceptés et observés, parfois pendant plusieurs années, que les publicitaires-patrons qui plaisent aux autres et adhèrent aux valeurs communes.

Pour ces raisons, certains joueurs de l'équipe qui s'entraînent les lundis soir n'ont jamais été invités à participer aux voyages. L'intronisation dans le cœur du cercle est, en revanche, plus aisée si le publicitaire est un patron. Certains qui présentaient le « profil adéquat » ont récemment été intégrés à la bande. Parmi eux, Christian Liabastre, président du groupe Young & Rubicam en France, pourtant homme de marketing plus que publicitaire dans l'âme.

L'opération France Pub est lucrative. Elle coûterait chaque année environ six cent cinquante mille francs pour le voyage 2000[1] à la régie Manchette qui, depuis 1983, finance et organise le rite annuel[2]. En retour, la pub du groupe Amaury suit une courbe de croissance exponentielle. Car, par de subtils échanges de « bons procédés », les amitiés nouées dans les vestiaires des terrains de foot se prolongent dans les affaires. Les liens qui unissent les membres de l'équipe de publicitaires étant forts, les renvois d'ascenseur sont courants.

L'intimité née dans les vestiaires autorise quelque familiarité. « En 1984, me raconte Louis Gillet, dans *L'Équipe* il n'y

---

1. Le chiffre d'affaires de Manchette Sports était de 650 millions de francs en 2000 dont 250 millions de francs (nets) pour le seul *Équipe Magazine*.

2. À l'exception de l'année 1991, année de la guerre du Golfe, et de 1993, année jugée « trop déprimante » puisqu'elle a vu l'adoption de la loi Sapin.

avait pas beaucoup de pub. Alors j'ai appelé Alain de Pouzil-hac [à l'époque baron de la galaxie Havas], qui m'a dit de venir le voir. Il était fâché avec un autre support, et j'ai pu récupérer deux cents pages de pub pour nos publications. C'était énorme, presque 20 % de notre chiffre d'affaires annuel. » Quand ils ont lieu, ces échanges d'affaires fonctionnent selon des règles non écrites, mais strictes, précise-t-il : « Je ne demande jamais de choses aberrantes comme des budgets que je ne dois pas avoir, affirme Louis Gillet, mais des budgets d'évidence, comme Air France ou le Crédit Agri-cole, et que je n'ai pas, et je fais tout pour les récupérer. »

Même son de cloche du côté de son ami publicitaire : « C'est une simple logique relationnelle qui part du principe que l'on travaille mieux avec les gens qu'on connaît bien, explique Alain Cayzac. Si Louis Gillet voit une grande campagne qui passe dans tous les journaux et pas les siens, il va donner un coup de téléphone. Mais on ne la passera pas chez lui si ce n'est pas justifié. En tout cas, on va prendre le temps de regarder plus précisément, de descendre discuter avec l'équipe média. » Pour ce petit groupe, les passe-droits, les traitements de faveur entre acheteurs et vendeurs publicitaires n'ont rien d'anormaux. « Cela n'a rien à voir avec du pis-ton », affirme Cayzac. « C'est sain », martèle de son côté Gillet.

Simplement, me fait-on comprendre, grâce à France Pub, Louis Gillet téléphonera facilement à Alain de Pouzilhac, patron du quatrième groupe mondial de pub qui joua long-temps à France Pub, plus facilement qu'à Maurice Lévy, patron du cinquième groupe mondial, lui aussi français, mais culturellement très éloigné des sphères footballistiques.

La règle d'or de ces frères de trente ans, c'est l'entraide, le soutien collectif. « Les choses font que, si l'un de nous est dans la merde, on va l'aider », m'explique le vice-président d'Havas Advertising et patron de l'AACC. C'est une règle proclamée : aucun sujet professionnel n'est censé être abordé au cours du match d'entraînement du lundi soir – il faut se concentrer pour jouer –, ni même après, lors du rituel dîner au restaurant italien La Scala. Alain Cayzac, le grand manitou de France Pub, veille à inculquer à ses plus ou moins jeunes troupes les « bonnes habitudes ».

Pour ces patrons-footballeurs, le terrain, ici, c'est un peu une école de la vie publicitaire. Plusieurs membres de France Pub ne s'en cachent pas : les règles de comportement sur le terrain sont exportées sur le terrain professionnel.

On fait de la pub, mais sport ! Concrètement ? Les joueurs de France Pub, s'ils évitent les tacles trop durs sur le terrain, ne se gênent pas pour jouer la concurrence, batailler à l'assaut d'un même client ou encore « aller piquer une équipe de création » chez l'autre. « Je suis dur avec Hervé Brossard mais le foot, ça nous a aidés à appliquer à notre métier de publicitaires les règles du sport, confie Cayzac. Correctes, mais viriles. »

Les publicitaires français ont tissé de tels liens de confiance que leurs détracteurs les accusent de se répartir parfois, sous le manteau depuis que la réclame est publicité, les postes clés dans le secteur. Eux affirment tout au plus que faire partie du réseau France Pub « peut aider ». Il semble en tout cas que ce soit l'un des relais de recommandation les plus efficaces du secteur.

Certaines discussions informelles dans les vestiaires après le match ou dans les salons d'hôtel du Mexique ou des Seychelles, lors du voyage annuel, ont parfois servi à préparer d'importantes tractations, à tâter le terrain pour rechercher les appuis nécessaires à de futures alliances. L'une des plus

importantes négociations du secteur, la fusion qui donna naissance au début des années 90 au groupe Havas Advertising, y
a trouvé ses racines. « C'est pas le foot, mais un peu quand
même », reconnaît, avec le recul, Alain Cayzac.

Le secteur de la publicité est en constante évolution sous
l'impulsion, depuis dix ans, d'un mouvement de concentration inachevé. En juin 1991, quand l'agence RSCG traverse
des heures difficiles et que les Français cherchent à se préserver des appétits voraces des Américains décidés à venir chas-
ser sur le Vieux Continent, un coup de fil va déclencher
l'opération qui marquera pendant dix ans le paysage publicitaire hexagonal. C'est Alain Cayzac qui téléphone à Alain de
Pouzilhac : il propose de rapprocher leurs deux agences
RSCG et Eurocom.

Cette opération, stratégique pour les opérateurs français,
finira par accoucher du premier groupe publicitaire européen : Havas Advertising. Ceux qui s'affrontaient sur le terrain se sont retrouvés dans un même immeuble, à Levallois-
Perret, pour une période plus ou moins brève. Jean-Michel
Goudard, avant qu'il ne parte prendre la direction d'un réseau
américain, Alain Cayzac, tous formeront avec Jacques
Séguéla (le « S » de RSCG) le nouvel état-major d'Alain de
Pouzilhac.

Plus sérieusement, leurs sympathies politiques convergent
dans un bel ensemble. À une exception près, celle d'Alain
Cayzac, la fratrie France Pub a plus d'affinités avec la droite
qu'avec la gauche. Alain de Pouzilhac est plutôt proche du
RPR, Jean-Michel Goudard, qui vit maintenant à New York,
a travaillé aux campagnes présidentielles de Jacques Chirac,
comme Alain de Pouzilhac lors de la dernière présidentielle,
avec Bernard Brochand. Lui, vient d'ailleurs d'abandonner le
terrain publicitaire pour aller jouer exclusivement sur le ter-

rain politique : candidat (RPR) aux élections municipales de mars 2001 à Cannes, il a réussi le doublon mairie-conseil général des Alpes-Maritimes. C'est aussi le vice-président de l'UDF, André Santini, maire d'Issy-les-Moulineaux, qui met à disposition le terrain de leurs entraînements : « On se connaît bien », me lâchera sobrement l'un d'eux.

La présence de socialistes avérés comme Jacques Séguéla et Jean-Pierre Audour – cet amateur de rugby qui fut l'un des vice-présidents d'Havas Advertising jusqu'en mai 2000 – permet à l'entreprise de ratisser large. Jurer fidélité à l'un sans se mettre à dos l'autre est un principe de base du publicitaire contemporain, français comme anglo-saxon. Tous sont parvenus, par de subtiles césures de forme, à travailler « dans la plus grande confidentialité » pour des annonceurs concurrents (automobiles, lessives, cafés...).

Dans la famille, les deux membres les plus proches sont Alain Cayzac et Bernard Brochand. Même si l'un est normand, d'Évreux (Eure), et l'autre du Midi, de Nice (Alpes-Maritimes), ils se suivent depuis 1964. Après sa sortie d'HEC – Cayzac et lui s'y étaient rencontrés... sur un terrain de foot –, Bernard Brochand entre comme assistant chef de produit chez Procter & Gamble. Nous sommes en 1965, Cayzac va sortir à son tour de l'école de commerce. Il reçoit une missive de son copain Brochand l'invitant à venir le rejoindre chez les lessiviers. Il ira, comme deux autres de leurs camarades, Jean-Michel Goudard et Jean-Claude Boulet. Quand, en 1968, la jeunesse se soulève et que l'effervescence règne dans les rues de Paris, il leur semble tout à coup beaucoup plus amusant de s'occuper de publicité.

On retrouve le couple Cayzac-Brochand, les deux fondateurs de France Pub, au sein d'un projet commun beaucoup plus prestigieux. Tous les deux président depuis le milieu des années 80 aux destinées de l'Association du PSG. Tous les deux sont actionnaires (très minoritaires) du Paris-Saint-Germain (PSG), et donc partiellement propriétaires du nom et de la marque PSG. Quand, début juin 2001, Bernard Brochand doit abandonner son siège de président du PSG du fait de ses nouveaux mandats électoraux, c'est à Alain Cayzac, son vice-président au PSG, qu'il passe le témoin. C'est comme ça. France Pub, le foot, c'est pour les publicitaires une affaire de famille.

Havas Advertising et Publicis : deux fratries qui s'opposent. D'ailleurs, dans le jour qui descend, on a beau chercher sur le terrain d'entraînement d'Issy-les-Moulineaux : pas le moindre salarié de la citadelle Publicis à l'horizon. Normal, à autre fratrie autres rituels : contrairement à l'escouade Havas Advertising, chez Publicis, la deuxième place forte de la pub en France, on préfère vivre au cœur de Paris et, surtout, on ne touche pas au ballon rond. Un choix raisonné ou une obligation ressentie ? C'est une question de culture. Tout oppose les deux bras de ce même corps professionnel. Les deux patrons énergiques et voraces qui règnent sur cette publicité « à la française » ont des personnalités diamétralement opposées.

Maurice Lévy, à soixante ans, est le président du directoire du groupe Publicis. Alain de Pouzilhac, cinquante-six ans, le capitaine du vaisseau amiral Havas Advertising. Leurs deux entreprises sont cotées en bourse. Certains, comme Jean-Marie Messier actionnaire d'Havas Advertising (11,36 %) et ami de Maurice Lévy, ont essayé de les marier. Sans succès. Les rares tentatives ont inéluctablement échoué. Les deux hommes croisent le fer depuis cinq ans avec une énergie inépuisable. Au-delà de leur ambition commune – être le plus novateur, tailler des croupières aux puissants conglomérats américains –, tout les sépare.

Maurice Lévy est fils d'enseignant, né à Oujda (Maroc) [1]. Arrivé par la petite porte en 1971 dans le groupe Publicis alors que règne encore le charismatique Marcel Bleustein-Blanchet, Maurice Lévy gravit les échelons un à un grâce à la bienveillante considération de son mentor qui l'appellera, signe d'affection sans doute, « mon guerrier loyal ».

Homme indépendant et seul maître en sa maison, il va son chemin en fin limier habitué de la scène politico-économique française. Solitaire à la présidence de Publicis en 1983, il prend progressivement appui sur quelques hommes à la solide réputation : Gérard Unger, son homme de confiance pour les activités de régie, Jean-Claude Naouri pour les activités de communication. Tout ce temps, Maurice Lévy reste le chef de la citadelle Publicis avec le plein accord de la famille Bleustein-Blanchet [2], actionnaire historique du groupe. Certains le qualifient de « véritable éminence grise des grandes entreprises [3] » et son entregent intrigue : « Son carnet d'adresses a la réputation d'être le plus épais de la capitale [4]. »

Son rival de toujours, Alain Duplessis de Pouzilhac – il est baron, « un titre acquis au prix du sang », dit-il –, surnommé « Poupou » par quelques proches, est plus jeune de trois ans. Né à Sète (Hérault), homme d'équipe, il mène son paquebot davantage en capitaine d'industrie qu'en prince de la scène politico-économique hexagonale. Même s'il fut le protégé au temps d'Havas de son ami corrézien Pierre Dauzier, Alain de Pouzilhac est moins « politique » que son rival.

Voyageur permanent, il dirige sa galaxie à l'américaine

---

1. *L'Express* (6 juillet 2000).
2. À savoir, les Badinter, Élisabeth Badinter, fille de Marcel Bleustein-Blanchet, étant l'actionnaire de référence et la présidente du conseil de surveillance.
3. *Jeune Afrique* (20 novembre 1996).
4. *Les Échos* (8 septembre 2000).

après avoir enterré la culture d'Havas appareil d'État, qui prévalait jusqu'en 1996. En cinq ans, il s'est constitué un état-major performant, avec sa garde rapprochée composée de fidèles (Cayzac, Séguéla, Carlo, Colmet-Daâge...) à laquelle il a su adjoindre des compétences, dont celles de Jacques Hérail, un homme clé dans son système, ancien d'Arthur Andersen, qu'il a mis aux finances.

C'est ressenti sans être affirmé : ni Maurice Lévy ni Alain de Pouzilhac ne veulent entendre parler l'un de l'autre. Ils ne se fréquentent pas en dehors de leurs strictes obligations professionnelles, l'un fuyant les cercles fréquentés par l'autre. Et rabrouent les journalistes qui osent les comparer en les soupçonnant, tous les deux, de faire le jeu de l'autre. Quand ils se voient, il est dit, rumeur sans doute, qu'ils ne parviennent pas à terminer un déjeuner sans qu'il tourne mal. « Notre relation ? C'est une non-relation », me dira Maurice Lévy, malgré le « respect » qu'il peut éprouver pour l'« œuvre accomplie ». « Nous avons une relation cordiale, respecteuse mais non chaleureuse », affirme de son côté Alain de Pouzilhac.

Leur emboîtant le pas, leurs troupes cultivent l'opposition de forme par rituels interposés. Chez Havas Advertising on est plutôt terroir, Sud-Ouest, foot, rugby et franches rigolades. Chez Publicis, on préfère les salons parisiens, les dîners « en ville », le trophée Lancôme et le théâtre des Champs-Élysées. Autre différence acquise : les barons de la galaxie Havas Advertising descendent en nombre sur la croisette à Cannes lors de l'annuel et inévitable festival international de la pub[1], alors que les chevilles ouvrières de Publicis brillent par leur absence.

C'est une question de style. D'un côté, la décontraction d'une bande de vieux copains qui jongle avec le business

---

1. Calqué sur le « vrai » festival du film de Cannes, ce rituel a lieu chaque année en juin.

comme elle jongle avec le ballon rond. De l'autre, la tenue retenue et forcément digne qui caractérise ceux qui, après avoir été triés sur le volet, ont à faire dans les plus hautes sphères de l'État. Chez Publicis, on a tendance à développer la conscience politique de ses responsabilités – ce qui est assez inattendu pour des publicitaires.

La garde rapprochée de Maurice Lévy n'est pas présente dans son entreprise, sauf au conseil de surveillance et chez les administrateurs. Ses plus fidèles soutiens, en dehors d'Élisabeth Badinter, épouse de l'ancien garde des Sceaux et ancien président du Conseil constitutionnel Robert Badinter, il les a trouvés à l'extérieur. Principalement auprès de ses « clients-annonceurs » historiques, anciennes entreprises d'État ou papes de la finance d'affaires.

Dans son premier cercle, Maurice Lévy peut compter sur Raymond Lévy, l'ancien président de Renault, comme sur son successeur Louis Schweitzer; sur Serge Weinberg, président du groupe Printemps-Pinault-Redoute, qu'il rencontre à la première assemblée générale du *Monde* dont il est le régisseur publicitaire, comme *Libération* et *L'Événement du jeudi*. Il se dit également proche de Jean-Luc Lagardère, de Jean-Marie Messier, ancien associé-gérant de la banque Lazard devenu patron de Vivendi-Universal et à ce titre actionnaire de référence, ce qui ne facilite pas les choses, d'Havas Advertising[1]. Comme de Martin Bouygues, président du groupe Bouygues et de TF1. Bon nombre de banquiers sont ses « amis », comme Gérard Worms, membre du

---

1. Lorsque la Générale des eaux, dirigée par Jean-Marie Messier, achète Havas avant de transformer le nouveau groupe en Vivendi puis, après le rachat du Canadien Seagram, de le transformer de nouveau en Vivendi-Universal.

conseil de surveillance de Publicis avec Michel David-Weill, directeur de la banque Lazard depuis vingt-trois ans...

Leur point commun ? Tous sont membres du Siècle, comme Laurent Fabius ou Dominique Strauss-Kahn, d'autres « amis » de Maurice Lévy. D'un tempérament discret et désireux de rester dans l'ombre, Maurice Lévy jouit aujourd'hui, en partie grâce à sa participation assidue au Siècle, d'une position centrale dans la toile sans cesse élargie de ses relations avec les cercles dirigeants politiques et économiques.

Le Siècle est un réseau fort influent qui réunit chaque quatrième mercredi du mois la « nomenklatura » française.

Cette association fut créée en 1944 par Georges Bérard-Quélin, fils de commerçants catholiques lyonnais, fondateur de l'austère Société générale de presse et franc-maçon (Grand Orient) de son état. Cet homme, qui adhéra au Parti radical en 1936, à l'époque du Front populaire, entendait participer à la « vie de la cité ». Témoignage de son « attachement à la République et au parlementarisme », il créa un club, Le Siècle, avec quelques amis du groupe Espoir de la France[1]. Idée initiale : établir des relations entre des mondes qui s'ignorent (politiques, hauts fonctionnaires, journalistes, industriels et banquiers) pour reconstruire une société nouvelle.

Nous sommes à la fin de la guerre, la France intellectuelle et politique est en effervescence. Les cercles issus des mouvements de résistance ou apparentés se multiplient. Parmi

---

1. Espoir de la France, un mouvement constitué d'une poignée d'hommes, dont Alof de Louvencourt, avait pour ambition en 1942 de jeter les bases inédites d'une presse nouvelle et indépendante après la guerre. Deux d'entre eux, Bérard-Quélin et Gabriel Cudenet, vice-président du Parti radical, feront leurs armes dans le journal clandestin *Le Jacobin*.

eux, Le Siècle a vocation à identifier puis faire se rassembler, pour qu'ils se connaissent et s'épaulent, le « meilleur » de la nouvelle génération. Le réseau devra augmenter les chances de succès de ceux qui auront été choisis. Le Siècle est un incubateur d'élites cooptées. Maurice Lévy, appelé par deux membres du Siècle aux alentours de 1977, fait son entrée comme membre de cette « génération montante », à l'époque recherchée par les administrateurs qui vieillissent.

Qu'est-ce que Le Siècle, précisément? Il ne s'agit pas vraiment d'un club politique, car l'association ne vise pas d'objectif partisan. Tous les partis sont représentés à l'exception pendant longtemps des communistes, et toujours aujourd'hui, de l'extrême droite. Ni société savante ni cercle intellectuel ou universitaire, car il se nourrit de « discussions policées et mondaines », ce cercle qui veut épauler des « jeunes éléments brillants que la naissance ou le milieu ne prédisposent pas à se constituer un tissu de relations dans les antichambres du pouvoir » est hors norme. Puissant et discret. Au point qu'il n'est pas autorisé de « révéler » au néophyte ses « parrains » et que les conversations sont strictement confidentielles. Les jeunes recrues sont prévenues : au sein du Siècle doit régner une discrétion absolue. « Il n'est pas question d'en tirer une quelconque gloire au-dehors », prévient-on.

Considéré par beaucoup comme un tremplin social puisqu'il est possible, voire souhaitable, d'utiliser les appuis politiques et industriels qu'on y trouve, il compte depuis quelques années une quinzaine de publicitaires. Au premier rang desquels Maurice Lévy. Sont également membres du Siècle Gérard Unger, son homme de confiance, Jacques Bille, vice-président délégué général de la fédération patronale de la publicité (AACC), et son ancien alter ego pour la fédération patronale des annonceurs, Alain Grangé-Cabane.

On trouve aussi Jean-Pierre Audour, publicitaire, vice-président d'Havas Advertising jusqu'au milieu de l'année 2000, militant socialiste qui fut recommandé au Siècle par François Mitterrand (membre du Siècle jusque dans les années 60) et parrainé par Georges Dayan. Bernard Brochand, Philippe Calleux, fondateur de l'agence FCA, agence qui fut rachetée en 1983 par Publicis, Alain de Pouzilhac qui ne vient jamais – « Je n'ai pas de réseau, je suis contre les ramifications et les abus qui naissent des relations entre le monde politique et celui d'étudiants brillants qui estiment gouverner le développement économique de la France » –, et Éric Giuly, ancien président de l'AFP, récemment recruté par Maurice Lévy qui lui a confié les rênes de sa filiale de lobbying, Publicis Consultants. Maurice Lévy a de son côté fait entrer son jeune protégé, Jean-Yves Naouri. « J'avais environ trente-cinq ans quand on m'a proposé d'y entrer, se souvient le patron de Publicis. À l'époque, tous les chefs d'entreprise qui avaient été nommés après guerre, avaient entre cinquante-cinq ans et soixante ans. J'ai eu le sentiment que participer aux dîners du Siècle m'aiderait à ce qu'ils me considèrent comme un interlocuteur. »

Même si la plupart des membres qu'il m'a été donné de rencontrer me disent qu'ils n'ont jamais fait d'affaires lors des dîners, Le Siècle, et surtout son cocktail informel avant le dîner, reste un lieu idéal de prospection et de lobbying. Une sorte d'antichambre du Parlement, du Sénat, du gouvernement, des instances patronales et des plus hautes institutions judiciaires françaises. La présence concentrée en un même lieu de l'élite telle qu'elle existe encore en France constitue un terrain fertile. On peut y approcher ceux qui sont capables de peser sur les décisions politiques comme économiques. D'ailleurs, « tout le monde n'a qu'une idée, c'est de voir le maximum de gens », me confie l'un des membres du Siècle.

Les places du dîner sont soigneusement étudiées, les membres sont « placés », mais les sujets privés, eux, sont exclus des conversations. En revanche, pendant les quarante-cinq minutes qui le précèdent, chacun rencontre qui il veut : « Vous obtenez dix rendez-vous en un quart d'heure, alors qu'il vous aurait fallu plus d'une semaine pendu au téléphone[1] », reconnaît un autre. Le « Tout-État » est là.

On peut donc y croiser d'autres membres du sérail publicitaire, même s'ils restent peu nombreux au regard de ceux qui appartiennent à la fonction publique, la finance, la justice, les médias[2] et au monde politique : Jean-Claude Boulet, ancien publicitaire et cofondateur de l'agence BDDP, et Jean-Michel Gaillard, énarque, agrégé d'histoire, ami de Nicolas Sarkozy tout en ayant été conseiller d'Hubert Védrine à l'Élysée, et directeur général d'Antenne 2 (1989), qui vient récemment d'être nommé vice-président de l'agence DDB France[3]. À croire que les passerelles établies entre les sphères publiques et privées fonctionnent. Et puis Thierry Consigny, président de l'agence Les Ouvriers du paradis. Ou Jean-Yves Naouri, qui fut patron de Publicis Consultants avant de prendre les rênes de l'ensemble des agences de communication du groupe Publicis.

Du sang neuf? Pas vraiment. Le conseil d'administration

---

1. « Un dîner dans le Siècle », *L'Express* (25 mars 1988).
2. Aucun journaliste n'est habilité à faire partie de ce cercle, seuls ceux qui ont le statut de « patron de presse » sont acceptés. Parmi eux, Michèle Cotta siège au conseil d'administration, Claude Perdriel, président du holding du *Nouvel Observateur*, Jean Drucker, président de M6, Jacques Fauvet, ancien directeur du *Monde*. Ce dernier présida Le Siècle de février 1976 à décembre 1978, comme Jacques Rigaud, ancien patron du groupe RTL en France, qui le présida de janvier 1994 à décembre 1996.
3. Afin de permettre à Hervé Brossard de prendre les rênes au niveau de la stratégie internationale du groupe et de se fondre progressivement dans la place laissée vacante par son frère de cœur, Bernard Brochand.

du Siècle, qui n'admit aucun membre féminin jusqu'en 1983, est frileux. Un exemple : Thierry Consigny, fils de Pierre Consigny, membre du Siècle pendant trente-cinq ans, ancien président de la Croix-Rouge, y avait ses entrées. Ses parrains ? Françoise Chandernagor, maître de requêtes au Conseil d'État, écrivain et membre du conseil d'administration du Siècle, et Gérard Worms, président du Conseil supérieur des systèmes d'information de santé, président du conseil des commanditaires de la banque Rothschild, administrateur de Publicis et président du Siècle depuis janvier 1999. « Des amis de longue date », me confiera-t-il. La cooptation est reine et les hommes sans entregent, peu nombreux à être « élus ». N'entre pas au Siècle qui veut.

Le Siècle est un sérail. Ici, on aurait tort de l'oublier, les générations de puissants reconnus choisissent, pour les former, les élites à venir.

Son point d'orgue est donc ce dîner mensuel qui a lieu dans les salons de l'Automobile Club, place de la Concorde à Paris, à deux pas de l'Assemblée nationale, « pour que les députés qui y participent puissent rejoindre rapidement les sessions nocturnes ». Chaque dîner du Siècle réunit une partie des membres de l'association – ils sont environ sept cent cinquante membres mais seulement trois cent vingt sont conviés à chaque dîner qui compte aussi quelques « invités » –, afin qu'ils « échangent et débattent de questions politiques du moment, au sens le plus large ».

La décision d'intégrer de nouveaux venus est soulevée par le conseil d'administration, composé de quinze membres, un mois à l'avance afin que chaque administrateur « puisse recueillir les informations qu'il juge nécessaires avant de se prononcer » en faveur de tel ou tel candidat. Deux parrains, dont un administrateur, doivent recommander le nouveau venu qui, s'il est accepté, sera « invité » à un premier dîner pour y être observé sans qu'il en soit forcément informé. L'élu ne connaît pas toujours ses parrains. Le conseil d'administration, via ses présidents de table[1], veille à ce que l'étiquette soit respectée.

Les règles sont nombreuses. « Le sectarisme et les éclats de voix sont proscrits et les échanges feutrés sont recommandés. » C'est une règle non écrite mais pérenne. Certains s'en seraient même servis pour justifier, dans la plus grande audace, l'exclusion des femmes pendant de nombreuses années. De la même façon, « la politesse et la discrétion » doivent permettre de parler des désaccords politiques ouvertement, mais à la condition « qu'ils soient profitables à tous ». Au cours des dîners, les affaires personnelles ou les apartés sont brisés par les présidents de table, me dit-on. Il faudra au candidat un an de présence au minimum, pour être éventuellement accepté par le conseil d'administration, un vote « non » annulant deux votes « oui ».

Ce serait ce « panachage » entre générations montantes et générations établies, entre des pouvoirs politiques, économiques et médiatiques – chaque membre doit exercer une activité à responsabilité pour y être admis[2] –, qui fait du Siècle le plus prisé des réseaux.

Depuis la fin des années 60, Claude Alphandéry, Édouard Balladur, Jacques Calvet, Jean-Pierre Chevènement, Jacques

---

1. Chaque dîner placé donne lieu à un plan de table extrêmement étudié (quarante tables de sept personnes en général), envoyé aux présidents de table un jour à l'avance.
2. Quelle que soit leur notoriété, Le Siècle fait sortir ses membres âgés de plus de soixante-six ans, âge de la retraite dans la fonction publique.

Delors, Roger Fauroux, Jean-Yves Haberer, Claude Imbert, Jean-Luc Lagardère, Jérôme Monod, Antoine Riboud, Jacques Rigaud... fréquentent avec assiduité ces dîners. Les hommes politiques comme les chefs d'entreprise ou les magistrats y voient une façon d'être au cœur des « débats qui agitent la cité » et ne manquent jamais cette réunion mensuelle, même lorsqu'ils sont en poste à l'étranger. Bernard Kouchner revenait du Kosovo pour y assister, me raconte-on.

Quelle est l'influence du Siècle sur la vie publique ? Des alliances tactiques y sont discutées entre des participants qui peuvent choisir de s'épauler, reconnaît-on discrètement. En vérité, la solidarité et l'esprit de corps sont tels que, jusque dans les années 70, Le Siècle a apporté une aide financière à « ses » candidats aux élections locales et nationales. En 1978, on trouvait encore parmi ses membres quarante-deux candidats aux législatives dont quatorze PS et radicaux, quatorze UDF, douze RPR et deux CNI. Si Le Siècle « ne fait pas la politique », il y contribue.

Les publicitaires qui y participent y trouvent leur intérêt, comme n'importe quels autres membres de cette élite française. « Imaginer Le Siècle comme une loge toute-puissante serait faire preuve de naïveté ou de fantaisie romanesque, selon *L'Express* qui y consacre un long article en 1988. Mais n'y voir qu'un dîner mondain serait ignorer que la capitale est faite de réseaux, de codes non écrits, de relations personnelles, qui transcendent les frontières trop simples de l'univers politique. » Le parallèle de fonctionnement avec la franc-maçonnerie s'impose.

Même si Le Siècle n'est pas un cercle maçonnique, ses rituels procéduriers, ses règles strictes de fonctionnement, l'absolu secret des liens qui unissent ses membres et la personnalité de son fondateur, font qu'il s'y apparente. Être maçon n'a jamais suffi pour y entrer. Étienne Lacour, le secrétaire général du Siècle depuis le décès de Georges

Bérard-Quélin en 1990, est formel : « Il m'a toujours dit : si quelqu'un se recommande de la franc-maçonnerie, n'en tenez pas compte. Je n'en ai pas tenu compte. » On trouve des maçons parmi ses membres. Des publicitaires comme d'autres.

Les professionnels de la communication n'apprécient pas de se voir ravir, en catimini, un nouveau client simplement parce que leur concurrent a de « meilleures connexions ». C'est pourtant leur lot quotidien : quand tournent les directions de marketing ou les directions générales, les ministres et leurs cabinets, les agences valsent. Pour faire le plein « de nouveaux budgets », les plus ambitieux doivent avoir le bras long. Même l'annuaire estampillé « confidentiel » des membres du Siècle ne suffit pas.

« Cependant, la puissance maçonne dans le monde des médias – presse et publicité – est moins explicite que dans d'autres secteurs », écrivent Ghislaine Ottenheimer et Renaud Lecadre, qui ont réalisé une grande enquête sur la franc-maçonnerie française et ses récentes dérives[1]. Même si, selon eux, Maurice Lévy, « le très influent patron de Publicis », comme Pierre Dauzier, ancien patron d'Havas et protecteur d'Alain de Pouzilhac, Jean-Claude Boulet, Bernard Brochand (qui dément aussi) et Hervé Brossard, son fils spirtuel qu'il a placé à la tête de son ancien groupe DDB, « en sont ». Comme Pierre Siquier, proche de Maurice Lévy et de Bernard Brochand.

Feu de paille? Vérité occulte? Pas facile d'y voir clair. Maurice Lévy dément formellement : « Je ne suis membre d'aucune obédience, d'aucune secte, ma vie est au grand

---

1. Ghislaine Ottenheimer et Renaud Lecadre, *Les Frères invisibles, enquête sur les dérives de la franc-maçonnerie*, Albin Michel, 2001.

jour », me dit-il en me précisant que « cela ne [l'] a jamais intéressé. Si j'étais maçon je le dirais. Si je n'avais pas le droit de le dire, je n'y appartiendrais pas ». La plupart des publicitaires auxquels j'ai pu poser la question se sont montrés ennuyés. Ils refusent en général de déclarer leur hypothétique appartenance à la franc-maçonnerie par peur de se voir reprocher leur « trop » grande réussite.

Alain Grangé-Cabane, qui fut pendant de nombreuses années le numéro deux de la fédération patronale des annonceurs publicitaires, l'Union des annonceurs, l'a expliqué assez clairement à Ghislaine Ottenheimer et Renaud Lecadre : « N'écrivez pas que je suis maçon, on croira que j'ai été recruté uniquement en raison de mon appartenance, alors que ce n'est absolument pas le cas. Je ne m'en sers pas[1]. » Cet énarque, maître de requêtes au Conseil d'État, n'avait sans doute pas besoin de ses « frères » pour trouver du boulot. Il aurait tout de même été, quelques années plus tard, « poussé » à la tête de la Fédération des industries de parfumerie « par un frère, haut responsable chez L'Oréal », affirment les deux journalistes.

Le souvenir de la chasse à la franc-maçonnerie sous l'Occupation reste tristement présent et, contrairement à la Grande-Bretagne, pays dans lequel les maçons doivent se découvrir lorsqu'ils occupent des postes à très haute responsabilité[2], affirmer son appartenance aux différentes loges est encore tabou en France. Pour combien de temps ? Alain Bauer, grand maître du Grand Orient, appelle désormais les francs-maçons à « assumer leur appartenance et leurs convictions, notamment ceux qui ont des responsabilités dans la société ». Il explique : « Le secret avait une légitimité absolue au moment où nous étions en conflit avec des intégrismes

---

1. *Ibid.*
2. Par décision du ministre de l'Intérieur Jack Straw.

extérieurs : la loge était l'espace libre où on pouvait traiter ce qui était tabou dehors. Aujourd'hui, la société s'est suffisamment libérée pour que nous n'ayons plus besoin de protéger les débats en loge ni les appartenances[1]. »

Jean-Pierre Audour, vice-président d'Havas Advertising jusqu'en mai 2000, militant socialiste et membre du Siècle depuis vingt ans, impressionne par son entregent. Ainsi, c'est lui qui aurait réussi à garder le budget de communication d'Air France en utilisant « ses liens personnels » avec Jean-Cyril Spinetta, président de la compagnie aérienne. Certains affirment qu'il est franc-maçon, ce que Jean-Pierre Audour dément avec véhémence. Il reconnaît qu'il a ses entrées chez le président d'Air France, mais c'est tout : « On m'a proposé d'y entrer mais j'ai refusé [...] je préfère mon statut de catholique "bon teint" », me confiera-t-il. En revanche, cet homme indépendant et bourru affirme que, au cours de sa carrière de publicitaire, il s'est « heurté à des solidarités de ce type-là ».

Dans les branches plus spécialisées du conseil en communication politique et des lobbyistes, on trouve des maçons ou des « proches » des loges maçonniques. Grand Orient ou Grande Loge nationale française, essentiellement.

Dans le conseil en communication politique, les courroies de transmission sont assez identifiables, à gauche comme à droite. À gauche, il y a la troïka composée des rocardiens Alain Bauer, grand maître du Grand Orient, et de son ami intime qui le conseille « à titre amical » pour sa communication, Stéphane Fouks – qui affirme, lui, ne pas être maçon –, et le nouveau maire d'Evry (Essonne), Manuel Valls. Jusqu'aux municipales de mars 2001, Manuel Valls était l'interlocuteur privilégié à Matignon de Stéphane Fouks, que l'on pourrait appeler un « frère sans tablier ». Fouks dirige avec Laurent Habib l'agence Euro RSCG Corporate, organe

---

1. *Le Monde* (14 mai 2001).

de lobbying d'Havas Advertising. Valls, lui, travaillait à la communication du Premier ministre Lionel Jospin, à demeure. Amitié maçonne peut-être, amitié politique assurément. Bauer, Fouks et Valls se connaissent depuis leurs études à la Sorbonne. Et comme les frères footeux Brochand, Cayzac et Goudard, ils se suivent depuis vingt ans (Mouvement des jeunes rocardiens, Mnef, Unef-ID...).

Dans l'autre camp, à droite, on trouve entre autres, François Blanchard, qui serait membre de la Grande Loge nationale française, affirment les auteurs des *Frères invisibles*. Ce conseiller du maire (RPR) de Rueil-Malmaison (Hauts-de-Seine) Jacques Baumel, lui-même maçon, fut l'associé de Thierry Saussez, conseiller en communication d'Alain Juppé, de Nicolas Sarkozy... Thierry Saussez, patron d'Image et Stratégie, n'étant pas maçon, c'est François Blanchard qui lui aurait servi d'introduction auprès de quelques chefs d'État africains.

La plupart des publicitaires, souvent fins calculateurs, ont compris qu'il n'était plus forcément nécessaire d'appartenir à une loge, avec ses contraintes, sa soumission hiérarchique et ses échanges spirituels, pour pouvoir bénéficier de ses réseaux. Sans forcer la main à ces « frères invisibles », on dira simplement que, dans le milieu publicitaire on trouve quelques-uns de ceux qu'Alain Bauer, le grand maître de la principale obédience maçonnique française, le Grand Orient, appelle « les gens qui se servent plutôt qu'ils ne servent[1] ». Car, pour les professionnels de la communication qui vivent dans la quête permanente de nouveaux contacts, les « cent vingt mille maçons de France constituent [...] un moteur de recherche extrêmement puissant », affirment les deux journalistes auteurs de l'enquête.

---

1. *Le Monde*, 14 mai 2001.

En France, mais aussi au-delà de l'Hexagone, ces réseaux parmi d'autres aident parfois les professionnels de la pub à trouver le contact utile, les coordonnées des « garants d'amitié », dans un pays étranger notamment. À trouver un intermédiaire qui puisse aider à s'installer en Russie, à approcher un ministre africain ou à convaincre les associés d'une agence étrangère de se laisser racheter.

Il arrive parfois que certains mélanges soient d'un genre sulfureux. Au départ, on retrouve toujours ce sentiment de solidarité naturelle et la volonté d'aider dans les moments difficiles. Puis, de temps en temps, des échanges de services qui donnent lieu à des arrangement financiers plus ou moins clairs.

Prenons le cas du Cercle de l'industrie [1]. Les solidarités que certains ont qualifiées de « maçonnes » entre ses membres fondateurs, ont abouti à l'audition de Maurice Lévy, président de Publicis, et de son « véritable ami », partenaire dans cette affaire, Raymond Lévy, à l'époque P-DG de Renault, par les juges Eva Joly et Laurence Vichnievsky en charge de mettre au jour les détournements de fonds commis au préjudice de la société publique Elf-Aquitaine entre 1989 et 1993.

En quoi ces chefs d'entreprise à la solide réputation étaient-ils concernés par les détournements de fonds d'Elf? Leur association de lobbying, le Cercle de l'industrie, aurait

---

1. Le Cercle de l'industrie est un lobby chargé de défendre les intérêts des grandes entreprises françaises auprès de la Commission européenne en organisant des « interventions au plus haut niveau » (article 3 des statuts), selon un article paru dans *Libération* le 3 novembre 1999. Ce Cercle compte environ trente membres, dont les groupes Elf, L'Oréal, Aérospatiale, Bolloré, Rhône-Poulenc, Framatome, Cogema...

bénéficié d'un soutien financier émanant d'Elf, soutien qui a intrigué les enquêteurs de la brigade financière de la police judiciaire. Cette association officiellement mandatée depuis 1993 pour « défendre les intérêts » d'une quinzaine de groupes industriels auprès de la Commission européenne, aurait été créée par Raymond Lévy, alors président de Renault, Maurice Lévy, président de Publicis, et Edmond Alphandéry[1], afin de servir les intérêts de l'ancien ministre de l'Industrie Dominique Strauss-Kahn, après la défaite des socialistes aux législatives.

Évelyne Duval, fidèle d'entre les fidèles du ministre puisqu'elle l'assista à l'Assemblée nationale de 1988 à 1991, puis au ministère de l'Industrie et du Commerce extérieur entre 1991 et 1993, puis de nouveau au ministère des Finances à partir de 1997[2], aurait été l'une des personnes transfuges de Bercy ayant bénéficié du soutien des frères maçons[3] pendant la traversée du désert de l'ancien ministre socialiste. Son salaire (cent quatre-vingt-douze mille francs) pour un mi-temps au Cercle de l'industrie fut versé en 1993 par la société Elf. Évelyne Duval a elle-même expliqué que « le futur bureau du Cercle, composé de Raymond Lévy, futur président, de M. Strauss-Kahn, futur vice-président, et de M. Maurice Lévy, futur trésorier, avait décidé que je serais payée par Elf à concurrence de seize mille francs par mois pour un mi-temps, pour une durée de douze mois[4] ». Depuis, elle se serait rétractée, me dit Maurice Lévy qui parle d'une « connerie innommable » : « Elf lui a payé sa cotisation[5]. Et

---

1. Avant qu'il ne devienne ministre de l'Économie du premier gouvernement Balladur (1993-1995) puis président d'Électricité de France (1995-1997).
2. *Le Monde* (11 décembre 1999).
3. Ghislaine Ottenheimer et Renaud Lecadre, *Les Frères invisibles...*, *op. cit.*
4. Hervé Gattegno, *Le Monde* (29 janvier 2000).
5. Elf, Publicis et Air France auraient versé leur cotisation, de deux

elle, elle n'a rien dit. Si je l'avais su, je lui aurais immédiatement dit de rendre cet argent ! » s'énerve-t-il.

La somme correspondrait à la cotisation d'Elf au Cercle de
l'industrie, versée en avance. Interrogés comme témoins de
l'instruction à la fin de l'année 1999, Raymond Lévy et Maurice Lévy ont démenti avoir servi d'intermédiaires entre la
secrétaire particulière de DSK et Elf. Selon les auteurs des
Frères invisibles, les trois cofondateurs du Cercle de l'industrie auraient décidé de soutenir discrètement les collabora-
teurs les plus fidèles de « DSK ». Qui reste, à l'époque, un
libéral socialiste apprécié par les milieux d'affaires et un
homme politique susceptible de « rebondir ».

La même « aura d'entraide maçonnique », supputée mais
jamais prouvée, entoure la relation du patron de Publicis avec
Jean-Yves Naouri, l'un des conseillers techniques de DSK au
ministère entre 1991 et 1993. Les fondateurs utilisèrent ses
services pour lancer le Cercle de l'industrie, avant que ce dernier ne soit embauché par Maurice Lévy au sein du groupe
Publicis, en 1993. Les liens de la sphère Publicis avec les
deux frères Naouri sont serrés. Jean-Yves Naouri, diplômé
des Mines et de Polytechnique, est en effet le jeune frère de
Jean-Charles Naouri, inspecteur des finances, ancien directeur de cabinet de Laurent Fabius, ministre des Finances,
entre 1984 et 1986.

Maurice Lévy connaît Jean-Charles Naouri par Le Siècle.
Il y fera ensuite entrer son jeune protégé, qu'il rencontre pour
la première fois lors de la création du Cercle de l'industrie.
Avant de l'en faire sortir. Jean-Yves Naouri est d'abord placé
par Maurice Lévy à la tête de la filiale de lobbying Publicis
Consultants avant de prendre, dernièrement, la direction de la

---

cent mille francs environ chacune, « à l'avance ». À cette époque,
« l'association n'était pas encore officiellement créée », selon le patron de
Publicis.

principale entité du groupe Publicis Conseil. Jean-Yves Naouri sera alors remplacé par Éric Giuly, ancien président de l'Agence France-Presse, membre assidu du Siècle, qui prendra à son tour, en décembre 2000, les rênes de Publicis Consultants.

Pour leur propre compte ou pour le compte de leurs clients proches et amis, les publicitaires lobbyistes se nourrissent de relations politiques soigneusement entretenues. Ces techniques ont toujours cours en France, un pays « hautement centralisé où, héritage d'un jacobinisme encore vivace, le monde des affaires a longtemps entretenu des relations incestueuses avec l'État[1] ». Elles sèment souvent le doute, et même parfois discréditent l'impartialité dans l'attribution de certains marchés publics de communication. Prenons la campagne de communication sur l'euro actuellement en cours.

Fin juillet 2000, alors que le cabinet de Laurent Fabius, ministre de l'Économie et des Finances, membre du Siècle et proche de Maurice Lévy – ils ont notamment comme amis communs Louis Schweitzer et Serge Weinberg –, s'apprête à rendre public son plan de communication sur l'introduction de l'euro réalisé par Publicis Consultants, la procédure est brutalement suspendue : la campagne censée « aider à faire vivre aux Français la monnaie européenne au quotidien » ne débutera pas fin septembre comme prévu. La raison de ce couac de dernière minute ? La Commission spécialisée des marchés (CSM) a mis son nez dans la procédure d'attribution de ce marché public d'un montant exceptionnel de 36,8 millions d'euros pour les années 2001-2002.

Aussitôt, une rumeur se répand comme une traînée de poudre : Maurice Lévy, « le roi du lobbying qu'il sait être »,

---

1. *La Tribune* (26 octobre 1999).

dit l'un des publicitaires, bénéficierait d'un retour d'ascenseur de Laurent Fabius. « Les dés sont pipés, depuis le début nous savions que le budget reviendrait à Publicis », confie un autre. Parallèlement, un rapport du Service d'information du gouvernement (SIG), dirigé par Bernard Candiard qui dépend directement du Premier ministre, émet des « réserves » sur la procédure d'attribution. Un critère non prévu sert à une présélection pour seulement quelques agences, les autres sont tirées au sort.

Il se trouve que, justement, l'une des agences choisies et qui sort même vainqueur, Publicis Consultants, n'est autre que la filiale dirigée par Jean-Yves Naouri, dont le frère, Jean-Charles Naouri, fut le directeur de cabinet de Fabius. Devant tant d'intimité relationnelle apparente, les esprits s'échauffent. Car la campagne pour la mise en place de l'euro est d'une importance stratégique. À double titre.

Pour les publicitaires français, il s'agit du premier budget de communication en termes financiers depuis l'après-guerre – il devance de très loin ceux consacrés à la prévention du Sida et à la Sécurité routière (environ trente millions de francs chacun). De plus, cette action de communication représente un enjeu politique intérieur : les actions publicitaires accompagneront la nouvelle monnaie, et ses maîtres d'ouvrage, jusqu'à l'introduction effective des pièces et des billets en janvier 2002. À ce titre, et dans un contexte où toute forme de publicité politique est à ce jour interdite en France, l'agence retenue pourrait contribuer à discréditer ou à redorer l'image de Laurent Fabius, ministre de l'Économie et des Finances du gouvernement de Lionel Jospin, et *in fine* du Parti socialiste. Cela pendant deux ans et jusqu'à trois mois des élections législatives et présidentielles.

La conjugaison de ces trois éléments a rendu Laurent Fabius encore plus prudent : la procédure d'attribution doit être revue. Plusieurs membres de son cabinet lui ont fait savoir que « le vice de forme [est] gros comme un camion », selon un proche du ministère. Ce qui ne tardera pas, d'ailleurs, à lui être ouvertement notifié par la Commission spécialisée des marchés. La direction de communication de Publicis se fend d'un communiqué pour tenter de calmer le jeu. La procédure d'appel d'offres est relancée mais avec une autre méthode « de façon à économiser deux mois de délai », justifiera un membre de cette commission de sélection.

Publicis Consultants fait officiellement acte de candidature le 6 octobre. Le 15 novembre, le ministère de l'Économie, des Finances et de l'Industrie annonce « qu'au terme d'un appel d'offres, c'est le groupe Publicis qui a été choisi pour mettre en œuvre la stratégie de communication sur l'euro[1] ». La campagne débutera en janvier 2001. Le groupe dirigé par Maurice Lévy vient de réussir un doublé · c'est aussi son agence d'achat d'espaces Optimédia qui gérera, pour le compte du ministère, les cent millions de francs de la campagne. Publicis avait déjà été choisi par la Banque centrale européenne pour la campagne d'information sur l'euro, et gagné le budget de l'euro en Allemagne et en Hollande. À l'époque, la communication de la présidence française de l'Union européenne est également aux mains d'une des entreprises de Maurice Lévy.

Sa relation d'amitié avec Laurent Fabius a jeté le trouble sur les conditions d'attribution de ce marché qui a fait saliver bien des opérateurs du marché. N'y a-t-il jamais eu de fumée sans feu ? Cette amitié « aurait pu jouer en sa défaveur », m'explique-t-on. « Le nombre de fois où nos amis ne nous ont pas confié de campagnes est beaucoup plus important », rétorque Maurice Lévy, qui tient à préciser que sa campagne affiche « les meilleures performances jamais atteintes par une campagne gouvernementale ». Soit.

---

1. Dans *toutsurlacom.fr* (15 novembre 2000).

Deux ans auparavant, l'agence Euro RSCG Corporate (Havas Advertising), dirigée par Stéphane Fouks, voit échapper le budget de communication des trente-cinq heures après avoir été quasi désignée d'office. « Tout le monde s'est mis à fliper », confiera Stéphane Fouks, dont l'appartenance socialiste et les amitiés ministérielles sont bien connues. Les agences « amies » seraient moins bien servies que celles qui n'affichent aucune relation personnelle avec les ministres concernés.

Les agences ne souhaitent pas être les prestataires « attitrés » de tel ou tel gouvernement ou de tel ou tel ministre. « Je construis l'agence dans le temps, je ne veux pas qu'elle dépende d'un gouvernement machin ou truc », explique Fouks. Ce qui ne l'empêche pas « d'avoir [ses] convictions personnelles » et d'en faire état. D'ailleurs, le fait que le gouvernement Jospin répartisse ses budgets de communication entre une dizaine d'agences ne le « dérange pas trop, remarque le publicitaire. C'est plutôt bien pour le marché, ça nous protège ».

Ce qui compte, c'est que les ministres soient convaincus des bienfaits de la communication. Certains ont de l'avance sur d'autres. Il suffit d'écouter le ministre des Finances, Laurent Fabius : « Pour que l'euro remonte comme il faut, il faut que l'Europe fasse mieux son marketing[1] », a-t-il déclaré en marge de la réunion de l'Eurofi 2000 à Paris. La discrète influence de Maurice Lévy ? Ou d'autres proches conseillers, comme Serge Weinberg ou Louis Schweitzer soupçonnés de former un « cabinet occulte » ? « Les vétérans socialistes voient dans ces visiteurs du soir le retour d'une pratique clanique, opaque et florentine du pouvoir dans la tra-

---

1. *Le Monde* (20 septembre 2000).

dition mitterrandienne. À l'exact opposé du principe de collégialité et de transparence voulu par la "méthode Jospin"[1]. » Peut-être clanique, mais diablement efficace !

Les publicitaires français sont des irréductibles. Et ils ont les moyens de l'être. Contrairement à leurs homologues italiens, suédois, allemands, espagnols ou britanniques, ils n'ont pour l'instant pas fait allégeance aux grands puissants Américains. Ils ont construit une sorte de village gaulois qui résiste autant qu'il peut à la déferlante hégémonique. Ils vivent selon leurs propres règles et ont appris à nouer les liens qui leur étaient nécessaires pour se développer. Résultat, après dix ans de lutte internationale, dans les dix premiers groupes mondiaux de publicité ne restent que des groupes anglo-saxons... et deux Français : Havas Advertising et Publicis. Maurice Lévy et Alain de Pouzilhac ont été classés (tous les deux au même rang) en tête du « Palmarès 2000 des patrons », du magazine *Challenges*. Une surprise ? Non, la reconnaissance d'un système.

Réseaux

Villages Gaullois.

---

1. *Libération* (16 octobre 2000).

ÉPILOGUE

Pour un droit de regard

Les publicitaires français ont pris une sale habitude. Critiqués, ils ouvrent un parapluie, toujours le même : « Ce n'est pas notre affaire ! » disent-ils.

Voilà une méthode facile pour se dédouaner sans provoquer de heurts. Aux États-Unis, les associations militantes et activistes de tous bords sont prises au sérieux. Pas ici. En France, les contestataires n'existent pas. « Il ne s'agit que de quelques excités », m'ont souvent affirmé des publicitaires d'un ton condescendant. Qu'en savent-ils ?

Les Français sont de plus en plus nombreux à vouloir disposer d'un droit de regard sur ces messages qui envahissent leur quotidien. Quand la communication va trop loin, ils veulent pouvoir réagir. Quand une campagne les choque, ils veulent pouvoir s'exprimer. Les plus actifs voudraient même certaines fois diffuser, comme cela s'est fait en Suisse récemment, un spot télévisé qui dit leurs doutes en matière d'environnement, de conscience citoyenne des entreprises, ou de promesse publicitaire.

En France c'est impossible. Un citoyen ne peut pas acheter du temps publicitaire à la télévision pour défendre ses idées. Surtout si elles sont contraires au système. La critique de la communication est réservée aux intellectuels. À une ou deux associations antipub qui sont en général bridées ou dénigrées. Tout est fait pour museler la contestation qui pourrait venir de la rue.

Il y a d'abord le Bureau de vérification de la publicité (BVP) censé recueillir les critiques du public. Il est peu connu, les gens ignorent son rôle et ne savent pas quel est son pouvoir de sanction. Quand, par hasard, ils en entendent parler, ils se demandent ce que peut faire un organisme financé par les publicitaires, leurs clients annonceurs et les médias qui vivent des recettes publicitaires. Quand quelqu'un se fend d'un courrier, c'est comme s'il jetait « une bouteille à la mer », m'ont expliqué certains lecteurs du *Monde.*

Un message télévisé pour dénoncer la surconsommation ou des gaspillages publicitaires ? Impossible à la télévision française. L'association Casseurs de Pub en sait quelque chose. Seuls les journaux accueillent encore ces rescapés de l'omerta publicitaire. En France, aucune chaîne, même publique, n'a accepté de diffuser de spots pour la promotion de la journée sans achats. C'est contraire à leurs intérêts financiers.

Mais les temps changent. Il faudrait que les publicitaires et leurs clients annonceurs s'en rendent compte.

L'argument ultime censé mettre fin à toute discussion – « Notre métier, c'est de vendre des produits » – est devenu caduc. Publicitaires et annonceurs ne peuvent plus dire : vous comprenez, messieurs, mesdames, vos questions, vos doutes, vos éventuelles récriminations, vous pouvez vous les garder. Cette superbe – et effrayante, à mon sens – démonstration d'inconscience ou d'indifférence a vécu.

D'un côté, la publicité fait partie de la vie quotidienne, les gens aiment se raconter des publicités comme ils se racontent des blagues. Ils l'acceptent mais n'adhèrent pas, systématiquement, aux modèles qui leur sont imposés, ni ne cautionnent ou approuvent les mariages que les milieux de la communication provoquent ou concèdent. Nous, « les vraies gens » comme ils disent, devons pourtant faire avec. Ce n'est pas notre choix. Voilà pourquoi nous devons disposer d'un droit de regard. Mais la contestation citoyenne doit grandir, s'organiser et s'exprimer. La route est longue.

On a trop longtemps supposé que, par politesse ou par respect, les publicitaires et leurs clients, conscients de ce qu'ils imposent à leurs concitoyens, se préoccuperaient de la sensibilité collective. Qu'ils se fixeraient eux-mêmes des limites. Qu'ils prendraient la mesure des conséquences que leur production d'images commerciales peut avoir sur la société, l'avenir et la psychologie des individus qui la composent.

On a eu tort.

Bibliographie

AATI, Ridha et ZOGHDANI, Nordine. *La Cité du fada*. L'Écailler du Sud, 2000.

ALONSO, Isabelle. *Pourquoi je suis chienne de garde*. Robert Laffont, 2001.

BARRÉ, Virginie ; BEBRAS, Sylvie *et al. Dites-le avec des femmes : le sexisme ordinaire dans les médias*. CFD-L'École des métiers de l'information, 1999.

BAUDRILLARD, Jean. *Les Stratégies fatales*. Grasset, 1983.

BEAUVOIR, Simone (de). *Le Deuxième Sexe*, T.1 et 2. Folio, 1949.

BEIGBEDER, Frédéric. *99 Francs*. Grasset, 2000.

BENASAYAG, Michel et SZTULWARK, Diego. *Du contre-pouvoir*. La Découverte, 2000.

BOURDIEU, Pierre. *Contre-feux*. Raisons d'agir, 2001

BOUTELIER, Denis et SUBRAMANIAN, Dilip. *Le Grand Bluff*. Denoël, 1991.

BRETON, Philippe. *La parole manipulée*. La Découverte, 2000.

BRUNE, Françoise. *Le Bonheur conforme*. Gallimard, 1985.

COIGNARD, Sophie et WICKHAM, Alexandre. *L'Omerta française*. Albin Michel, 1999.

COTTERET, Jean-Marie. *Gouverner, c'est paraître*. PUF, 1997.

DEBORD, Guy. *La Société du spectacle*. Folio, 1967.

DURING, Simon (ed.) *The Cultural Studies Reader*, 2ᵉ édition. Routledge, 2000.

DYER, Gillian. *Advertising as communication*. Routledge, 1982.

321

Le *livre noir de la pub*

FONTANILLE Jacques. « Le langage des signes et des images. » In *Qu'est-ce que l'humain?*, vol. 2. Odile Jacob, 2000.

FRESNAULT-DERUELLE, Pierre. *L'Image placardée*. Nathan, 1997.

GARIBAL, Gil. *Cette publicité qui nous dérange*. Entente, 1982.

GOURÉVITCH, Jean-Paul. *L'Image en politique*. Hachette Littérature, 1998.

GUÉHENNO, Jean-Marc. *L'Avenir de la liberté*. Flammarion, 1999.

GUYOT, Jacques. *L'Écran publicitaire : idéologie et savoir-faire des professionnels de la publicité dans l'audiovisuel*. L'Harmattan, 1992.

HÉBERT, Michel. *La publicité est-elle toujours l'arme absolue?* Liaisons, 1997.

JÉZÉQUEL, Laurent. *Ras la pub, mémoires d'un rédacteur à gages*. Denoël, 1986.

KLEIN, Naomi. *No Logo*. Picador USA, 1999.

LABELLE-ROJOUX, Arnaud. *Leçons de sandale*. Yellow now, 2000.

LAVAUD, Laurent (éd.). *L'Image*. Flammarion, 1999.

LAVOISIER, Bénédicte. *Mon corps, ton corps, leur corps. Le corps de la femme dans la publicité*. Seghers, 1978.

MACKLIN LES CARLSON, Carole. *Advertising to Children, Concepts and Controversies*. Sage Publications, 1999.

MÉDA, Dominique. *Le Temps des femmes*. Flammarion, 2001.

MITCHELL, James B. *Twenty ads that shook the world*. Crown Publishing, 2000.

OTTENHEIMER, Ghislaine et LECADRE, Renaud. *Les Frères invisibles*. Albin Michel, 2001.

PACKARD, Vance. *La Persuasion clandestine*. Calmann-Lévy, 1989.

PASTOUREAU, Michel. *Dictionnaire des couleurs de notre temps, symbolique et société*. Bonneton, 1999.

RAMONET, Ignacio. *Propagandes silencieuses*. Galilée, 2000.

RIOU, Nicolas. *Pub Fiction*. Éditions d'organisation, 1999.

ROBERT, Daniel. *Les Carnets de la publicité*. Globe, 1990.

ROCHEFORT, Robert. *La Société des consommateurs*. Odile Jacob, 2001.

ROGERS MARY F., *Barbie Culture*, Sage Publications, juin 2000.

SAUSSEZ, Thierry. *Le Temps des ventriloques*. Belfond, 1997.

Bibliographie

SAUSSEZ, Thierry. *Le Pouvoir des mentors*. Éditions n° 1, 1999.

SCHOR, Juliet B. et HOLT, Douglas B. *The Consumer Society Reader*. The New Press, 2000.

SCHWARTENBERG, Roger-Gérard. *Sociologie politique*. Montchrestien, 1998.

SÉGUÉLA, Jacques. *Le Vertige des urnes*. Flammarion, 2000.

TISSERON, Serge. *Enfants sous influence*. Armand Colin, 2000.

TISSERON, Serge. *Petites mythologies d'aujourd'hui*. Aubier, 2000.

TISSERON, Serge. *Psychanalyse de l'image : des premiers traits au virtuel*. Dunod, 1997.

TRÉGUER, Jean-Paul. *Le Senior Marketing*. Dunod, 1998.

WOLTON, Dominique. *Penser la communication*. Flammarion, 1998.

Ainsi que :

L'Expansion, numéro spécial « Tout sur la pub », septembre 1989.

Médiatiques, récit et société. « Discours politique », n° 21, automne 2000.

TABLE

Avant-propos 7

Première partie
Les nouveaux mirages qui emprisonnent

1 – Femmes dans la pub, le sexe, le sexe, le sexe... .   19

La ségrégation continue – Premières caricatures nées avec la publicité – Bobonne ou le pot de fleurs – Premiers mensonges, vieux mensonges – La situation empire – Nous achetons notre épanouissement – Campagnes bien indignes – Commercialement, ça marche – Ras-le-bol – Conséquences dangereuses – Des ados machos

2 – Pourquoi nous ne serons jamais belles comme dans les publicités   40

Le poids d'un secteur – Barbie, nouvelle icône, guide des proportions – Plus d'oasis préservée – Les « trucs » cachés de la beauté publicitaire – Objectif minceur, première source de frustration – Un mécontentement généralisé – Les folles dérives – Le

supermarché planétaire de la chirurgie esthétique –
Le refus par l'anorexie : une lutte à mort

3 – La pub n'aime pas les « vieux »   60

Nous vieillissons, nous vieillissons – Pas de sexagé-
naires dans les publicités – À plus de cinquante ans,
la femme est une paria – Les caricatures de « vieux »
– On se moque, on en rigole, il est vraiment ridicule !
– Vieux dans la pub : vieillard, fou, et méchant –
Pourquoi tant de haine ? – Les raisons d'un oubli
réfléchi – Les femmes « mûres » veulent pouvoir
vieillir sereinement – Comment lutter – Quelques
efforts sporadiques, mais le tabou résiste

4 – Des Blancs, du blanc, rien que du blanc...   80

Tristes expériences – La publicité longtemps au ser-
vice de la colonisation – Des « brutes primaires »
pour vanter des produits « bruts » – Clichés de la
pub contemporaine – D'où vient le mal ? – Les cal-
culs financiers des annonceurs – Refuser la discrimi-
nation

Deuxième partie
Conquérir à n'importe quel prix

1 – La pub est entrée dans les écoles   99

À la JC Harmon School, on teste les produits – La
télé commerciale et ses pubs obligatoires – Où sont
les contre-pouvoirs ? – À l'école, il n'y a pas que la
télé – Du matériel pédagogique comme instrument
de promotion – L'Éducation nationale pas au cou-
rant – Des enseignants privés de moyens – Enfants :

cibles faciles – Des affiches dans les cours de récréation – Les conseils d'école se compromettent – En France, l'école sacralise le message publicitaire

2 – Big Brother is watching you 117

Qui peut s'opposer au démarchage publicitaire ? – Les postiers distribuent de la pub – Et surveillent parfois notre courrier – Pub en boîte aux lettres : axe de croissance déclaré de La Poste – Le marketing direct, premier investissement en publicité en France – Des pros de l'espionnite publicitaire – La collecte de renseignements cachée sous une apparence de jeu – Violation de la vie privée – Pas de sanction, peu de contrôle – Des francs-tireurs – L'autocontrôle est un leurre – La panique américaine – Les Européens très menacés – Laxisme des pouvoirs publics français – Nos fiches de renseignements se monnaient d'un bout à l'autre de la planète – Quand ce ne sont pas les États qui s'en servent

3 – Le patient est un consommateur comme les autres 137

La pub met les symptômes en lumière – Les médias légitiment et amplifient la maladie – La télévision permet l'autodiagnostic – Le comité d'éthique a percé la stratégie – La campagne d'éducation pour le Viagra n'est pas une première – Nous avons été éduqués à consommer du Prozac – Les femmes ménopausées ont été converties aux patches hormonaux – Les hommes amenés à « soigner » la chute de leurs cheveux – Noyauter la sphère médicale... – La visite médicale verrouille le message – Les labos financent des associations-écrans – Le voile est levé aux États-Unis – En France, on ferme les yeux – La préoccupante campagne de promotion du vaccin antihépatite B – Un mal très « franco-français » – L'avantage d'un soutien politique négocié – Bataille autour des effets secondaires – La pub fait du consommateur un malade révélé qui tente de piéger les médecins – Une technique qui bafoue l'esprit des lois – Un pari risqué pour les labos – Un certain retour à l'âge de pierre – Médicalisation tous azimuts de la société – Usurpation du discours public

4 – Les cigarettiers, contrebandiers publicitaires 165

Les fêtes – La soudaine mode des produits dérivés – Pub subliminale – Pour plaire aux ados – La formule 1 pour passer à la télé – Un lobbying actif et très puissant – Priorité : recruter des jeunes fumeurs – Ils sont l'avenir de l'industrie – La cigarette, un rite initiatique – Les filles sont bluffées... – L'énorme pouvoir de la promo sur l'ado – La nicotine fera le reste – L'hypocrisie française

5 – Pourquoi les publicitaires ont tort d'aimer le goût du sang et de la violence 194

Le pitbull dans les banlieues – Levée de boucliers des élus locaux – Les arguments des publicitaires – Dans la pub violente, il n'y a pas que des pitbulls... – Alors, ça marche ou ça marche pas ? – Quelles sont les traces laissées par des images angoissantes ? – Pour certains, c'est un jeu, pour d'autres de l'huile sur le feu.

Troisième partie
Les mariages contre nature

1 – Publicité et politique, un mariage impossible ... 213

L'expérience togolaise – De la propagande démo-
cratique pour séduire les bailleurs de fonds – La
publicité en Europe qui masque la réalité – Les
« voyages de presse » qui manipulent – Ces mes-
sieurs de la communication... – La pub n'est plus
qu'un prétexte – Quand la politique française n'était
plus qu'un spectacle en paillettes – Le coup de mas-
sue français – La nouvelle hypocrisie – Émergence
de nouvelles techniques – La campagne officielle ou
le temps révolu de la propagande – La communica-
tion politique est devenue soluble dans les médias –
Les travers du marketing politique à l'américaine

2 – Liberté de la presse : le chantage publicitaire ... 247

Une ancienne génération de patrons adepte de la
« punition publicitaire » – À la télévision aussi – Les
adeptes de l'« arrosage publicitaire » – La pratique
répandue de l'autocensure – Le plus souvent la pru-
dence gouverne – On peut encore faire virer un jour-
naliste – Une nouveauté : le boycott idéologique –
L'influence de la pub sur l'info – Quand l'informa-
tion flirte avec la communication – Le pouvoir
énorme des centrales d'achat d'espaces – Le danger
de la logique marketing – Confusion entre com-
munication et information – Les médias, jouets des
affrontements industriels – Tensions et résistances

3 – Les publicitaires sont des hommes de réseaux .. 282

France Pub, l'équipe de foot de la pub – Au départ,

une croisière folle dans le golfe du Mexique – Le rituel du match sous les tropiques – Le choix du « parrain » – Un club à l'influence discrète – Solidarité sans failles – Le « coup de pouce » à la création d'Havas Advertising – De discrets signes de ralliement qui ne trompent pas – Inimitié entre Maurice Lévy et Alain de Pouzilhac – Chez Publicis, on préfère fréquenter ceux qui dirigent la France – Le Siècle, une institution fondée par un radical, maçon, au sortir de la guerre – Des puissants et même des Présidents – Un renouvellement et une étiquette extrêmement contrôlés – L'esprit de corps plus fort que les clivages politiques – Les liens des publicitaires avec la franc-maçonnerie sont tabous – Les zones d'ombre du Cercle de l'industrie – Le poids des grands corps d'État et leurs relais dans les ministères – Liens entre les agences de communication et certains ministres – Du particularisme français

Épilogue 317

Bibliographie 321

Achevé d'imprimer en décembre 2002
par la Sté TIRAGE sur presse numérique
www.cogetefi.com

pour le compte des Editions Stock
31, rue de Fleurus, 75006 Paris

54-07-5415-04/2
N° d'édition : 30402 - N° d'impression : 120010
Dépôt légal : décembre 2002
ISBN : 2-234-05415-X
Imprimé en France